紀 昀 綜 論

黃 瓊 誼 著

文史哲學集成
文史哲出版社印行

國家圖書館出版品預行編目資料

```
紀昀綜論 / 黃瓊誼著. -- 初版 -- 臺北市：文
史哲，民 100.10
    頁；公分（文史哲學集成；605）
參考書目：頁
ISBN 978-957-549-985-3（平裝）


1.（清）紀昀 2.傳記 3.學術思想 4.文學評論

847.5                              100021015
```

文 史 哲 學 集 成　605

紀　昀　綜　論

著　　　者：黃　　瓊　　　　　誼
出　版　者：文　史　哲　出　版　社
http://www.lapen.com.tw
e-mail：lapen@ms74.hinet.net
登記證字號：行政院新聞局版臺業字五三三七號
發　行　人：彭　　　正　　　　雄
發　行　所：文　史　哲　出　版　社
印　刷　者：文　史　哲　出　版　社
臺北市羅斯福路一段七十二巷四號
郵政劃撥帳號：一六一八○一七五
電話 886-2-23511028・傳真 886-2-23965656

實價新臺幣五○○元

中 華 民 國 一 百 年（2011）十 月 初 版

紀 昀 綜 論

目 次

4　紀昀綜論

前言（代序）

　　自從大學時讀到《閱微草堂筆記》之後，我就深深地被它所吸引，或許喜愛的就是如魯迅所說的「雍容淡雅，天趣盎然」吧！爾後自然留意於有關紀昀的一切，這些年在工作之餘，陸續寫成了十幾篇有關紀昀研究的文章。本書即是將這些年來的研究成果，加以增益、修改、綜合整理而成，全書共收七篇論文，共約 22 萬字，大致可區分為四類：第一類包括〈《四庫全書總目》對乾隆旨意依違之例〉和〈紀昀文論綜述〉兩篇文章，第一篇文章是探討乾隆意旨對《四庫全書》的編纂產生了指導與規範的作用，但是這種「欽定」的影響主要是在政治禁忌方面，對與政治無關的文學批評方面則不多，就《四庫全書總目》的文學批評而言，其中還是有很大的學術自由空間，表現出異於乾隆意旨的學術意見。而且這些異於乾隆意旨的意見，則是和紀昀個人的文學思想相符合，是紀昀意見貫徹於《四庫全書總目》之例證。有了這樣的結論，在〈紀昀文論綜述〉文中，筆者就將《四庫全書總目》、《四庫全書簡明目錄》納入紀昀文論的探討範圍。第二篇〈紀昀文論綜述〉除了紀昀文論的探討之外，並論及近十年來紀昀文論研究的現況、紀昀文論形成的外緣及內因，以及紀昀文論的特色，即針對紀昀文論綜合整理而成的論述。第二類是〈《閱微草堂筆記》中紀昀「托狐鬼以抒己見」

的學術見解之例〉和〈紀昀《閱微草堂筆記》中的文學見解〉
兩篇文章，主要是探討紀昀晚年的文學代表作《閱微草堂筆
記》中，紀昀以寓言式「托狐鬼以抒己見」的方式來表達自
己的學術觀點、文學見解之例，或許有助於我們去瞭解紀昀
內心一些未曾言明的想法，讓我們能更加清楚紀昀看待漢、
宋學的態度，並釐清紀昀未曾言明及被人誤解的治學趨向；
一方面也透過探析這些文學批評資料，從中可以一窺紀昀的
文學見解，以作為紀昀研究的一個註腳。第三類是兩篇對紀
昀研究的補充短文。一篇是談《閱微草堂筆記》中的神兵利
器，是對紀昀小說理論的補充例證；另一篇是介紹紀昀重新
尋獲並利用《永樂大典》之功，是紀昀在編纂《四庫全書》
外，另一項功在學術的說明。第四類是附錄中的〈紀昀生平
際遇對於著述之影響〉一文，探討紀昀的生平際遇，對其著
述之影響。在以往研究紀昀的著作，雖然多有將紀昀生平按
年表列，但罕有論及紀昀仕宦浮沉、從往的親人師友、大時
代環境的氛圍對其著作的影響，而事實上這三方面對紀昀無
論是在創作心態上、思想見解上以及著述的完成等，都有莫
大的關連，因此不揣鄙陋，草成此文，探究其中的關連，以
收知人論世之效。今將這四類論著略述如下。

　　研究紀昀的文論時，該不該將《四庫全書總目》納入研
究的範圍，一直有不同的意見。反對者的疑慮主要有三點，
一是萬餘種提要豈是紀昀一人所完成？二是另兩位總纂官孫
士毅、陸錫熊之功勞何在？三是《四庫全書總目》「欽定」
的性質，表現的是乾隆帝的思想。就現有的研究成果，已可
解前兩點的疑慮。就提要的撰寫而言，由各纂修官寫成提要

稿，復經審閱、修改、核定而成閣本《四庫全書》的書前提
要。學者對於提要稿和《四庫全書總目》比對的結果[1]說明了
一點：「分纂稿誠然爲《總目》的撰寫提供了一定的基礎，但
從分纂稿到《總目》決非簡單的潤色修飾，而是一種脫胎換
骨式的再改造」[2]，提要稿和《四庫全書總目》定稿有一定程
度的差異，兩者之間有不同程度的改易，有的則幾乎另起爐
灶，全篇改寫。

　　而另兩位總纂官孫士毅、陸錫熊功勞是在閣本《四庫全
書》的書前提要，尤其是孫士毅任職最短，著力甚微，閣本
《四庫全書》書前提要的完成，主要還是靠紀昀、陸錫熊二
位。但是閣本《四庫全書》書前提要和武英殿本《四庫全書
總目》在內容上還是存在著差異，如「《總目》與庫本提要之
間內容有不少差異，主要表現爲四個方面：同義替換、語序
變更、詳略不同、評價微殊」[3]、「就總體而言，閣書提要還
不很成熟，在文字、體例、內容等方面都存在一些問題，反
映了纂修官原撰提要向《總目》定稿進行過渡的情況。而《總

1　這些學者的研究有：杜澤遜：〈讀新見姚鼐一篇四庫提要擬稿〉，《中國
　　典籍與文化》，1999：3，頁 43。季秋華：〈從《惜抱軒書錄》看纂前提
　　要與纂後提要之差異〉，《圖書館工作與研究》，頁 40。徐雁平：〈《惜抱
　　軒書錄》與《四庫全書總目》之比較〉，《文獻》，2006：1，頁 131-132。
　　樂怡：〈翁方綱纂《提要稿》與《四庫提要》之比較研究〉，《圖書館雜
　　志》，2006：4，頁 76。蘇虹：〈關于邵氏《四庫全書提要分纂稿》〉，《圖
　　書館學刊》，2005：4，頁 130。李祚唐：〈余集《四庫全書》提要稿研
　　究價值淺論〉，《學術月刊》，2001：1，頁 79。杜澤遜：〈讀新見鄭際唐
　　一篇四庫提要擬稿〉，《中國典籍與文化》，1998：3，頁 38。杜澤遜：〈讀
　　新見程晉芳一篇四庫提要分撰稿〉，《圖書館建設》，1999：5，頁 71。
2　周積明，《紀昀評傳》，南京大學出版社，頁 77。
3　司馬朝軍：〈殿本《四庫全書總目》與庫本提要之比較〉，《圖書館理論
　　與實踐》，2005：2，頁 63。

目》在閣書提要基礎上，又經修改提高，全書體例整齊，思想統一，注重指示學術門徑，詳於內容介紹、文字考訂、得失評論乃至源流敍述」[4]。王鵬凱在〈紀昀撰《四庫全書總目》說之論析〉一文研究指出，孫士毅、陸錫熊在首部《四庫全書》完成後（乾隆47年）都先後外放爲官，脫離了《四庫全書》後續編纂的工作，武英殿本《四庫全書總目》則遲至乾隆60年底才完成，所以這項修訂的工作，則是由紀昀所獨立完成。

　　至於《四庫全書總目》「欽定」的性質，能否容有撰寫者的意見？是以筆者著手研究，草成〈《四庫全書總目》對乾隆旨意依違之例〉一文，以解除這點疑慮。就研究所得，《四庫全書總目》在編纂上的因應之道，除了遵從乾隆意旨外，仍會以一些曲折的方法來表達己見，其中甚至有不少明顯與乾隆衝突的觀點。其因應之道主要有三點，一是說明作家、作品見斥之原由，以釐清文責。二是除乾隆欽點者外，去取標準並未全部一體照辦。三是不以乾隆好惡爲品評之準則。有不以乾隆之惡爲惡，也有不以乾隆之好爲好。而這些異於乾隆意旨的意見，又往往和紀昀私人著述中的意見相同，是紀昀意見貫徹於《四庫全書總目》之例證，是以筆者本文將殿本《四庫全書總目》、《四庫全書簡明目錄》納入研究紀昀文論之範圍。

　　第二篇〈紀昀文論綜述〉，在緒論中首先將紀昀文學批評與文學創作的過程做一略述，再者回顧廿一世紀前十年有關紀

---

4 黃愛平：〈《四庫全書總目》與閣書提要異同初探〉，《圖書館學刊》，1991：1，頁41-43。

昀文論研究的現況,以期能掌握研究現狀並了解研究的趨勢,
接著說明《四庫全書總目》納入紀昀文論的討論範圍之原因。

其次進行紀昀文論的探析,先討論紀昀文論形成的外緣
(1.唐宋詩之爭 2.漢學興盛 3.四庫全書的編纂)及內因(1.
紀氏有廣博的學識 2.紀氏有公正的態度,批評能除門戶之見
3.身兼文人、學者兩種身分,使他努力地在儒家學者的立場
──(理)和詩家文人的慧心──(情)中取得平衡)。再來
就紀昀在《紀文達公文集》、《四庫全書總目》、《四庫全書簡
明目錄》等各項文獻中的文論進行全面的討論,包括一、對
文學作品的看法(1.就作品內容而言 2.就表現技巧而言 3.就
作品的作用而言);二、對作者的看法(1.就作者學力而言
2.注意作者創作的年歲 3.就作者的品格而言 4.就作者的才力
而言);三、對批評家的看法;四、對各種文體的看法(詩、
文、詞曲、詩文評、小說);五、文學流變史觀。綜觀紀昀所
言,紀昀真能做到如阮元所稱的「析詩文流派之正偽」,信哉
斯言,紀昀確實為一位文論大家。最後透過紀昀文論的探討
以求紀昀文論的特色,得出紀昀文論的特色有一、文論有調
和折衷的特色二、態度公正,批評能除門戶之見三、有廣博
的學識,具有史的概念,故能講明千古文學之流變。周積明
在他所著的《紀昀評傳》中稱紀昀為「一個古典文化穴結時
代的代表型人物」,作為這樣的人物,他必須對傳統文化有睿
智、深徹的眼力,作出涵蓋經、史、子、集各領域規模恢宏
的理論總結。如果單從文學批評理論家的角度來看,紀昀博
覽古今、深厚的學識使他能詳明整個文學流變,因而深具史
的觀念!正因為紀氏具有史的觀念,所以於文體正變源委知

之甚詳，也才能對各類文學作品、各家派別的利弊得失了然於心。加上他有公正的態度，批評能除門戶之見，所以每能立論公允。雖然他許多的主張見解，都是前有所承，是他「穴結」的表現，但在進行總結當中，也能後出轉精，歸納得到相濟相成的圓融之說。

　　書中第二類是〈《閱微草堂筆記》中紀昀「托狐鬼以抒己見」的學術見解之例〉和〈紀昀《閱微草堂筆記》中的文學見解〉這兩篇文章，主要是探討紀昀在張皇鬼神、稱道靈異之外，「托狐鬼以抒己見」的用意。紀昀在景薄桑榆、精神日減、垂垂老矣的暮年，願意耗費近十年的歲月創作此書，不會僅僅是為了弄筆遣日而已。魯迅稱紀昀為「前清的世故老人」，加上他又未留有學術專書，因此紀昀對他所贊同或反對的意見，往往很世故地「托狐鬼以抒己見」，不直接而明顯地表達自己的主張。從紀昀「托狐鬼以抒己見」的例子看來，就學術見解而言，漢、宋學各有紀昀所欣賞之長，也各有紀昀所批評之短。紀昀欲透過徵實的考據方法以求明儒家經典之理，由明儒家經典之理以建有益於世之事功，簡言之，縈繞在其心中的目標就是通經致用，在「通經致用」的思維下，讓他不再囿限於漢、宋學的藩籬之中。紀昀對理學家熱衷於談天說理頗有微辭，但他也不滿於漢學家泥古、瑣碎之弊，故而寫出泥古的劉羽沖，和譏諷漢學「儒者日談考證，講曰若稽古，動至十四萬言，安知冥冥之中，無在旁揶揄者乎？」的記述，只不過他的一些消融門戶之見、力求公允之論的言論，如同他所譏諷的漢學之弊，都未引起人們的注意。一般還是認為他的治學趨向為「揚漢抑宋」，透過上述那些托狐鬼

故事所抒發的「己見」，是有助於我們掌握並釐清紀昀未曾言明和被人誤解的治學趨向。就《四庫全書總目》著作權的歸屬而言，紀昀這些「托狐鬼以抒己見」的意見往往和《四庫全書總目》中所說的意見是一致的，這除了證明紀昀以狐鬼之口表達自己的見解外，反過來說，也可作爲紀昀撰寫《四庫全書總目》的佐證。此外，透過探析這些「托狐鬼以抒己見」的文學批評資料，從中可以一窺紀昀的文學見解，而這些意見也和他私人著作以及《四庫全書總目》中的意見是一致的，這除了證明紀昀以狐鬼之口表達自己的見解外，反過來說，也可作爲紀昀撰寫《四庫全書總目》的佐證。

　　書中第三類是收錄兩篇已被《國文天地》接受刊登之短文，礙於雜誌的體例，是用通俗的文筆寫成的，但也是研究紀昀成果的一部分，姑收錄於此，庶幾不沒籌燈呵凍之勞。一篇是〈談鬼說狐之外 ——《閱微草堂筆記》中的神兵利器〉，另一篇爲〈紀昀與《永樂大典》〉。前文是對紀昀小說理論的補充例證，紀昀標舉出小說應具有「富勸戒、廣見聞、資考證」的特性，而他的《閱微草堂筆記》內容非常豐富而多樣，在一千多則的紀錄中，包含了許多社會、民俗、文化、金石、考古等等記錄，深具文獻的價值，並非單單只是談鬼說狐的文學作品而已。尤其是紀昀本人曾但任過兵部侍郎（乾隆47、48 年）、兵部尚書（乾隆 51 年、嘉慶元年），對於兵陣之事也多有留意，因此在《閱微草堂筆記》中就有記載著特殊的神兵利器，甚具有「廣見聞、資考證」的特性。從書中記載也可看出紀昀極富有實證的精神，旺盛的求知慾還促使他進行神臂弓的復原計畫。而戴梓的連珠火銃和烏什二銃

的記載，也可以看出 18 世紀時的武器水準於一斑。

　　後文是探討紀昀在重新尋獲並利用我國古代最大的一部類書《永樂大典》的功勞。自雍正年間李紱、全祖望二人之後，《永樂大典》因乏人問津，歲深日久之後，一度無人知道典藏於何處。紀昀曾爲了尋獲《永樂大典》而齋戒，並在敬一亭中尋獲《永樂大典》。其後紀昀的好友朱筠奏請開館校閱《永樂大典》，這項工作卻開了日後成立四庫館的先導之路，由校輯《永樂大典》之遺書，一變爲《四庫全書》之編纂，成就了紀昀學術代表作《四庫全書總目》。而紀昀雖然是《四庫全書》的總纂官，但是對於校輯《永樂大典》，也確實有籌定事例與指揮輯佚之功。如果再算上後來依據《永樂大典》輯錄或校補者的成就，如法式善、阮元等用以編校《全唐文》；文廷式、繆荃孫、趙萬里、王國維、唐圭璋等人也都據此而取得很好的成績，推本溯源，領事者紀昀也算有先導之功。如此說來，紀昀在學術上的貢獻，又可以記上一筆了。

　　附錄中的〈紀昀生平際遇對於著述之影響〉一文，本著章學誠在《文史通義・文德篇》中所說：「不知古人之世，不可妄論古人之文辭也。知其世矣，不知古人之身處，亦不可遽論其文也」之意，來探討紀昀生平際遇對其著述之影響。本文陸續發表於《東海大學圖書館館訊》新 109-112 等四期中，以說明紀昀著述與其生平際遇兩者之關連。事實上，無論紀昀的文學創作或是學術研究，都脫離不了爲官的經歷、從往的親人師友、大時代環境的氛圍這三者的影響。如果要更精確深入地掌握紀昀的學術著作和文學創作，勢必要從了解紀昀宦海的浮沈、遇到的師長親友的影響以及所處大時代

的環境氛圍這三方面對紀昀的影響著手。因此和王鵬凱君合作，在前人的研究成果上，整理出紀昀生平際遇對於著述的影響，撰成此文，故置於附錄。

　　就紀昀所處的大時代環境氛圍而言，紀昀無可避免地必須對漢宋學、唐宋詩之爭表達出自己的看法，進而影響到紀昀治學的特色。在面對著唐宋詩之爭的紛爭時，紀昀自己透過廣泛地學習，並且用了很多的精力，去對一些有爭議的詩集加以評點和圈閱，要去矯正祖唐祧宋兩派詩論的偏頗，希望能於兩派之中取其所長而棄其所短。他努力地在儒家學者的立場（理）和詩家文人的慧心（情）中取得平衡，因此紀昀的詩論帶著濃厚調和折衷的色彩，既調和各家優劣長短，又折衷單重抒情、說理的偏頗。在面對著漢宋學之爭的紛爭時，透過紀昀在《閱微草堂筆記》中對儒者形象的刻畫，可以看出紀昀對當時儒者讚許與厭惡為何。從愛憎之中，可以得知紀昀對漢宋學的態度為何，同時也體現了他心中的治學標準為何。經分析之後，紀昀對漢宋學的態度是重視通經致用的治學態度，並不等同於當時偏重於考據方法的漢學，只能說他是趨向漢學的治學態度，但不以漢學為藩籬。而攻訐程朱理學末流之弊，是對程朱理學的修正，而非反對程朱理學。與程朱理學是治學方法上的差異，但在維護社會、安定人心的倫常教化上，並非是反對程朱理學的，這有別於紀昀治學揚漢抑宋的印象。可惜的是紀昀欲藉著辨漢宋儒術之「是非」和析詩文流派之「正偽」之後，能「屏除門戶，一洗糾紛」的理想，還是無法達成。而他對這兩者之爭的許多持平言論，竟不能引起眾人的注意，終究為眾人所忽視。

　　就紀昀仕宦的浮沈而言，翰林時期、任福建學使、漏言獲罪西成、任四庫館職，這四個不同的階段，分別讓紀昀在進士及第後與天下名流相唱和，也讓他有機會遊歷江南與西域的山川風貌，進而創作出優秀的山水詩〈南行雜詠〉，和邊塞詩〈烏魯木齊雜詩〉共兩百多首，甚至因爲擔任四庫全書總纂官，因此有殿本《四庫全書總目》的纂成。而宦海的浮沈，也直接影響到他的心境，進而影響到著述，可以說是紀昀的學術與文學上的著述，都脫離不了仕宦際遇的影響。

　　就紀昀受到師長親友的影響來看，紀昀從游之師友，實不乏高才俊逸、博學鴻儒之輩，劉統勳、阿桂、戴東原、王昶、王鳴盛、錢大昕、翁方綱、朱珪、彭元瑞、劉墉等人，盡皆有名於世。這些師友有些在思想上影響了紀昀，有些則是與紀昀切磋琢磨於學問之間，讓他不論是在爲人處世或是學問上，都得到莫大的助益。在紀昀思想中一些重要的觀念，如重實學輕空談、主張神道設教的鬼神觀反對理學無鬼神之論、對講學家苛刻不近人情的抨擊、以禮法節制情慾反對苛刻的禮教等觀念，都有紀昀父兄二人對紀昀影響的痕跡。此外，紀昀有幸得觀念通達的明師指引，使他能對當時嚴苛的禮教產生反省，也說明了日後紀昀爲何在著述中，會每每批判講學家對貞節的要求過於嚴苛。而其交往的益友，可以看到了紀昀和友朋間有勸善規過之義、友朋服善之益、不沒人長等友朋之間彼此互動的情形，也確實看到友朋對紀昀著述影響之痕跡。

黃瓊誼謹誌於南投草屯 100.9.5

《四庫全書總目》對乾隆意旨依違之例
—— 以集部爲考察中心

　　編纂《四庫全書》如同清高宗所言「朕稽古右文，聿資治理」[1]，是清高宗意欲彰顯乾隆盛世的文治代表之舉。因此，《四庫全書》從醞釀到修成的全部過程，愛新覺羅・弘曆始終參與其事，從《四庫全書總目・卷首》的 21 道聖諭[2]中，可以看出他精心策劃，投注了大量的關注。他的諭旨是編纂《四庫全書》的總綱和指導原則，無論從徵書、選擇底本，到抄書、校書，包含了編纂目的、編纂體例、編纂校勘、編書取捨、古籍改編、文化傳播等範圍，乾隆都一一過問，親自安排[3]。也因而魯迅會說《四庫全書總目》「但須注意其批評是『欽定』的」[4]這句話，故有學者主張「即使《總目》的思想和紀昀完全合轍，也只能說是紀昀的想法正好符合乾隆帝……筆者也主張《總目》表現的是乾隆帝的思想；或者說

---

1 〈乾隆三十七年正月初四日奉上諭〉，《四庫全書總目・卷首》聖諭一，（北京：中華書局，1997），頁 1。
2 本數字是據武英殿本《四庫全書總目》統計所得，浙本《四庫全書總目》則爲 25 道聖諭。
3 詳參戚福康：〈《四庫全書》乾隆御旨平議〉，古籍整理研究學刊，2001.6期，頁 1-6、2002.2 期，頁 28-32。
4 魯迅：《魯迅全集》第八卷，（北京：人民文學出版社，2005），頁 497。

表現當代學術共識，而非某一位單獨個人的思想概念，至於
紀昀等人所扮演的，就如同現代的『總統府發言人』、『新聞
局長』或所謂『文膽』之類的腳色，不過是代筆人而已」[5]。
但此說則和自清代以來，絕大多數學者以《四庫全書總目》
代表紀昀學術思想的認知大不相同[6]，甚至紀昀本人也曾多次
提及他和《四庫全書總目》的關係，有的是直言撰寫《四庫
全書總目》，有的論及撰寫《四庫全書總目》案語之事，又有
稱撰寫《四庫全書總目》總序、類序，也有言及《四庫全書
總目》編次以及校定、勘定《四庫全書總目》之事[7]。這其中
的差異，筆者試從乾隆聖諭、《四庫全書總目》凡例、《四庫
全書總目》、紀昀私人著述四者之間加以比較分析，以探求其
因，今試述如下。

從乾隆聖諭、《四庫全書總目》凡例看乾隆意旨對《四庫全書》編纂之規範

　　由於乾隆對《四庫全書》編纂「每進一編，必經親覽，
宏綱巨目，悉稟天裁⋯⋯隨時訓示⋯⋯，與歷代官修之本泛

---

5 楊晉龍：〈論《四庫全書總目》對明代詩經學的評價〉，（濟南）第四屆
　詩經國際學術研討會會議論文，1999，頁 441。
6 對於《四庫全書總目》的著作權，自清代以來，甚至是紀昀在世時就
　如此，學者大多傾向歸於總纂官紀昀。王鵬凱曾將這些說法一一列舉
　出來，詳參〈紀昀撰述《四庫全書總目》說之論析〉一文，東海大學
　圖書館館訊，新 97 期，1999.10，頁 46-47。本文所指的《四庫全書總
　目》，都是指武英殿本而言。
7 詳參王鵬凱：〈紀昀撰述《四庫全書總目》說之論析〉一文，東海大學
　圖書館館訊，新 97 期，頁 60-63。

稱御定者迥不相同」[8]的關注，自然會對《四庫全書》產生許多指導與規範的作用，但這種「欽定」的影響主要是在政治禁忌方面。從卷首的 21 道聖諭中，就有 5 道上諭是指示政治違礙方面禁毀、抽毀、改纂等事宜[9]。和文學去取有關的是乾隆為表示「朕厘正詩體，崇尚雅醇之至意」，點名撤出香奩體的〈美人八詠〉詩，從上諭中可以看出乾隆對香奩體的厭惡，才會特別指示辦理：

> 昨閱四庫館進呈書，有朱存孝編輯《回文文類聚補遺》一種，內載〈美人八詠〉詩，詞意蝶狎，有乖雅正……自《玉臺新詠》以後，唐人韓偓輩，務作綺麗之詞，號為香奩體，漸入浮靡。尤而效之者，詩格更為卑下……朕輯《四庫全書》當采詩文之有關世道人心者，若此等詩句，豈可以體近香奩概行采錄。所有〈美人八詠〉詩，著即行撤出。至此外各種詩集，內有似

8　《四庫全書總目・凡例》一，前揭書，頁 31。
9　〈乾隆四十一年十一月十七日奉上諭〉、〈乾隆四十二年十一月十四日奉上諭〉、〈乾隆四十四年二月二十六日奉上諭〉、〈乾隆四十六年十月十六日奉上諭〉、〈乾隆四十六年十月二十七日內閣奉上諭〉，前揭書，頁 5-10。並且從上諭中可以發現，早先〈乾隆三十九年七月二十五日奉諭旨〉中，乾隆只指示將「於經、史、子、集內分晰「應刻」、「應抄」、「應存」書名三項」（前揭書，頁 3），但隨著編書工作的進行，大量明人詆毀滿清的詩文，讓乾隆隨後將編纂的重點放在禁毀抽改上：「前因彙輯《四庫全書》諭各省督撫遍為采訪，嗣據陸續送到各種遺書，令總裁等悉心校勘，分別「應刊」、「應抄」，及「存目」 三項，以廣流傳。第其中有明季諸人書集，詞意抵觸本朝者，自當在銷毀之列」，有人認為乾隆先進行徵書，引蛇出洞後再加以禁毀，但從上諭看來，似乎是本無此意，因為在乾隆 37 年編《四庫全書》以來的上諭都不曾討論到此事，但編書工作進行 3 年多後，問題逐漸浮現出來，於是從乾隆 41 年以後到《四庫全書》編成，才有 5 道指示政治違礙方面禁毀、抽毀、改纂等事宜的上諭。

此者，亦著該總裁督同總校、分校等詳細檢查，一並
撤出，以示朕厘正詩體，崇尚雅醇之至意。欽此。[10]

除了上諭外，紀昀在〈欽定四庫全書告成恭進表〉中也
將乾隆指示屏斥者，如「立言乖體」四明學派之說、被乾隆
斷爲僞作的陶潛《聖賢群輔錄》、釋藏、道藏、申韓之術、嚴
嵩、朱存孝《回文文類聚補遺》、張小山、韓偓、石孝友等著
作，一一列舉出來：

> 立言乖體，四明之錄必刪；贋古誣真，五柳之名宜辨。
> 七籤三藏，汰除釋老之編；五蠹九奸，排斥申韓之術。
> 毒深孔雀，無容校寫其青詞；巧謝璇璣，未許增添其
> 錦字。小山豔曲，削香奩脂盒之篇；金谷新詞，刊酒
> 肆歌樓之句。凡皆詞臣之奏進，誤點丹黃；一經聖主
> 之品題，立分白黑。[11]

此外在《四庫全書總目》卷首三的二十則凡例中，則對
乾隆的指示有更詳細的說明，除了前面所列舉者，又多了姚
廣孝、《燕丹子》兩者被斥入存目之中：

> 文章流別，歷代增新。古來有是一家，即應立是一類，
> 作者有是一體，即應備是一格，斯協於全書之名，故
> 釋道外教、詞曲末技，咸登簡牘，不廢搜羅。然二氏

10　〈乾隆四十六年十一月初六日內閣奉上諭〉，前揭書，頁 10。至於〈乾
　　隆四十年十一月十七日奉上諭〉所提到的「青詞一體，乃道流祈禱之
　　章，非斯文正軌……跡涉異端……尤乖典則者乎……並當一律從
　　刪」，是屬於宗教方面的去取，正如乾隆所言「使群言悉歸雅正，副
　　朕鑒古斥邪之意」（前揭書，頁 4），但筆者認爲因多收錄於個人文集
　　中，可算是宗教文學，故一併討論之。
11　紀昀著，孫致中等校點：《紀曉嵐文集》第一冊，（河北：河北教育出
　　版社，1991），頁 116。

之書，必擇其可資考證者，其經懺章咒，並凜遵諭旨，
一字不收。宋人朱表青詞，亦概從刪削。其倚聲填調
之作，如石孝友之《金谷遺音》，張可久之《小山小
令》，臣等初以相傳舊本，姑爲錄存，並蒙皇上指示，
命從屛斥，仰見大聖人敦崇風教，厘正典籍之至意。
是以編輯雖富，而謹持繩墨，去取不敢不嚴。[12]

文章德行，自孔門既已分科，兩擅厥長，代不一二。
今所錄者，如龔詡、楊繼盛之文集，周宗建、黃道周
之經解，則論人而不論其書。耿南仲之說《易》吳玕
之評詩，則論書而不論其人。凡茲之類，略示變通，
一則表章之公，一則節取之義也。至於姚廣孝之《逃
虛子集》、嚴嵩之《鈐山堂詩》雖詞華之美足以方軌
文壇，而廣孝則助逆興兵，嵩則怙權蠹國，繩以名義，
非止微瑕。凡茲之流，並著其見斥之由，附存其目，
用見聖朝彰善瘅惡，悉准千秋之公論焉。[13]

至於其書雖歷代著錄而實一無可取，如《燕丹子》、
陶潛《聖賢群輔錄》之類，經聖鑒洞燭其妄者，則亦
斥而存目，不使濫登。[14]

　　而除文學上的喜惡外，乾隆因政治立場而下達的指示意
見，也是《四庫全書總目》必須接受的，對這些人物的評價
自然依乾隆的指示而有所不同：

　　如錢謙益在明已居大位，又復身事本朝，而金堡、屈

12　《四庫全書總目‧凡例》，前揭書，頁33。
13　《四庫全書總目‧凡例》，前揭書，頁33。
14　《四庫全書總目‧凡例》，前揭書，頁34。

大均則又遁跡緇流、均以不能死節，靦顏苟活，乃托
名勝國，妄肆狂猖，其人實不足齒，其書豈可復
存！……若劉宗周、黃道周立朝守正，風節凜然，其
奏議慷慨極言，忠藎溢于簡牘，卒之以身殉國，不愧
一代完人。又如熊廷弼……又如王允成……又如葉向
高……惟當改易違礙字句，無庸銷毀。又彼時直臣如
楊漣、左光斗、李應升、周宗建、繆昌期、趙南星、
倪元璐等，所有書籍，並當以此類推……又若彙選各
家詩文，內有錢謙益、屈大均所作，自當削去。其餘
原可留存，不必因一二匪人致累及眾。[15]

凡此乾隆直接對館臣下達的聖諭和翻閱四庫時的御題詩
文中涉及關於某些作家作品的意見，這些意見都是《四庫全
書總目》所不能不接受的，也是「欽定」的規範與侷限，如
宋朝劉跂的《學易集》久無傳本，經自《永樂大典》中輯出
12卷，本為難能可貴之事，但乾隆以為青詞一體「非斯文正
軌」，「一律從刪……諸凡相類者，均可照此辦理」：

據四庫全書館總裁將所輯永樂大典散片各書進呈，朕
詳加披閱，內宋劉跂學易集十二卷擬請刊刻。其中有
青詞一體，乃道流祈禱之章，非斯文正軌……蓋青詞
跡涉異端，不特周、程、張、朱諸儒所必不肯為，即
韓、柳、歐、蘇諸大家亦正集所未見。若韓愈之〈送
窮文〉、柳宗元之〈乞巧文〉，此乃擬托神靈，游戲翰
墨，不過借以喻言，並非實有其事，偶一為之，固屬

---

15 〈乾隆四十一年十一月十七日奉上諭〉，前揭書，頁5-6。

無害……再所進書內……亦有青詞一種，並當一律從
刪……諸凡相類者，均可照此辦理。該總裁等，務須
詳愼決擇，使羣言悉歸雅正，副朕鑑古斥邪之意。欽
此。[16]

所以劉跂的《學易集》不僅刪去達三分之一，僅剩 8 卷，
而其餘有類似情形如宋朝王珪者，也比照辦理，同遭刪芟之
禍，凡此之例甚多，這是乾隆以一己之意，造成《四庫全書》
不全之弊：

永樂大典載跂詩文頗多，雖未免有所脫佚，而掇拾排
次，尚可得什之六七。謹依類編訂，共錄爲十有二卷。
今恭承聖訓，於刊刻時削去青詞，以歸雅正……皆跡
涉異端，與青詞相類，亦概爲削除，重加編次，釐爲
八卷。用昭鑑古斥邪之訓，垂萬世立言之準焉。[17]
其中有青詞、密詞、道場文、齋文、樂語之類，雖屬
當時沿用之體，而究非文章正軌，不可爲訓。今以原
集所有姑附存之，而刊本則概加刪削焉。[18]

又如《四庫全書總目》於唐以前僞書大率著錄，這是因
爲唐以前之書，流傳至今者寡，就其倖存者，雖或無關於經
訓，然而片詞隻字，皆可做爲詞章考據之用。在《四庫全書
總目・凡例》中，對此有做一說明：

其有本屬僞書，流傳已久，或掇拾殘剩，真贋相參，

---

16 〈乾隆四十一年十一月十七日奉上諭〉，前揭書，頁 5-6。
17 〈學易集提要〉，《四庫全書總目》卷 155，（北京：中華書局，1997），
　　頁 2080。
18 〈華陽集提要〉，《四庫全書總目》卷 152，前揭書，頁 2046。

歷代詞人已引為故實，未可概為捐棄，則姑錄存而辨別之。大抵灼為原帙者，則題曰某代某人撰；灼為贋造者，則題曰舊本，題某代某人撰。[19]

而《燕丹子》、陶潛《聖賢群輔錄》兩書，一為「其他多鄙誕不可信，殊無足採，謹仰遵聖訓，附存其目」[20]；一則是「蒙睿鑒高深，斷為偽托」[21]，都是「經聖鑒洞燭其妄者，則亦斥而存目，不使濫登」[22]，實際上卻是乾隆對編輯體例的破壞，乾隆的指導變成了干擾，也難怪在凡例中要特別標舉說明之。就字面上看來，讓乾隆有「蒙睿鑒高深」、「洞燭其妄者」高人一等的優越感，滿足了乾隆的虛榮心；換個角度看，未嘗不是劃清文責之舉。何況從《永樂大典》中輯出的《燕丹子》雖然在提要中有貶無褒，但身為學者的紀昀卻明白該書的價值，特別將其輯本抄存，交付孫星衍刻印：

夫紀曉嵐於修四庫書時既斥其書不錄，而乃私自抄存，復以其本授人，則知其於此書亦所甚愛。蓋雖職為總纂，而於去取群書之際，有為高宗御題詩文所壓，不可盡行其志者矣。[23]

至於品評作家、作品的標準，從上諭及凡例中可以歸納出「厘正詩體，崇尚雅醇」、「聖朝彰善癉惡」這兩點，如此標準是乾隆希望藉由「大聖人敦崇風教，厘正典籍之至意」，達到「朕稽古右文，聿資治理」的目的。所以「香奩體，漸

---

19 《四庫全書總目‧凡例》，前揭書，頁 33-34。
20 〈燕丹子提要〉，《四庫全書總目》卷 143，前揭書，頁 1887。
21 〈聖賢群輔錄提要〉，《四庫全書總目》卷 137，前揭書，頁 1779。
22 《四庫全書總目‧凡例》，前揭書，頁 34。
23 余嘉錫：《四庫提要辨證》，（北京：中華書局，1980），頁 1166。

入浮靡」、「小山豔曲，剏香奩脂盈之篇；金谷新詞，刊酒肆歌樓之句」都是不符合雅正的標準而見斥；「姚廣孝之《逃虛子集》、嚴嵩之《鈐山堂詩》雖詞華之美足以方軌文壇，而廣孝則助逆興兵，嵩則怙權蠹國，繩以名義，非止微瑕」則是在彰善癉惡的標準下見斥。但是凡例中對品評作家、作品的標準已有文學獨立品評的趨向，「文章德行，自孔門既已分科，兩擅厥長，代不一二」將人品、詩品分而觀之，但要顧及乾隆彰善癉惡的標準，因此一些乾隆特別提出的人物，如「詞華之美足以方軌文壇」的姚廣孝、嚴嵩；才大學博，主持東南壇坫的錢謙益、格調派領袖沈德潛之輩，不論其文學、文學批評上的成就如何，而大加撻伐，這自然是出自遵從乾隆旨意的結果。

　　但是就《四庫全書總目》文學批評方面而言，乾隆對館臣下達的聖諭和御題詩文中對歷代作家作品發表的意見，從前文所提到的上諭、《四庫全書總目》凡例看來，相對於歷朝歷代數量極夥的作家、作品而言，算是少數的特例。《四庫全書總目》的文學批評還是有很大的學術自由空間，如同孫悟空的緊箍兒，只要不觸怒唐僧，孫行者依然活蹦亂跳。同理，我們不應該把《四庫全書總目》文學批評的「欽定」性過分地誇大，只要不批及乾隆政治方面的逆鱗，《四庫全書總目》的文學批評中甚至有不少明顯與乾隆衝突的觀點，後面就來討論這些例子。

《四庫全書總目》異於乾隆的學術意見

　　從上述所言可知，乾隆的意旨有時會讓指導變成干擾，其意旨未必是高明且正確，但在聖命難違的情形下，《四庫全書總目》在編纂上的因應之道，除了遵從外，仍會以一些曲折的方法來表達己見，今略述於後：

　　一、說明作家、作品見斥之原由，以釐清文責。以青詞為例，幾乎遭刪除者都提到是乾隆之意旨所為，如「謹稟承聖訓，概從刪削」[24]、「欽遵諭旨……概予芟除」[25]，而《燕丹子》、陶潛《聖賢群輔錄》，也是明白地指出乃謹遵聖訓而見斥，造成體例上的特例。這樣的說明，表面上雖然是彰顯乾隆聖裁的睿智，但也未嘗不是劃清責任之舉，說明責任在彼而不在己。尤其是乾隆的指示並不合宜，所以在凡例中才會加以詳細說明，如對刪除青詞、不收元曲等，會造成體例上的不全，因此凡例稱「文章流別，歷代增新。古來有是一家，即應立是一類，作者有是一體，即應備是一格，斯協於全書之名，故釋道外教、詞曲末技，咸登簡牘，不廢搜羅……並蒙皇上指示，命從屏斥，仰見大聖人敦崇風教，厘正典籍之至意。是以編輯雖富，而謹持繩墨，去取不敢不嚴」，其中雖然讚揚「仰見大聖人敦崇風教，厘正典籍之至意」，但也反映出《四庫全書》未能「協於全書之名」之弊，實乃乾隆所為。又如對「用見聖朝彰善癉惡」來品評作家之指示，在凡

24　〈攻媿集提要〉，《四庫全書總目》卷 159，前揭書，頁 2133。
25　〈雪山集提要〉，《四庫全書總目》卷 159，前揭書，頁 2127。

例中還是說明「文章德行，自孔門既已分科，兩擅厥長，代不一二」，表達出文學批評應有的獨立性，而且《四庫全書總目》對所評論者的去取，仍能針對其文學成就加以說明，能清楚地說明有「論人而不論其書」；有「論書而不論其人」。如稱姚廣孝、嚴嵩「其詩清新婉約，頗存古調」[26]、「詞華之美足以方軌文壇」，是因人品而見斥；也有因人品而著錄，如：

> 詩文皆所造不深，然光明俊偉之氣，自不可掩。忠臣孝子之文，固不與詞人爭字句之工也。[27]

> 然朝鮮文士大抵以吟咏聞於上國，其卓然傳濂、洛、關、閩之說以教其鄉者，自（徐）敬德始，亦可謂豪傑之士矣。故詩文雖不入格，特存其目以表人焉。[28]

> 詩不甚工，而公豫於當時為循吏，以其人而存之。[29]

　　此外，《四庫全書總目》雖不能明目張膽地反對乾隆指示，但在提要中仍能婉轉含蓄地表達出不同的意見。如元曲都斥入存目，《四庫全書總目》一方面很技巧地在凡例中說明了元曲見斥不被著錄的原因，是由於乾隆皇帝的旨意而非館臣等的主張，一方面也在各篇提要中加以肯定，以為「未可

26　〈逃虛子集提要〉，《四庫全書總目》卷 175，前揭書，頁 2388。

27　〈忠愍集提要〉，《四庫全書簡明目錄》卷 15，（台北：世界書局，1975），頁 641。

28　〈徐花潭集提要〉，《四庫全書總目》卷 178，前揭書，頁 2478。

29　〈燕堂詩稿提要〉，《四庫全書簡明目錄》卷 16，前揭書，頁 664。《四庫全書總目》卷 159 提要中對該書著錄的原因說的更為清楚，純粹是為了替官吏樹立表率「其詩因屬對不甚工切……，是其政績不愧於古之循吏，當因人以重其詩，使魯恭、卓茂有遺集以傳於後。雖聲律未嫻，談藝者敢毅然斥去乎！存此一集，以風屬官方，較之捃藻摛華，其有補於世道為多也」，前揭書，頁 2779。

全斥爲俳優也」、「闡揚風化，開導愚蒙……豈徒斤斤於紅牙
翠管之間哉」、「小道可觀，遂亦不能盡廢」：

> 詞、曲二體，在文章、技藝之間，厥品頗卑，作者弗
> 貴，特才華之士，以綺語相高耳。然三百篇變而為古
> 詩，古詩變而為近體，近體變而詞，詞變而曲，層累
> 而降，莫知其然。究厥淵源，實亦樂府之餘音，風人
> 之末派，其於文苑，同屬附庸，未可全斥為俳優也。[30]
> 大聖人闡揚風化，開導愚蒙，委曲周詳，無往不隨事
> 立教者，此亦一端矣。豈徒斤斤於紅牙翠管之間哉？[31]
> 自五代至宋，詩降而為詞，自宋至元，詞降而為曲，
> 文人學士，往往以是擅長。如關漢卿、馬致遠、鄭德
> 輝、宮大用之類，皆藉以知名於世事可謂散精神於無
> 用，然其抒情寫景，亦時得樂府之遺，小道可觀，遂
> 亦不能盡廢。可久之詞，《太和正音》稱其「如瑤天
> 笙鶴，既清且新，華而不豔，有不食煙火氣」。又謂
> 其「如披太華之天風，招蓬萊之海月」。今觀所作，
> 遣詞命意，實能脫其塵蹊，雖非文章之正體，亦附存
> 其目，以見一代風尚之所在焉。[32]

其中「三百篇變而爲古詩，古詩變而爲近體，近體變而
詞，詞變而曲，層累而降……其於文苑，同屬附庸」、「自五
代至宋，詩降而爲詞，自宋至元，詞降而爲曲，文人學士，
往往以是擅長……以見一代風尙之所在焉」所表達出文學流

30　〈詞曲類敘〉，《四庫全書總目》，前揭書，頁 2779。

31　〈欽定曲譜提要〉，《四庫全書總目》卷 199，前揭書，頁 2811。

32　〈張小山小令提要〉，《四庫全書總目》卷 200，前揭書，頁 2823。

變的史觀，似已標舉出每個時代各有不同之代表文學體裁創
作的概念[33]，實是不該輕忽，將其「全斥為俳優」。在〈張小
山小令提要〉中雖斥之為「敝精神於無用……非文章之正
體」，但讚譽之詞遠多於此，足見寓褒於貶之中，只因乾隆之
故，不得不如此。這種尊重一代有一代文學特色的思想，不
僅出現在元曲的批評上，如論各時代之詩也各有其不同的特
色，未可一概而論，就是這種見解的表現：

> 然一朝之詩，各有體裁，一家之詩，各有面目。江淹
> 所謂「楚謠漢風既非一骨，魏制晉造固已二體。蛾眉
> 詎同貌而俱動於魂，芳草寧共氣而皆悅於魄」者也。
> 必以唐法律宋、金、元，而宋、金、元之本真隱矣。
> 即如唐人之詩，又豈可以漢、魏、六朝繩之，漢、魏、
> 六朝又豈可以風、騷繩之哉！是集之所以隘也。[34]

而這種見解也出現於紀昀之私人著述中，在紀昀〈書韓
致堯翰林集後〉與《四庫全書總目》之〈宋金元詩永提要〉
的意見如出一轍，是紀昀意見貫徹於《四庫全書總目》之一
例證：

> 詩至五代，駸駸乎入詞曲矣，然必一切繩以開、寶之
> 格，則由是以上，將執漢、魏以繩開、寶，執《詩》、

---

33 王國維《人間詞話》所言：「四言敝而有楚辭，楚辭敝而有五言，五
　言敝而有七言，古詩敝而有律絕，律絕敝而有詞。蓋文體通行既久，
　染指遂多，自成習套。豪傑之士亦難以於其中自出新意，故遁而作他
　體，以自解脫。一切文體之所以始盛終衰者，皆由於此。故謂文學後
　不如前，余不敢信」（北京：人民文出版社，1960，頁 218）雖更為詳
　細清楚，但此一概念未嘗不無前導之功。
34 〈宋金元詩永提要〉，《四庫全書總目》卷 194，前揭書，頁 2721。

《騷》以繩漢、魏，而三百以下，且無詩矣，豈通論
哉？[35]

尤其是「小道可觀，遂亦不能盡廢」、「闡揚風化，開導
愚蒙……豈徒斤斤於紅牙翠管之間哉」更是對乾隆輕視元曲
之意旨，強而有力的反詰。

此外，「用見聖朝彰善癉惡」來品評作家之指示，在欽點
見斥的嚴嵩《鈐山堂集》提要中，也引王世貞「孔雀雖有毒，
不能掩文章」之說，提出異於乾隆意旨另一種思考的意見，
而《四庫全書總目》中有更多的去取，是將人品與詩品分而
觀之，此留待下文詳述之：

（嚴）嵩雖怙寵擅權，其詩在流輩之中乃獨為迥出。
王世貞《樂府變》云：「孔雀雖有毒，不能掩文章」亦
公論也。然跡其所為，究非他文士有才無行可以節取
者比。故吟咏雖工，僅存其目，以昭彰癉之義焉。[36]

二、除乾隆欽點者外，去取標準並未全部一體照辦。以
青詞而言，乾隆認為「非斯文正軌……跡涉異端……尤乖典
則者乎……並當一律從刪」，乾隆厭惡的理由是「跡涉異端」
因而見斥。異端是相較於正統的儒學而言，故而往往也包含
一些釋、道宗教活動的作品被刪除，如：

其〈同天節道場疏〉、〈管城縣修獄道場疏〉、〈供給看
經疏〉、北山塑像疏〉、〈靈泉修告疏〉、〈仁欽陞坐疏〉、
〈請崇寧長老疏〉，以及為其父母舅氏修齋諸疏，皆

---

35 紀昀：〈書韓致堯翰林集後〉，孫致中等校點：《紀曉嵐文集》第一冊，
河北教育出版社，1991，頁251。
36 〈鈐山堂集提要〉，《四庫全書總目》卷176，前揭書，頁2414。

跡涉異端與青詞相類，亦概爲削除。[37]

有青詞、朱表、齋文、疏文之類凡一百六十七篇，均非文章之正軌，謹稟承聖訓，概從刪削。[38]

又如〈會慶節功德疏〉、〈福勝化緣疏〉、〈真如修御書門疏〉、〈天申節開啓疏〉、〈滿散疏〉、〈水陸修齋懺經疏〉及〈化緣修造榜文〉諸篇，皆語涉異教亦併爲刊削，以示別裁焉。[39]

　　所以在《四庫全書》中，若有收錄這類「跡涉異端」、「語涉異教」的作品者，理當一體照辦，一律刪芟。但是以葛勝仲《丹陽集》爲例，卷九之中卻有〈湖州烏程縣烏墩鎮普静寺觀音閣銘并序〉、〈歙州祁門縣青蘿山辟支佛舍利銘并序〉、〈十八羅漢贊并序〉、〈景德寺新鐘銘〉；卷十之中〈天齊仁聖帝祀文〉、〈祈晴禱觀音文〉、〈觀音廟謝晴文〉、〈諸廟謝晴文二首〉等多篇「跡涉異端」、「語涉異教」的作品仍是加以著錄。這並非一時的失察而未加以刪除，從該書的書前提要稱「惟青詞、功德疏、教坊致語之類，沿宋人陋例，一概濫載於集中，殊乖文體，今凜遵聖訓，並從刪削，庶益爲全美云」，到紀昀「一手刪定」[40]的武英殿本《四庫全書總目》改稱「沿宋人陋例，一概濫載於集中，殊乖文體，流傳既久，姑仍其

37　〈學易集提要〉，《四庫全書總目》卷 155，前揭書，頁 2080。
38　〈攻媿集提要〉，《四庫全書總目》卷 159，前揭書，頁 2133。
39　〈雪山集提要〉，《四庫全書總目》卷 159，前揭書，頁 2127。
40　朱珪：〈協辦大學士禮部尚書文達紀公昀墓誌銘〉，錢儀吉纂：《碑傳集》卷三十八，（北京：中華書局，1993），頁 1090。認定此說之因，隨後敘述。

舊，付諸無譏之列矣」[41]，就可以知道這是有意為之，也是
《四庫全書總目》並未遵照乾隆旨意之一例。這裡且容先釐
清《四庫全書總目》完成與三位總纂官之關係[42]，四庫館設
有纂修官和總纂官，纂修官按照發下的校書單，完成校閱和
擬定提要初稿後，即送交總纂官審閱核定，送交的提要初稿
中，包含纂修官所撰提要、處理意見和記簽記錄。各纂修官
所寫的提要稿還是和《總目》定稿有一定程度的差異，總纂
官依據分纂官提要稿改定後抄錄於書前，完成閣本書前提
要，閣書前提要又和武英殿本《四庫全書總目》有所出入，
足見從閣本的書前提要，到殿本《四庫全書總目》的完成，
中間還是有許多修改的工作。但總纂官除紀昀外，孫士毅任
職短暫，乾隆 45 年才入館，次年二月四庫全書總裁就「奏進
所辦《總目提要》」[43]，年底時第一部《四庫全書》即書成，
是以連孫士毅之孫孫均在《百一山房詩集‧跋》[44]中也未言
及其祖纂修《四庫全書》之功，且袁枚為孫士毅所撰的神道
碑一文中僅稱：「簿錄其家，不名一錢。上嘉公廉，未至軍臺，
起用為翰林院編修……旋授山東布政使，巡撫廣西、調廣東」

---

41 〈丹陽集提要〉，《四庫全書總目》卷 156，前揭書，頁 2093。這或許
　　是紀昀敬重葛勝仲所致，如該提要中紀昀即盛讚葛勝仲「其氣節甚
　　偉。歷典諸州，皆有幹略。再知湖州，遭逢寇亂，復有全城之功。其
　　宦績亦足以自傳，本不盡以文章重。即以文章論之，在南、北宋間亦
　　裒然一作者也」，是以有意保全其著作。
42 以下以三位總纂官任職的時間點來考察其與《四庫全書總目》的關
　　係，敘述係依據王鵬凱：〈紀昀撰述《四庫全書總目》說之論析〉一
　　文簡略而成。
43 〈乾隆四十六年二月十三日奉上諭〉，前揭書，頁 8。
44 孫均：《百一山房詩集‧跋》，《續修四庫全書》第 1433 冊，上海古籍
　　出版社，2002，頁 516。

[45]，足見孫士毅於《四庫全書總目》的完成，著力甚微，是以親友也不以爲意，故皆未曾言及此事。《四庫全書總目》初稿完成時陸錫熊還曾自稱「臣等奉命纂輯《四庫全書總目》，現在編次成帙」[46]、「宋曾鞏校史館書僅成目錄序十一篇，臣等承命撰次《總目提要》，荷蒙指示體例，編成二百卷。遭際之盛，實遠勝於鞏」[47]，但是《四庫全書總目》卻是不斷地進行修改，遲遲無法刊定，直到乾隆 60 年 11 月 16 日，方纔竣工刷印裝潢[48]，而此時陸錫熊已早在兩年多前（乾隆 57 年正月），病逝於前往重校文溯閣《四庫全書》的途中，故而完

---

45 袁枚：《百一山房詩集・神道碑》，《續修四庫全書》第 1433 冊，前揭書，頁 363。

46 陸錫熊：〈恭和御制經筵畢文淵閣賜茶作元韻中簿勤編勵省私〉自注，《篔村集》卷 9，《續修四庫全書》第 1451 冊，（上海：上海古籍出版社，2002），頁 7。

47 陸錫熊：〈恭和御制經筵畢文淵閣賜宴以四庫全書第一部告成庋閣內用幸翰林院……元韻注〉，《篔村集》卷 9，《續修四庫全書》第 1451 冊，（上海：上海古籍出版社，2002），頁 10。

48 〈原戶部尙書曹文埴奏刊刻《四庫全書總目》竣工刷印裝潢呈覽摺〉曹文埴稱「竊臣於乾隆五十一年奏請刊刻《四庫全書總目》，仰蒙俞允，並繕寫式樣，呈覽在案。續因紀昀等奉旨查辦四閣之書，其中提要有須更改之處，是以停工未刻。今經紀昀將底本校勘完竣，隨加緊刊刻畢工。謹刷印裝潢……現交武英殿收貯。」（中國第一歷史檔案館編，《纂修四庫全書檔案》，上海古籍出版社，1997，頁 2374）另據《高宗實錄》卷一四九三乾隆六十年十二月甲午條記：「予告尙書曹文埴奏，《四庫全書總目》刻竣。謹進陳設二十部，備賞八十部。餘將板片交武英殿收藏外，並另刷四部，請發裝潢，分貯四閣。至是書最易繙閱，應照向辦官書，刷印發坊領售。報聞。」（清代實錄館纂修，（北京）中華書局，1986，頁 977）則知曹文埴早在於乾隆 51 年即奏請刊刻《四庫全書總目》，但因提要有須更改之處，是以停工未刻。後經紀昀將底本校勘完竣，至乾隆 60 年 11 月才刊刻畢工，隨經乾隆乾隆批准刊印方式。這些紀錄除了說明了殿本《四庫全書總目》完成的日期外，還指出了紀昀對殿本《四庫全書總目》的勘訂之功。

成殿本《四庫全書總目》的任務，就要靠紀昀獨立完成了。

　　又如乾隆以「彰善癉惡」來品評作家之指示，在《四庫全書總目》中，卻有許多的例子並未遵守此一準則，雖然也有因人品見斥者[49]，但如果是學術、文學的成就的確不凡，紀昀還是會找「孔雀雖有毒，不能掩文章」、「不以人廢言之義」等說法而將其作品列入著錄：

> （王珪）人品事業皆無可取。然其文章則博贍瑰麗，自成一家……以駢儷之作為最、揖讓於二宋之間，可無愧色。王銍、謝伋、陸游、楊萬里等往往稱之，殆非虛美。其詩以富麗為主，故王直方詩話載時人有「至寶丹」之目，以好用金玉錦繡字也。然其揆藻敷華，細潤熨貼，精思鍛煉，具有爐錘，名貴之篇，實復不少，正不獨葛立方、方回所稱《明堂慶成》、《上元應制》諸篇為工妙獨絕矣。[50]

> （孫）覿之恬惡不悛，當時已人人鄙之矣。然覿所為詩文頗工，尤長於四六，與汪藻、洪邁、周必大聲價相埒。必大為作集序，稱其名章雋句，晚而愈精，亦所謂孔雀雖有毒，不能掩文章也。流傳藝苑已數百年，今亦姑錄存之，而具列其穢跡如右。一以節取其詞華，一以見立身一敗，詬辱千秋，清詞麗句轉有求

49　如「若沈繼孫之《柚林集》散見於《永樂大典》者，尚可排緝成帙，以其人不足道而又與朱子為難，則棄置不錄，以昭袞鉞，凡以不失是非之真而已」（〈珩璜新論提要〉，《四庫全書總目》卷 120，前揭書，頁 1608）、「然（章）惇人不足道，併其書亦為世所棄置矣」（〈珩璜新論提要〉，《四庫全書總目》卷 126，前揭書，頁 1691-1692）。
50　〈華陽集提要〉，《四庫全書總目》卷 152，前揭書，頁 2046。

其磨滅而不得者，亦足為文士之炯戒焉。[51]

（史）達祖人不足道而詞則頗工……然清詞麗句，在宋季頗屬錚錚，亦未可以其人掩其文矣。[52]

（郭祥正）人不足道，其詩則才氣坌涌，在熙寧、元祐之間，能自成一隊。[53]

（張擴）皆貢諛取媚，人品殊不足道，其詞采清麗，則蔚然一時之秀也。[54]

（方）回人品卑污，見於周密《癸辛雜識》者，殆無人理。然觀其集中諸文，學問議論一尊朱子，崇正闢邪，不遺餘力，居然醇儒之言，就文言文，要不可謂其悖於理也。其詩專主江西，平生宗旨悉見所編《瀛奎律髓》中，雖不免以粗率生硬為老境，而當其合處，實出宋末諸家上，更不能以其人廢矣。[55]

（方）回則以在宋之日獻媚賈似道，似道勢敗又先劾之，既反覆陰狡，為世所譏。及宋亡之時，又身為太守，舉城迎降於元……唯回人品心術雖不足道，而見聞尚屬賅洽，所考猶多可取者……亦「不以人廢」之義也。[56]

（王）安中，以詞藻擅名，而行誼甚為紕繆……其佻薄已可概見……其隨時局為翻覆，亦為灼然……則奔

51　〈鴻慶居士集提要〉，《四庫全書總目》卷 157，前揭書，頁 2106。
52　〈梅溪詞提要〉，《四庫全書總目》卷 199，前揭書，頁 2800。
53　〈青山集提要〉，《四庫全書簡明目錄》卷 15，前揭書，頁 632。
54　〈東牕集提要〉，《四庫全書簡明目錄》卷 16，前揭書，頁 646。
55　〈桐江續集提要〉，《四庫全書總目》卷 166，前揭書，頁 2204。
56　〈經外雜抄提要〉，《四庫全書總目》卷 118，前揭書，頁 1587。

> 競無恥，更為小人之尤……則誤國之罪尤為深重。然
> 其詩文豐潤凝重，頗不類其為人。四六諸作，尤為雅
> 麗……其人雖至不足道，而文章富贍，要有未可盡泯
> 者，錄而傳之，亦不以人廢言之義也。[57]

　　如前所言及的嚴嵩，被斥入存目，是乾隆所欽點，寓有
懲戒的意味，以做為「彰善癉惡」教化的宣導。另有一些不
似嚴嵩般被乾隆欽點的品行拙劣小人，文章寫得好的，所以
站在不以人廢言的立場，還是能客觀地承認他們作品的成
就。如《四庫全書總目》提到王安石「致位宰相，流毒四海」，
但還是稱譽他的文章「百卷之內，菁華具在，其波瀾法度，
實足自傳不朽。」[58]。這種具有文學批評脫離政治教化的思
想，實際上和紀昀的思想是一致的。

　　將人品與詩品分而觀之，不「用見聖朝彰善癉惡」之指
示來品評一些傑出的作品、作家，《四庫全書總目》與紀昀的
思想是一致的，今以方回為例，《四庫全書總目》稱「回人品
卑污，見於周密《癸辛雜識》者，殆無人理。然觀其集中諸
文……實出宋末諸家上，更不能以其人廢矣」，和紀昀在〈瀛
奎律髓刊誤序〉中所說「文人無行，至方虛谷而極矣。周草
窗之所記，蓋幾幾不忍卒讀也。而所選《瀛奎律髓》乃至今
猶傳。其書非盡無可取」[59]，都是根據周密的記載，而認為
方回人品極差，但另一方面卻又認為所著確實有可取之處，
因此不以人廢言。因此，前文從三位總纂官任職的時間點來

57　〈初寮集提要〉，《四庫全書總目》卷 156，前揭書，頁 2091。
58　〈臨川集提要〉，《四庫全書總目》卷 153，前揭書，頁 2062。
59　紀昀：〈瀛奎律髓刊誤序〉，前揭書第一冊，頁 182。

考察其與《四庫全書總目》的關係，認為是紀昀完成武英殿本《四庫全書總目》外，若從紀昀對方回雖不苟同其人品，但仍對《瀛奎律髓》加以肯定，以及《四庫全書總目》引用方回《瀛奎律髓》之說達 54 次之多，若引用僅稱方回之說，則多達 70 次以上。可見《四庫全書總目》撰者是位熟讀方回之書的人，而陸錫熊並未見其有任何研究方回的著作，但紀昀卻有《瀛奎律髓刊誤》之作。紀昀此書之作，下了許多的工夫，他從乾隆二十六年（1761 年 38 歲）開始評閱《瀛奎律髓》[60]，到乾隆三十六年（1771 年 48 歲）閱畢，並撰有〈瀛奎律髓刊誤序〉一文，其弟子李光垣曾敘其始末：

> 蓋師於是書，自乾隆辛巳至辛卯評閱至六、七次，細為批釋，詳加塗抹，使讀者得所指歸，不至疑惑，其諄諄啟發，豈淺鮮哉！[61]

從《四庫全書總目》引述方回之說這點看來，此又是紀昀纂寫《四庫全書總目》之一佐證。

三、不以乾隆好惡為品評之準則。從前文的上諭、凡例已可看出乾隆品評文學的好惡為何，《四庫全書總目》對作家、作品的品評卻不見得以乾隆好惡為品評之準則，今分述如下。

（一）不以乾隆之惡為惡。以香奩體為例，乾隆斥之「自《玉臺新詠》以後，唐人韓偓輩，務作綺麗之詞，號為香奩體，漸入浮靡。尤而效之者，詩格更為卑下」，當然，「尤而

60　《瀛奎律髓》李光垣跋。
61　李光垣：〈瀛奎律髓刊誤跋〉，收入李慶甲集評《瀛奎律髓彙評》，（上海：上海古籍出版社，2005），頁 1830。

效之者，詩格更爲卑下」的末流之弊，還是會被《四庫全書總目》見斥[62]。但紀昀甚爲欣賞《玉臺新詠》及韓偓之作，《四庫全書》中所著錄的《玉臺新詠》，就是時任兵部侍郎的紀昀所獻的家藏本，《四庫全書總目》以肯定之詞評論該書「詩雖皆取綺羅脂粉之詞，而去古未遠，猶有講於溫柔敦厚之遺，未可概以淫艷斥之」[63]，就明顯地異於乾隆之評價。此外《四庫全書》還收錄紀昀父親紀容舒所著之《玉臺新咏考異》[64]，以及其所獻入《四庫全書》館家藏的明馮舒《馮氏校定玉台新詠》和清吳兆宜《玉台新詠箋注》，也都收列入存目中，從這些收藏及著作，足可見紀昀是如何地看重《玉臺新詠》。

紀昀不僅在乾隆二十五年（37 歲）時點閱《香奩集》，又撰有〈書韓致堯翰林集後〉、〈書韓致堯香奩集後〉二文，將韓偓與李商隱、杜牧相提並論[65]，顯然對韓偓其人其詩，多所推崇，除了在私人著作中爲之辯駁外[66]，甚至在《四庫

---

62 如張綖《南湖詩集》被斥入存目，乃因「是集詩多豔體，頗涉佻薄，殆玉臺香奩之末流」，〈南湖詩集〉《四庫全書總目》卷 176，前揭書，頁 2424。

63 〈玉臺新詠提要〉，《四庫全書總目》卷 186，前揭書，頁 2601。

64 本書應是紀昀在乾隆三十六年（48 歲）時所作的《玉臺新詠校正》，而託諸另一位總纂官陸錫熊，以家藏本獻入《四庫全書》館。學者如邵懿辰稱「容舒乃紀文達之父，此書實文達自撰，歸之父也」（《增訂四庫簡明目錄標注》，上海：上海古籍出版社，2000，頁 880），儁雪豔亦曾撰專文討論（〈玉台新詠考異〉爲紀昀所作，《文史》第 26 輯，中華書局 1986，頁 366）、張蕾：《玉臺新詠》論稿第九章，（2004，河北大學博士論文，頁 120-132），也都認爲該書實是紀昀所作。

65 〈書韓致堯翰林集後〉：「當其合處，遂欲上躪玉溪、樊川，而下與江東相倚軋」，《紀曉嵐文集》第一冊，前揭書，頁 251。

66 〈書韓致堯香奩集後〉：「《香奩》之詞，亦云褻矣。然但有悱惻眷戀之語，而無一決絕恩懟之言，是亦可以觀心術焉」，《紀曉嵐文集》第一冊，前揭書，頁 252。

全書總目》評論韓偓另本著作時,為鳴不平:

> 其詩雖局於風氣,渾厚不及前人,而忠憤之氣,時時
> 溢于語外,性情既摯,風骨自遒,慷慨激昂,迥異當
> 時靡靡之響。其在晚唐,亦可謂文筆之鳴鳳矣。變風
> 變雅,聖人不廢,又何必定以一格繩之乎?[67]

句末「變風變雅,聖人不廢,又何必定以一格繩之乎」,
這不像是在評論《韓內翰別集》,因為已經譽之為「風骨自遒,
慷慨激昂,迥異當時靡靡之響。其在晚唐,亦可謂文筆之鳴
鳳矣」,倒像是針對韓偓《香奩集》所提出的辯駁,只因《四
庫全書總目》並未收入《香奩集》,紀昀之辯解只能藉他書之
提要而為之,如:

> 夫先王陳詩以觀民風,本美刺兼舉,以為法戒。既他
> 事有刺,何為獨不刺淫?必以為〈鄭風〉語語皆淫,
> 固非事理;必以為〈鄭風〉篇篇皆不淫,亦豈事理哉?
> 且人心之所趨向,形於詠歌,不必實有其人其事。六
> 朝〈子夜〉、〈讀曲〉諸歌,唐人《香奩》諸集,豈果
> 淫者自述其醜?亦豈果實見其男女會合,代寫其狀?
> 不過人心佚蕩,相率摹擬形容,視為佳話,而讀者因
> 知為衰世之音。推之古人,諒亦如是,此正採風之微
> 旨。[68]
>
> 譬如國風好色,降而為《玉臺》、《香奩》,不可因是
> 而罪詩,亦不可因是而廢詩也。[69]

---

[67] 〈韓內翰別集提要〉,《四庫全書總目》卷 151,前揭書,頁 2028。
[68] 〈白鷺洲主客說詩提要〉,《四庫全書總目》卷 18,前揭書,頁 228。
[69] 〈欽定曲譜提要〉,《四庫全書總目》卷 199,前揭書,頁 2811。

　　除了替香奩體提出與乾隆不同意見的辯解外，在《四庫全書總目》中，也有不遵從乾隆意旨，加以著錄香奩體著作，正是並未一體照辦之例：

> 是編皆集唐人之句爲香奩詩，凡古今體九百三十餘首……雖其詞皆艷冶，千變萬化，不出於綺羅脂粉之間，於風騷正軌未能有合。而就詩論詩，其記誦之博、運用之巧，亦不可無一之才矣。[70]

　　既有不同意見，又不遵從乾隆意旨，一體照辦刪除香奩體之作，則紀昀於《四庫全書總目》中，不以乾隆好惡爲品評之準則，用意至爲明顯。雖然紀昀不以乾隆喜好爲品評之準則，但還是不能明目張膽地反對乾隆，在表達意見時，紀昀常是依附儒家詩教之說「猶有講於溫柔敦厚之遺」、「變風變雅，聖人不廢」、「此正採風之微旨」、「國風好色，降而爲《玉臺》、《香奩》」以爲自己主張之理論基礎。甚至有時還說出看似和他看重《玉臺新詠》、《香奩集》矛盾的話：

> 夫兩漢以後，百氏爭鳴，多不知詩之有教，亦多不知詩可立教。故晉、宋歧而元談，歧而山水，此教外別傳者也，大抵與教無裨，亦無所損。齊、梁以下，變而綺麗，遂多綺羅脂粉之篇，濫觴於《玉臺新詠》而弊極於《香奩集》。風流相尚，詩教之決裂久矣。有宋諸儒起而矯之，於是《文章正宗》作於前，《濂洛風雅》起於後，借詠歌以談道學，固不失無邪之宗旨，然不言人事而言天性，與理固無所碍，而於「興觀群

70　〈香屑集提要〉，《四庫全書總目》卷 173，前揭書，頁 2352。

怨」、「發乎情，止乎禮義」者，則又大相徑庭矣。[71]
蓋四閱月乃粗定，耗日力於綺羅脂粉之詞，殊爲可
惜。然鄭衛之風，聖人不廢。苟心知其意，溫柔敦厚
之旨，亦未嘗不見於斯焉。[72]

　　既然稱「遂多綺羅脂粉之篇，濫觴於《玉臺新詠》而弊
極於《香奩集》」，以其有「弊」，又何必專注於這兩者的研究？
同理，既然稱「耗日力於綺羅脂粉之詞，殊爲可惜」，又何必
耗四個月的心力於此？這種矛盾乃至於和乾隆意旨相左的主
張，造因是起於紀昀的文學觀。《玉臺新詠》、《香奩集》都屬
於豔體詩集，自古以來對這兩者的毀譽不一，如乾隆、沈德
潛等視之爲浮靡、淫靡；紀昀、袁枚則「未可概以淫艷斥之」、
「豔詩宮體，自是詩家一格，孔子不刪鄭、衛之詩」[73]，則
不同於乾隆、沈德潛的看法。其間的差異在於「詩言志」與
「思無邪」兩者之間如何取得平衡。顯然地，乾隆對詩歌吟
詠男女情事，認爲是有違教化的，而紀昀的觀點則是看重「詩
言志」性靈的抒發：

　　詩本性情者也。人生而有志，志發而為言，言出而成
　　歌詠，協乎聲律。其大者，和其聲以鳴國家之盛，次
　　亦足抒憤寫懷。舉日星河嶽、草秀珍舒、鳥啼花放，
　　有觸乎情，即可以宕其性靈。是詩本乎性情者也，而

---

71 紀昀：〈詩教堂詩集序〉，前揭書第一冊，頁 209-210。
72 紀容舒：〈玉臺新咏考異序〉，《玉臺新咏考異》收入《叢書集成初編》，
　　（台北：藝文印書館，1966），頁 1。前文已論及該書實是紀昀所作。
73 袁枚：〈再與沈大宗伯書〉，收錄於《中國歷代文選集》，（台北：木鐸
　　出版社，1987），頁 159。

究非性情之至也。[74]

人心之靈秀發為文章，猶地脈之靈秀融結而為山水……蘇、李之詩天成；曹、劉之詩閎博；嵇、陸之詩妙遠；陶、謝之詩高逸；沈、范之詩工麗；陳、張之詩高秀；沈、宋之詩宏整；李、杜之詩高深；王、孟之詩淡靜；高、岑之詩悲壯；錢、郎之詩婉秀；元、白之詩樸實；溫、李之詩綺繆。千變萬化，不名一體，而其抒寫性情則一也。帝媯有言曰：「詩言志，歌永言」，揚雄有言曰：「言，心聲也；文，心畫也。」故善為詩者，其思浚發於性靈，其意陶熔於學問。凡物色之感於外，與喜怒哀樂之動於中著，兩相薄而發為歌詠，如風水相遭自然成文，如泉石相春自然成響。[75]

　　上述所言，彷彿是性靈說的面目。但他仍是重視傳統儒家溫柔敦厚的詩教，他思索的是如何將「詩言志」與「思無邪」取得平衡，「於言志之中，寓無邪之旨」，因而提出「發乎情，止乎禮義」作為詩之本旨：

孔子論詩，歸本於事父、事君，又稱溫柔敦厚為詩教。[76]

夫詩有貞淫奢儉，可以觀天下之政教；有興觀羣怨，可以正天下之性情。於言志之中，寓無邪之旨。[77]

《書》稱詩言志，《論語》稱思無邪，子夏《詩序》

---

74 紀昀：〈冰甌草序〉，前揭書第一冊，頁186。
75 紀昀：〈清艷堂詩序〉，前揭書第一冊，頁202。
76 紀昀：〈鸛井集序〉，前揭書第一冊，頁191。
77 紀昀：〈端本導源論〉，前揭書第一冊，頁137。

> 兼括其旨，曰「發乎情，止乎禮義」，詩之本旨盡是
> 矣。[78]

是以他所主張的，跟正宗的性靈派如袁宏道、袁枚等，實已大有距離，而有心包容後者的迹象，則了然可見[79]。要言之，他雖然為正統的儒者，但濂洛風雅說理一派，在他看來仍算不得詩家的正宗，情與理必須取得協調，「酌乎其中，知必有道焉」才不致各有所偏，雖然他說的「至性至情，充塞於兩間蟠際不可澌滅者，孰有過於忠孝節義哉」，像是位道貌岸然的道學家。但其實紀昀也還能看出文學作品獨立性的價值，未必一定要將文學依附於載道之下，方有存在的價值，這是紀昀思想進步之處：

> 余謂西河卜子，傳詩於尼山者也，大序一篇，確有授
> 受，不比諸篇小序，為經師遞有增加，其中「發乎情，
> 止乎禮義」二語，實探風雅之大原。後人各明一義，
> 漸失其宗，一則知「止乎禮義」而不必其「發乎情」，
> 流而為金仁山濂洛風雅一派，使嚴滄浪輩激而為「不
> 涉理路，不落言筌」之論。一則知「發乎情而不必其
> 止乎禮義」，自陸平原一語引入歧途，其究乃至於繪
> 畫橫陳，不誠已甚歟！夫陶淵明詩時有莊論，然不至
> 如明人道學詩之迂拙也。李、杜、韓、蘇諸集豈無艷
> 體，然不至如晚唐人詩之纖且褻也。酌乎其中，知必
> 有道焉。[80]

---

78 紀昀：〈挹綠軒詩集序〉，前揭書第一冊，頁204。
79 張健：《明清文學批評》，（臺北：國家出版社，1983），頁228。
80 紀昀：〈雲林詩鈔序〉，前揭書第一冊，頁198-199。

詩本性情者也，人生而有志，志發而為言，言出而成歌詠，協乎聲律。其大者，和其聲以鳴國家之盛，次亦足抒憤寫懷。舉日星河嶽，草秀珍舒，鳥啼花放，有觸乎情即可以宕其性靈，是詩本乎性情者也，而究非性情之至也。夫在天為道，在人為性，性動為情，情之至由於性之至。至性至情不過本天而動，而天下之凡有性情者，相與感發而不自知，詠歎於不容已，於此見性情之所通者大，而其機自有真也。彼至性至情，充塞於兩間蟠際不可澌滅者，孰有過於忠孝節義哉？[81]。

有宋諸儒起而矯之，於是《文章正宗》作於前，《濂洛風雅》起於後，借詠歌以談道學，固不失無邪之宗旨，然不言人事而言天性，與理固無所碍，而於「興觀群怨」、「發乎情，止乎禮義」者，則又大相徑庭矣。[82]

綜合上列之言，我們可清楚地看出紀昀理論並不像乾隆那樣忽視性情的抒發，而顯得那麼的八股，這是根源於他對人情的看法，紀昀主張適度地從人性、人情的角度來看待男女情感，有較開明、合乎人情的思想，所以他說：「善夫！聖人通幽明之禮，故能以人情知鬼神之情也。不近人情，又烏知《禮》意哉？」[83]。因此他有較寬容的態度來看待禮法：

飲食男女，人生之欲存焉。干名義、瀆倫常、敗風俗，皆王法之所必禁也，若癡兒騃女，情有所鍾，實非大

---

81 紀昀：〈冰甌草序〉，前揭書第一冊，頁 209-210。
82 紀昀：〈詩教堂詩集序〉，前揭書第一冊，頁 210。
83 《如是我聞》卷四，前揭書，頁 236。

悖於禮，似不必苛以深文。[84]

這樣寬容的思想不僅貫穿於《閱微草堂筆記》中，應該也是紀昀人生的信念，所以對《玉臺新詠》、《香奩集》這類艷體詩集的態度，也是如此。對於男女情感的抒發，「實非大悖於禮，似不必苛以深文」，這才會有與乾隆相左的看法。他雖然仍不脫傳統儒家的觀念，但也兼顧文學作品本身的審美屬性與政治上的價值，並未失之偏頗，仍是相當可取的文學理論。況且，紀昀不光從儒家的思想來進行評論，還能從文學流變的角度來說明其重要性，這也是紀昀眼光獨到之處：

> 《玉臺新詠》雖宮體，而由漢及梁文章升降之故，亦略見於斯。譬之古碑、舊帖，不必盡合於六書，而前人行筆結字之法，則往往因是而可悟。[85]

（二）不以乾隆之好為好。以《御選唐宋詩醇》為例，乾隆所選李白、杜甫、白居易、韓愈、蘇軾、陸游等唐宋六家之詩，可知其喜好之所在。《四庫全書總目》在該書的提要中，當然要盛讚乾隆所選諸家詩「權衡至當，洵千古之定評矣」的得當合宜，甚至遠勝於王士禎《古詩選》、《唐賢三昧集》所選之詩：

> 乾隆十五年御定。凡唐詩四家，曰李白，曰杜甫，曰白居易，曰韓愈；宋詩二家，曰蘇軾，曰陸游。詩至唐而極其盛，至宋而極其變。盛極或伏其衰，變極或失其正。亦惟兩代之詩最為縱雜，於其中通評甲乙，

---

84 《灤陽續錄》卷五，前揭書，頁555。
85 紀昀：〈玉臺新詠校正序〉，收入穆克宏點校：《玉臺新詠箋注》，（北京：中華書局，1985），頁544。

要當以此六家為大宗。蓋李白源出《離騷》而才華超
妙，為唐人第一；杜甫源出於國風、二雅，而性情真
摯，亦為唐人第一；自是以外，平易而最近乎情者，
無過白居易；奇創而不詭於理者，無過韓愈。錄此四
集，已足包括眾長。至於北宋之詩，蘇、黃並駕；南
宋之詩，范、陸齊名。然江西宗派，實變化於杜、韓
之間，既錄杜、韓，可無庸復見。《石湖集》篇什無
多，才力識解亦均不能出《劍南集》上。既舉白以概
元，自當存陸而刪范。權衡至當，洵千古之定評矣。
考國朝諸家選本，惟王士禎書最為學者所傳。其《古
詩選》，五言不錄杜甫、白居易、韓愈、蘇軾、陸游，
七言不錄白居易，已自為一家之言。至《唐賢三昧
集》，非惟白居易、韓愈皆所不載，即李白、杜甫亦
一字不登……茲逢我皇上聖學高深，精研六義，以孔
門刪定之旨，品評作者。定此六家，乃共識風雅之正軌。
臣等循環雒誦，實深為詩教幸，不但為六家幸也。[86]

　　但是紀昀在《四庫全書總目》中他處，對白居易、陸游
的評價，顯然就不像乾隆那樣地推崇。《四庫全書總目》將
白居易、陸游和杜牧、劉禹錫、吳偉業、葉夢得等人相比時，
評價就沒有那麼地高，這就說明了紀昀不以乾隆之好為好，
也能堅持自己的觀點：

平心而論，（杜）牧詩冶蕩甚於元、白，其風骨則實
出元、白上。其古文縱橫奧衍，多切經世之務……則

86　〈御選唐宋詩醇提要〉，《四庫全書總目》卷 190，前揭書，頁 2659-2660。

牧於文章，具有本末，宜其薄視長慶體矣。[87]

（劉禹錫）其詩則含蓄不足，而精銳有餘，氣骨在元、白上，均可杜牧相頡頏，而詩尤矯出。[88]

（吳偉業）格律本乎「四傑」，而情韻為深，敘述類乎香山，而風華為勝。[89]

（葉夢得）故文章高雅，猶存北宋之遺風。南渡以後，與陳與義可以肩隨，尤、楊、范、陸（游）諸人皆莫能及，固未可以其紹聖餘黨，遂掩其詞藻也。[90]

當然，紀昀在《四庫全書總目》中對白居易、陸游的評價也確實能指出其長短優劣之處，而並非抽象的批評：

（虞）儔慕白居易之為人，以「尊白」名堂，並以名集……故所作韻語，類皆明白顯暢，不事藻飾，其真樸之處頗近居易，而粗率流易之處亦頗近居易。蓋心摹手追，與之俱化，長與短均似之也。[91]

（高珩）其詩多率意而成，故往往近元、白《長慶集》體。[92]

白居易詩尚以所存太富，有沙中金屑之憾。[93]

（陸）游詩法傳自曾幾，而所作〈呂居仁集序〉，又稱源出居仁。二人皆江西派也……後人選其詩者，又

87　〈樊川文集提要〉，《四庫全書總目》卷 151，前揭書，頁 2020。
88　〈劉賓客文集提要〉，《四庫全書總目》卷 150，前揭書，頁 2010。
89　〈梅村集提要〉，《四庫全書總目》卷 173，前揭書，頁 2341。
90　〈石林居士建康集提要〉，《四庫全書總目》卷 156，前揭書，頁 2097。
91　〈尊白堂集提要〉，《四庫全書總目》卷 159，前揭書，頁 2133。
92　〈樓云閣詩提要〉，《四庫全書總目》卷 181，前揭書，頁 2518。
93　〈豐對樓詩選提要〉，《四庫全書總目》卷 178，前揭書，頁 2473-2474。

略其感激豪宕、沈郁深婉之作，惟取其流連光景可以
剽竊移掇者，轉相販鬻，放翁詩派遂為論者口實。夫
游之才情富，觸手成吟，利鈍互陳，誠所不免。故朱
彝尊《曝書亭集》有是集跋，摘其自相蹈襲一百四十
餘聯。是陳因竊白，游且不能自免，何況後來。[94]

然貪多務博，即《誠齋》、《劍南》、《平園》諸集亦。
蓋一時之風氣，不必以是為（樓）鑰病也。[95]

在這些提要中，大致可以看出紀昀對白居易、陸游優劣
長短的批評為何，如指出白居易「明白顯暢，不事藻飾」、「真
樸」是其所長；「粗率流易」、「詩多率意而成」、作品「沙中
金屑」是其所短。指出陸游「感激豪宕、沈郁深婉」是其所
長；「流連光景可以剽竊移掇者，轉相販鬻」、「利鈍互陳」、「貪
多務博」是其所短。相同的意見也出現在紀昀私人的著作中，
如他指出「大抵白詩有四病：曰滑，曰俗，曰衍，曰盡。其
無此四者，未嘗不佳」[96]，所謂的「滑」，是指白詩部分作品
如同前文所指的「詩多率意而成」，率爾而作，較少鍛煉推敲
的工夫，因而流為滑調。所謂的「俗」，指白詩常使用俗語俚
詞，運用得好，如同前文所指「明白顯暢，不事藻飾」、「真
樸」的優點，當然有質樸自然的效果，但運用得不好則有前
文所指的「粗率流易」粗俗之弊。所謂的「衍」，是指白詩有
散文化傾向，不夠精煉，作品難免有「沙中金屑」之感。所

---

94 〈劍南詩稿提要〉，《四庫全書總目》卷 160，前揭書，頁 2143。
95 〈攻媿集提要〉，《四庫全書總目》卷 159，前揭書，頁 2132。
96 紀昀：《瀛奎律髓刊誤》卷 15，〈彭蠡湖晚歸〉紀批，（安徽：黃山出版社，1994），頁 306。

謂的「盡」，是指白詩不夠含蓄蘊藉，缺乏「言有盡而意無窮」
的美感。但紀昀的用意並非在否定白詩，而是指出學習的要
領：

> 樂天律詩亦自有一種佳處，而學之易入淺滑，初學不
> 可從此入手。根柢既深之後，胸有主裁，能別白其野
> 俚率易，而獨取其真樸天然，亦不為無益。[97]

至於《四庫全書總目》中對陸游所說的短長之處，也見
於紀昀私人的著作中，如《四庫全書總目》指出陸游「流連
光景可以剿竊移掇者，轉相販鬻」、「利鈍互陳」、「貪多務博」
等短處，紀昀在《瀛奎律髓刊誤》都加以指出：

> 此正放翁之病。蓋太多則不能盡有深意，而流連光景
> 之詞，不能一一簡擇。膚淺草率之篇亦傳，令人有披
> 沙揀金之歎。所以品格終在第二流中。[98]

> 手滑調復，亦正坐無日無詩。詩以言志，無所為而作
> 不已，不得不流連光景矣。此劍南之詩所以諧於俗，
> 而終不逮古也。[99]

> 亦無深味。總之作詩太多，便無許多意思，只以熟套
> 換來換去，此放翁一生病根。[100]

但是紀昀仍能點出陸詩的佳處，對後人選取陸詩之不當

97　紀昀：《瀛奎律髓刊誤》卷 2，〈聞楊十二新拜省郎遙以詩賀〉紀批，
　　前揭書，頁 33。
98　紀昀：《瀛奎律髓刊誤》卷 19，〈小飲梅花下作〉紀批，前揭書，頁
　　434。
99　紀昀：《瀛奎律髓刊誤》卷 11，〈五月初夏病體輕偶書〉紀批，前揭
　　書，頁 234。
100　紀昀：《瀛奎律髓刊誤》卷 23，〈簡鄰里〉紀批，前揭書，頁 608。

而加以平反，一如在《四庫全書總目》中所言「後人選其詩
者，又略其感激豪宕、沈郁深婉之作，惟取其流連光景可以
剽竊移掇者，轉相販鬻，放翁詩派遂為論者口實」：

> 格力甚道，放翁原非盡用平調，而選者多以平調取
> 之，遂減放翁之聲價。[101]

> 此種詩是放翁不可磨處。集中有此，如屋有柱，如人
> 有骨。如全集皆「石硯不容留宿墨，瓦瓶隨意插新花」
> 句，則放翁不足重矣。何選放翁詩者，所取乃在彼也？[102]

> 此種已居然劍南派，然劍南別有安身立命之地，細看
> 全集自知。楊芝田專選此種，世人以易於摹倣而盛傳
> 之，而劍南之真遂隱。[103]

　　對於陸游詩學淵源之由來，無論《四庫全書總目》與紀
昀私人的著作中所言，都是如出一轍，同樣都是根據相同的
資料，考察出淵源自江西詩派：

> 陸游為作墓志云「公治經學道之餘，發於文章，而詩
> 尤工，以杜甫、黃庭堅為宗」……後（曾）幾之學傳
> 於陸游，加以研練，面目略殊，遂為南渡大宗。又《詩
> 人玉屑》載趙庚夫題《茶山集》曰「清於月白初三夜，
> 淡似湯烹第一泉，咄咄逼人門弟子，劍南已見一燈
> 傳」，其句律淵源，固灼然可考也。[104]

> 至嘉定以後，陸放翁《劍南》一集，為宋季大宗。其

101　紀昀：《瀛奎律髓刊誤》卷 23，〈耕罷偶書〉紀批，前揭書，頁 607。
102　紀昀：《瀛奎律髓刊誤》卷 32，〈書憤〉紀批，前揭書，頁 822。
103　曾棗莊主編：《蘇詩彙評》，〈病中遊祖塔寺〉紀批，（四川：四川文藝
　　　出版社，2000），頁 360。
104　〈茶山集提要〉，《四庫全書總目》卷 158，前揭書，頁 2112。

學實出於曾氏，故趙庚夫題《茶山集》有曰「清於月
白初三夜，淡似湯烹第一泉，咄咄逼人門弟子，劍南
已見一燈傳」。放翁作〈茶山墓志〉，又稱其詩宗杜甫、
黃庭堅，是陸出於曾、曾出於「江西」之明證。[105]

　　以上這些稱引，在在都說明了《四庫全書總目》中對詩
人之品評確實有異於乾隆之意旨，且不以乾隆之好爲好。而
《四庫全書總目》中的意見，又與紀昀私人的著作中所言相
同，是紀昀意見貫徹於《四庫全書總目》之例證。

結　語

　　由乾隆上諭及《四庫全書總目》凡例的觀察得知，乾隆
意旨確實對《四庫全書》的編纂產生了指導與規範的作用，
但這種「欽定」的影響主要是在政治禁忌方面，對與政治無
關的文學批評方面則不多，這從前文所提及的乾隆上諭及《四
庫全書總目》凡例就可得知。而且，從上述《四庫全書總
目》異於乾隆的學術意見一節的討論中可以知道，《四庫全書總
目》中對上諭、凡例這些明白的指示，都還會有不同的意見，
足見《四庫全書總目》的撰寫並非如有些學者所說的要體會、
揣摩、貫徹最高統治者的意志和趣味，過度地誇大《四庫全
書總目》的「欽定性」，《四庫全書總目》的撰寫者也並非只
是代筆人而已。就《四庫全書總目》的文學批評而言，其中
還是有很大的學術自由的空間，表現出異於乾隆意旨的學術

---

105 紀昀：〈二樟詩鈔序〉，前揭書第一冊，頁 200。

意見。如果《四庫全書總目》一切以乾隆的意旨爲準則，如同前文提到的，乾隆的指導往往成爲干擾，《四庫全書總目》的撰寫者如果只是代筆人，要體會、揣摩、貫徹最高統治者的意志和趣味而已，如此的《四庫全書總目》又豈能見重於今日？《四庫全書總目》的學術地位，真的是靠乾隆的意旨掙來的嗎？又何以身處清朝統治下的眾多學者將《四庫全書總目》著作權歸諸紀昀，這種「貪天之功」的行爲卻不怕惹惱統治者，引來殺身之禍？

　　而《四庫全書總目》中的文學批評見解，不僅是異於乾隆之意旨，在很大程度上則是和紀昀個人的文學思想相符合，是紀昀意見貫徹於《四庫全書總目》之例證。乾隆何以讓《四庫全書總目》中有不同於己見的事情，在他眼皮底下發生？如果說這是尊重學術獨立的觀念，恐怕不是兩百多年前的統治者所會具有的。筆者以爲其原因或是如下。一是紀昀的「世故」。在該稱揚乾隆的地方，紀昀也是極盡吹捧之能事，「凡皆詞臣之奏進，誤點丹黃；一經聖主之品題，立分白黑」、「所賴恭承睿鑒，提玉尺以量才；仰稟天裁，握銀華而照物」、「凡茲獨斷，咸稟睿裁；懿此同情，實孚公義」[106]、「茲逢我皇上聖學高深，精研六義，以孔門刪定之旨，品評作者。定此六家，乃共識風雅之正軌。臣等循環雒誦，實深爲詩教幸，不但爲六家幸也」，但對不同於乾隆的意見，則以婉轉的方式，於他處表達，不會明顯地與乾隆立異，產生衝突。如同司馬遷並不在〈本紀〉中寫劉邦之厚黑，而是於他處揭露。

106　此三句皆出於紀昀：〈欽定四庫全書告成恭進表〉，前揭書第一冊，頁 116-119。

也如同紀昀在《閱微草堂筆記》中，對他所贊同或反對的意見，往往「托狐鬼以抒己見」[107]，不直接而明顯地表達自己的主張。所以紀昀才會被魯迅稱為「前清的世故老人」[108]。而紀昀這樣的「世故」，從《四庫全書總目》的刊行，以及紀昀安享天年，榮華富貴以終，在今天來看確實是成功地達到他的目的。

　　其次，身為大清盛世的統治者，乾隆在日理萬機之餘，真的有時間、精力去關注到《四庫全書》編纂的所有細節？以《四庫全書總目》為例，10231 種的提要，二百卷的份量就讓他難以卒讀，因此他才會下旨編纂《四庫全書簡明目錄》，但就算是《四庫全書簡明目錄》卷數份量已縮減至十分之一，還是讓他發出：「簡明目錄從頭閱，向若已驚徒眄洋！」的感嘆，且在詩後自注：「向因編輯全書總目提要，卷帙甚繁，令紀昀別刊簡明書目一編，祇載某書若干卷，注某朝某人撰，以便繙閱，然已多至二十卷，檢查亦殊不易」[109]。在乾隆無暇遍查的情況下，自然會有異於乾隆意見存在的空間。

　　第三是乾隆對紀昀的信任與看重。自《四庫全書》書成後，另外兩位總纂官陸錫熊與孫士毅皆外放，獨紀昀仍留京師，繼續於完成《四庫全書總目》的工作，就可看出乾隆對紀昀的看重。此外，在乾隆上諭的工作指示中，提到的人員

107　魯迅：《中國小說史略》第 22 章，（上海：上海古籍出版社，2006），頁 138。
108　魯迅：〈集外集拾遺補編‧新的世故〉，《魯迅全集》第 8 卷，（北京：人民文學出版社，2005），頁 182。
109　〈題文津閣〉，《御製詩五集》卷 67，頁 1，收入《清高宗御製詩文全集》第 10 冊，（台北：國立故宮博物院編，1976）。

名字、次序，也可以看出紀昀在乾隆心目中的地位日益重要，負責的工作逐漸以他為首。

　　從〈乾隆三十八年五月十七日奉上諭〉「所有進到各遺書，並交總裁等……，著該總裁等妥議具奏」[110]、〈乾隆三十八年八月二十五日奉上諭〉「而撰述提要粲然可觀，則成於紀昀、陸錫熊之手」[111]、〈乾隆四十一年十一月十七日奉上諭〉「著《四庫全書》總裁等，妥協查辦」[112]、〈乾隆四十五年九月十七日奉上諭〉「著即派總纂、總校之紀昀、陸錫熊、陸費墀、孫士毅等悉心校核」[113]、〈乾隆四十六年十月十六日奉上諭〉「著總纂紀昀等詳加校勘，依例改纂」[114]、〈乾隆四十六年十月二十七日內閣奉上諭〉「所有前派紀昀等選出神宗以後各奏疏，即著歸入此書」[115]。這些上諭無意中透露出乾隆心中對該工作所想到的首要人選，紀昀在乾隆心目中的份量，就在編纂《四庫全書》早期的「總裁等」，轉變成後期的「紀昀等」，就可以看出來了。因此，在乾隆無法親力為之的情況下，《四庫全書總目》的撰寫必須依賴乾隆信賴的臣工完成，紀昀乃是不二的人選，這也讓紀昀得以將其文學思想貫徹於《四庫全書總目》中。

　　　　本文發表於《東海大學圖書館館訊》新 121 期

110　《四庫全書總目‧卷首》聖諭，前揭書，頁 2-3。
111　《四庫全書總目‧卷首》聖諭，前揭書，頁 3。
112　《四庫全書總目‧卷首》聖諭，前揭書，頁 6。
113　《四庫全書總目‧卷首》聖諭，前揭書，頁 8。
114　《四庫全書總目‧卷首》聖諭，前揭書，頁 9。
115　《四庫全書總目‧卷首》聖諭，前揭書，頁 10。

紀昀文論綜述

　　紀昀（1724-1805）字曉嵐，生於清雍正二年，卒於嘉慶十年。他流傳於民間詼諧、機智的故事（紀昀的軼聞、趣事、戲弄和珅、機智巧對……），是一般人對紀昀的印象；而由他所負責編纂的《四庫全書》使他以傑出的目錄校勘學家聞名；另外他所撰寫的《閱微草堂筆記》也使他在中國小說史上佔有一席之地。所以紀昀集民間傳奇人物、學者、文學家三種身分於一身。不知是否由於他所寫的《閱微草堂筆記》和總纂的《四庫全書》過份引人注目，因而使人忽略了他的文學觀，直到晚近幾年學者才逐漸將研究紀昀的重心由《四庫全書總目》、《閱微草堂筆記》擴及《紀文達公遺集》和他所評選的詩文集，紀昀的文學批評與理論也因而更爲彰顯。事實上，紀昀對文學批評頗爲重視，在他所主持的嘉慶丙辰（元年）、壬戌（七年）兩科會試策問命題，均以文學批評史爲題[1]，這在當時可謂別具一格，但由此紀昀對文學批評的用心，也就不難察知。本文探析紀昀的文論，從兩方面著手，一是代表紀昀學術成就的《四庫全書總目》，其中集部提要更是一部實際的文學批評著作，其文學理論即蘊含於

---

1 題目請參閱孫致中等校點：《紀曉嵐文集》第一冊，（石家庄市：河北教育出版社，1991），頁 271、274。

其中，頗能看出他文學批評的成績[2]，在此之前，文學批評大
都只有對文學作品作個人、個別零星的批評，而沒有像《四
庫全書總目》這樣全面大規模評價的做法，即連斥入存目的
著作，也不難看出他對文學創作的好惡。二是散見於他所評
點的詩文集。紀昀的著作不多，除了幾部奉命負責編纂的官
修典籍如《歷代職官表》、《熱河志》、《河源紀略》等不
離考據的書外，文學專著僅有他晚年「追錄舊聞，姑以消遣
歲月」（姑妄聽之自題詞）所撰的《閱微草堂筆記》和他死
後由孫子紀樹馨將平日檢存的祖父遺作付梓行世的《紀文達
公遺集》而已。但是紀昀卻評選了不少的詩文集：《唐人試
律說》、《刪正二馮評閱才調集》、《刪正方虛谷瀛奎律髓》、《李
義山詩集》、《後山集鈔》、《張為主客圖》、《庚辰集》、《玉谿
生詩說》、《紀評蘇文忠公詩集》、《紀評文心雕龍》、《瀛奎律
髓刊誤》。雖然在這些所評選的詩文集中片言隻語的批評頗為
零亂支離，不易整理，但卻是研究紀昀文學理論極具價值的
素材，也是他文學批評具體的成果。本人於探索紀昀的文集
及其評點諸書之後，益覺其中闡發文學理論及評騭作品的論
述甚多。他的文學批評理論可以說是繼承和總匯了我國儒家
正統派的文學主張，而且他將這種理論融匯在評騭歷代作
家、作品及文學流派之中，體現了高度的藝術鑒賞力。無怪
乎阮元在《紀文達公遺集》序中，曾用「辨漢宋儒術之是非，
析詩文流派之正偽」[3]這兩句話來概括紀昀一生的學術活動及

2　將《四庫全書總目》納入紀昀文論的討論範圍，其理由將於下節中說
　　明。
3　《紀曉嵐文集》第三冊，頁 727。

學術成就，其中「析詩文流派之正僞」就是指出紀昀在文論上的成就，綜觀紀昀所評點諸書及《文集》有關篇章，信哉斯言，紀昀確實爲一位文論大家。

壹、緒　論

一、紀昀文學批評與文學創作的過程略述

紀昀文學批評的意見，除了《四庫全書總目》集部的提要外，主要散見於他所評點的詩文集：《紀評蘇文忠公詩集》、《紀評文心雕龍》、《瀛奎律髓刊誤》、《玉臺新詠》、《王子安集》、《韓致堯集》、《玉谿生詩說》、《黃山谷詩集》、《鏡煙堂十種》（內含《唐人試律說》、《刪正二馮評閱才調集》、《刪正方虛谷瀛奎律髓》、《李義山詩集》、《後山集鈔》、《庚辰集》、《張爲主客圖》、《審定風雅遺音》、《館課存稿》《沈氏四聲考》等書），以及所寫的序跋、硯銘。在這些所評選的詩文集、序跋、硯銘裡，紀昀文學理論即蘊含於其中，雖然這些片言隻語的批評頗爲零亂支離，不易整理，但卻是研究紀昀文學理論極具價值的素材，也是他文學批評具體的成果。紀昀文學批評與文學創作的過程，大致可以分爲三個時期：（一）、纂修《四庫全書》前；（二）、纂修《四庫全書》時期；（三）、纂修《四庫全書》後。

（一）、纂修《四庫全書》前：紀昀評點的詩文集如《紀評蘇文忠公詩集》、《紀評文心雕龍》、《瀛奎律髓刊誤》、《玉

臺新詠》、《王子安集》、《韓致堯集》、《玉谿生詩說》、《黃山
谷詩集》、《鏡煙堂十種》，都是在他五十歲負責纂修《四庫全
書》前所完成，其中像《瀛奎律髓》「於是書，自乾隆辛巳（1761）
至辛卯（1771）評閱至六、七次，細爲批釋，詳加塗抹」[4]，
就用了十年的功夫（紀昀 38-48 歲）；《蘇文忠公詩集》也用
了五年的功夫去點論（紀昀 43-48 歲），評閱至五次之多，他
自稱「余點評是集始於丙戌（1766）之五月，初以墨筆，再
閱改用朱筆，三閱又改用紫筆，交互縱橫，遞相塗乙，殆模
糊不可辨識，友朋傳錄，各以意去取之，續於門人葛編修正
華處得初白先生（查慎行）批本，又補寫於罅隙之中，亦繆
轕難別。今歲六月，自迪化歸，長晝多暇，因繕此淨本，以
便省覽……」[5]可見用力之深。在他 48、49 歲這兩年，可以
說是他評點詩文集的豐收期，《紀評蘇文忠公詩集》、《紀評文
心雕龍》、《瀛奎律髓刊誤》、《玉臺新詠》諸書都是在這兩年
中完成評點。而這兩年也正是他獲罪謫戍烏魯木齊，遇赦還
京，大約交遊疏淡、門前冷落，備嘗炎涼世態、寂寞酸苦之
味的時候，這未嘗不是失之桑榆，收之東隅呢？

　　（二）、纂修《四庫全書》時期：到了四庫開館之後，紀
昀在這段時間全部心力投注在編纂工作上，也就無暇他顧。
但是紀昀和《四庫全書總目》的關係十分密切，乾隆四十七
年《四庫全書總目》二百卷勒成，仍遲遲不能定稿刊刻，主
要是對提要不斷有更改的情形發生，一直要到乾隆六十年
底，《四庫全書總目》才告完成。在《四庫全書總目》正進入

---

4 李光垣：《瀛奎律髓刊誤》跋，（臺北：佩文書社，1960），頁 25。
5 紀昀：《紀批蘇詩擇粹》序，（臺北：佩文書社，1961），頁 1。

緊鑼密鼓修改定稿的階段，另一位總纂官陸錫熊卻已早在乾隆五十七年辭世，獨撐大局的恐怕只有紀昀了，所以說「蓋《四庫全書》開館，吾師即奉命總纂，自始至終，無一息之間」[6]、「乾隆朝開四庫全書館，惟紀文達公昀始終其事」[7]，因此朱珪爲紀昀撰的墓誌銘和祭文上才會說：

> 公館書局，筆削考核，一手刪定，爲《全書總目》，褒然巨觀。……生入玉關，總持四庫，萬卷提綱，一手編注。

該書的完成既然和紀昀有如此密切的關係，那是否可將該書的意見視爲紀昀的意見呢？有人認爲應考慮到乾隆的意旨會影響到館臣的撰寫提要[8]，這種影響恐怕是政治面要大於文學面[9]，對於政治上的忌諱，臣下當然小心謹慎，不敢造次。但是其他方面，在乾隆所訂下了大方針，撰稿者依自己的學識

---

6 劉權之：〈欽定四庫全書告成恭進表〉跋，孫致中等校點：《紀曉嵐文集》第一冊，（石家庄市：河北教育出版社，1991），頁 119。

7 陳康祺：《郎潛紀聞初筆》卷八，（北京：中華書局，1997），頁 186。

8 1930 年秋，魯迅爲其老友許壽裳之子許世瑛開學習書目，中有《四庫全書簡明目錄》一條，自注：「其實是現有的較好的書籍之批評，但須注意其批評是『欽定』的」（魯迅：《魯迅全集》第八卷，（北京：人民文學出版社，2005），頁 497。）此後有些學者便強調《四庫全書總目》的「欽定」，認爲紀昀無法在《四庫全書總目》中表達自己的學術見解，如楊晉龍：「即使《總目》的思想和紀昀完全合轍，也只能說是紀昀的想法正好符合乾隆帝……筆者也主張《總目》表現的是乾隆帝的思想；或者說表現當代學術共識，而非某一位單獨個人的思想概念，至於紀昀等人所扮演的，就如同現代的『總統府發言人』、『新聞局長』或所謂『文膽』之類的腳色，不過是代筆人而已」，〈論《四庫全書總目》對明代詩經學的評價〉，（濟南）《第四屆詩經國際學術研討會會議論文》，1999，頁 441。

9 陳偉文：《紀昀與〈四庫全書總目〉的文學批評》，北京師範大學 2004年碩士學位論文，頁 43 中即曾舉例詳論此點。

涵養來撰稿，應是實際的狀況。也因此撰寫成的提要才要經過紀昀全面的修訂，遲至乾隆六十年才刊定。乾隆的學識涵養未必高過紀昀，其關注的焦點應該在是否有違礙之處，如同乾隆自己說的「簡明目錄從頭閱，向若已驚徒肯洋」[10]，光是《簡明目錄》乾隆就未必有時間、精力、興趣、耐性好好的看了，在不犯政治忌諱下，提要的撰寫應有作者學識展現的空間，否則只是政治教令的宣揚，又怎會讓後人重視提要呢？今天也不必浪費筆墨在此討論了。在這裡我們既然知道《四庫全書總目》和紀昀關係最為密切，而正如朱自清所說的：

> 四庫全書總目提要集部各條，從一方面看，也不失為系統的文學批評，這裏紀昀的意見為多。[11]

《四庫全書總目》提要集部各條，可說是前所未有的一部文學批評巨著，能全面性地對歷代作家、作品做評論。而從事這項工作的紀昀，自然是一位成果豐碩的評論家，無怪乎朱東潤說：

> 曉嵐論析詩文源流正偽，語極精。今見於四庫全書提要，自古論者對於批評用力之勤，蓋無過紀昀者。[12]

這樣巨大的工程，所耗的心力，實是難以想像。也難怪紀昀中年的畫像一如史書所記載的，是一個精力過人的人，是很

---

10 〈題文津閣〉，《御製詩五集》卷六十七，頁1，《清高宗御製詩文全集》第10冊，（台北：國立故宮博物院編，1976）。
11 朱自清：〈詩文評的發展〉，收入氏著：《朱自清全集》第三冊（南京：江蘇教育出版社，1999），頁27。
12 朱東潤：《中國文學批評史大綱》，（台北：台灣開明書店，1979），頁354。

自信、很瀟灑的形象。但經過二十二年的心血耗注，台灣商
務印書館所出版的《摛藻堂四庫薈要》卷首上紀昀晚年的畫
像，已經是眼皮下垂、兩眼無神、神色木訥的垂垂老者。

紀昀中年畫像

四庫全書薈要總纂官紀昀圖像

陸敬安（以湉）所說的也許正是實情：

按：全書總目提要二百卷，亦公所撰。說者謂公才學
絕倫，而著述無多，蓋其生平精力已畢萃於此書矣。[13]

（三）、纂修《四庫全書》後：編纂完四庫全書後的紀昀，
晚年除了他顧在編纂工作上撰寫《閱微草堂筆記》五種外，
文學批評的意見只散見於短篇的序跋、硯銘（紀昀酷愛收藏
硯台）。也許正如他自己所說的「景薄桑榆，精神日減，無復

---

13 陸以湉：《冷廬雜識》卷一，（北京：中華書局，1997），頁 53。

著書之志」[14]，一方面也因爲「余校定四庫，所見不下數千家，其體已無所不備」[15]，編纂四庫全書讓他能博覽群書，學問大長，閱歷漸深後，反而不敢創作，紀昀自己的一段話也透露這樣的訊息：

> 余自早歲受書，即學歌詠，中間奮其意氣，與天下勝流相倡和，頗不欲後人；今年將八十，轉瑟縮不敢著一語，平生吟稿亦不敢自存，蓋閱歷漸深，檢點得意之作，大抵古人所已道；其馳騁自喜，又往往皆古人所撝呵，撚鬚擁被，徒自苦耳。[16]

雖然態度消極了些，但是這些短篇的序跋、硯銘中所展現出來文學批評的意見，是在他飽覽群書之後，意見更見精純。這段時期較有名的作品有：〈甲辰會試錄序〉、〈乾隆甲辰會試策問三道〉、〈觀井集序〉、〈李參奉詩鈔序〉、〈耳溪詩集序〉、〈耳溪文集序〉、〈月山詩集序〉、〈郭茗山詩集序〉、〈丙辰會試錄序〉、〈嘉慶丙辰會試策問五道〉、〈袁清愨公詩集序〉、〈田侯松岩詩序〉、〈詩序補義序〉、〈鶴街詩稿序〉、〈壬戌會試錄序〉、〈嘉慶壬戌會試策問五道〉、〈四百三十二峰草堂詩序〉、〈琴硯銘〉、〈綠瓊硯銘〉、〈仿宋硯銘〉、〈天然硯銘〉、〈宋太史硯銘〉、〈井欄硯銘〉、〈月到天心硯銘〉、〈下巖石硯銘〉……等，都是言簡意賅、語多精闢的作品，也是研究紀昀文學批評不可或缺的資料。今將其過程，以簡表列出如下：

---

14 紀昀：〈灤陽續錄序〉，前揭書第一冊，頁 494。

15 紀昀：〈四百三十二峰草堂詩鈔序〉，前揭書第一冊，頁 207。

16 紀昀：〈鶴街詩稿序〉，前揭書第一冊，頁 206。

時　　間	文學批評作品（或事件）
1.世宗雍正二年甲辰 （1724,1 歲）	六月十五日午時，生於直隸河間府獻縣
2.乾隆十五年庚午 （1750,27 歲）	四月，母張太夫人卒。居憂多暇，因整理舊業，編纂《玉谿生詩說》一書。
3.乾隆二十年乙亥 （1755,32 歲）	1.長夏養病，編《張爲主客圖》。 2.與王鳴盛寓齋僅隔一垣，兩人往還甚歡，以詩相酬。 3.結識戴震，展開長達二十餘年交往。
4.乾隆二十四年己卯 （1759,36 歲）	六月唐人試律說脫稿，七月自爲序。
5.乾隆二十五年庚辰 （1760,37 歲）	1.覆閱《唐人試律說》刊本。 2.有《書韓致堯翰林集後》，繼而點閱《香奩集》，又書《八唐人集後》。
6.乾隆二十六年辛巳 （1761,38 歲）	1.七月，編定《庚辰集》。 2.開始評閱《瀛奎律髓》。
7. 乾隆二十七年壬午 （1762,39 歲）	六月，從座師錢茶山借閱《後山集》。
8.乾隆二十九年甲申 （1764,41 歲）	刪定陳後山集，七月晦日作序，書於福州使院之鏡煙堂。
9.乾隆三十一年丙戌 （1766,43 歲）	是年五月開始點論《蘇文忠公詩集》。
10.乾隆三十三年戊子 （1768,45 歲）	循私漏言，革職戍迪化。
11.乾隆三十五年庚寅 （1770,47 歲）	十二月，高宗下諭賜還。
12.乾隆三十六年辛卯 （1771 年 48 歲）	1.評閱《瀛奎律髓》畢。 2.七月二十八日閱畢《玉臺新詠》，八月初二日又覆閱畢。 3.八月，跋蘇詩評本 4.八月初六日，評閱《文心雕龍》畢。 5.十二月，撰《瀛奎律髓刊誤序》。
13.乾隆三十七年壬辰 （1772,49 歲）	正月十一日重閱畢《玉臺新詠》，上元前三日跋之。
14.乾隆三十八年癸 （1773,50 歲）	1.正月二十七日，跋《玉臺新詠校正》稿本。 2.二月開四庫全書館，任四庫全書總纂官。
15.乾隆四十七年壬寅 （1782,59 歲）	《四庫全書總目》二百卷勒成。

16.乾隆五十四年己酉 （1789,66歲）	成《灤陽消夏錄》六卷，繕竟附題二首。
17.乾隆五十六年辛亥 （1791,68歲）	七月二十一日，題《如是我聞》序。
18.乾隆五十七年壬子 （1792,69歲）	六月自序《槐西雜誌》
19.乾隆五十八年癸醜 （1793,70歲）	七月二十五日，《姑妄聽之》四卷成，並自序。
20.嘉慶三年戊午 （1798,75歲）	七月《灤陽續錄》六卷成。
21.嘉慶五年庚申 （1800,77歲）	八月《閱微草堂筆記》五種二十四卷，編定刊行，門人北平盛時彥作序。
22.嘉慶十年乙丑 （1805,82歲）	二月十四日酉時卒。諡文達。

二、廿一世紀前十年紀昀文論研究的現況

　　廿一世紀前有關紀昀文學與文論的研究大致可分四期：一、在清代主要是一些簡單的肯定或否定。肯定他的學問好、寫作技巧高超、內容思想醇正；否定的是他對宋儒批評的態度。二、辛亥革命後以迄1949年，學界的關注是以研究他的生平事跡、學術思想甚至他的生活習俗、軼聞趣事等為主流，有關紀昀文學的研究以魯迅在《中國小說史略》、《中國小說的歷史的變遷》兩部小說史專著中見解最為精闢，識見遠遠超出同時代學人之上。三、1949年之後到文革結束，兩岸三地對紀昀文學的研究有著極大的差異，大陸一些散見於文學史或小說史中的論述也大多將其視為《聊齋誌異》的對立面而加以否定，其觀點存在著明顯的偏頗，文革時期紀昀被視為「孔孟之道的衛道士」而受到批判，以作家柳溪不敢暴露

自己是紀昀後裔的心理，就可以知道局勢的險峻，因此相關的研究更是不足道哉。反觀港台的一些學者則撰寫了一些頗有份量的文章[17]。四、廿世紀最後的二十年，是紀昀文學研究的繁盛時期，除了《閱微草堂筆記》的持續討論外，研究的範圍也擴大到對紀昀其他方面，特別是文學成就研究的文章明顯增多，其內容涉及到文學觀念、詩歌、散文、小說的創作等各個方面[18]。大陸方面尤其呈現出蓬勃繁景，這主要是政治氛圍的改變，紀昀逐漸受到學界的肯定，也因此出版了一批紀昀的著作，其中有校點精良的全本、選本以及原本深藏在書庫中的線裝書[19]，讓紀昀文學與文論的研究得以更方便進行，也才有相當豐碩的成果。

　　本世紀以來，紀昀文學與文論的研究是在以往的成就上

---

17 如盧錦堂：《紀昀生平及其閱微草堂筆記》，政治大學中研所 1974 年碩士論文；賴芳伶：《閱微草堂筆記中的觀念世界及其源流影響》，台灣大學中研所 1976 年碩士論文、〈閱微草堂筆記在文學史上的地位〉，《中外文學》，5：3、〈淺談紀昀的詩文觀〉，《中外文學》，4：10；陳自遜：《聊齋誌異、新齊諧與閱微草堂筆記的比較研究》，新亞書院 1977 年碩士論文；侯健：〈閱微草堂筆記的理性主義〉，《中外文學》，8：1、孟瑤：〈紀派的閱微草堂筆記及其它〉，載《中國文學史》第八章，（台北市：大中國圖書公司，1963）。

18 如溫光華：《文心雕龍黃注紀評研究》，台灣師範大學中研所 1997 年博士論文；林淑幸：《理論與實踐 ── 紀昀小說觀研究》，中央大學中研所 1997 年碩士論文；張宏生：〈從四庫提要看紀昀的散文觀〉，載《中國古典文學論叢》第 2 輯，（北京：人民文學出版社，1985）；王先霈：〈封建禮教思想同小說藝術的敵對性 ── 紀昀小說觀評述〉，《文學評論》，1987：2；董雅蘭：《紀昀文初探》，東吳大學中研所 1998 年碩士論文。

19 如孫致中等校點：《紀曉嵐文集》，（石家庄市：河北教育出版社，1991）；台灣方面有紀昀所編著《鏡煙堂十種》，由台北新文豐公司影印中央研究院傅斯年圖書館藏乾隆刊本，收在《叢書集成》三編，1996。

更加邁進。雖然只有短短的十年（2001-2010），但累積的研究產量已經相當可觀，據筆者不完整的統計，以紀昀、紀曉嵐、閱微草堂筆記為題的博碩士論文有 30 篇、期刊有一百多篇、專書有三十多本（是趕鐵齒銅牙紀曉嵐之類戲說電視劇風潮而寫，多非學術著作）[20]。從這些成果中，可以看出紀昀的文論已漸漸成為研究的重心，其現況略述如下：

　　紀昀一生心血與成就所在，就是五十歲前所評點的諸書、編纂四庫全書以及晚年所寫的《閱微草堂筆記》。學界對紀昀關注的焦點一直放在後兩者，相對地對於紀昀的文學批評與理論就較少研究。近十年來這種現象，已慢慢改變。紀昀的文學理論主要可分為小說理論和詩學理論這兩類，關於小說觀的探討，以往已有多人撰文[21]，近年來仍有多人持續為文探討，可見這一直是熱門的議題，如段庸生:〈紀昀批評蒲松齡述評〉，《四川師範學院學報（哲學社會科學版）》，2002：1、苗懷明:〈文臣之法學者之眼才子之心 —— 紀昀小說觀新探〉，《江蘇行政學院學報》，2004.1、郭素媛:〈淺談紀昀的小說觀及小說創作〉，《山東教育學院學報》，2005.5、姜麗娟:〈紀昀與蒲松齡小說觀之異中有同〉，《遼寧行政學院學報》，2006.10。也有不與他人比較，直接探討紀昀的小說

20　主要搜尋：中國期刊網、中國知網、CETD 中文電子學位論文服務、CEPS 中文電子期刊服務、國家圖書館之全國圖書聯合目錄、全國博碩士論文網、中華民國期刊論文索引等資料庫而得。

21　如孔令升、田勁松:〈紀昀的小說觀斷論〉，《滄州師範專科學校學報》，21：1、徐光輝:〈紀昀的小說觀〉，《湘潭大學學報》，1987.3、黃瓊誼,：〈紀昀的小說理論與實踐〉，《（台灣）南開學報》，1999.5、洛保生:〈神怪異聞與勸善懲惡 —— 蒲松齡與紀曉嵐小說觀念比較談〉，《蒲松齡研究》，2000：1。

觀，如孔令升：〈紀昀的小說觀斷語〉，《運城學院學報》，
2007.6、董昕瑜：《試論紀昀的小說觀》，吉林大學 2008 年碩
士論文、劉保忠：〈略談紀曉嵐的小說觀念〉，《社科縱橫》，
2009.12。

　　另外對紀昀詩學理論的探討，也是兩岸不約而同熱門的
研究議題，如楊桂芬：《紀昀詩學理論研究》，中山大學中國
文學系 2001 年碩士論文、鄧艷林：《論紀昀的詩學觀與詩歌
批評》，湖南師範大學 2004 年碩士論文、宮存波：《紀昀詩歌
批評研究》，四川大學 2005 碩士論文、邵明華：〈紀昀對王士
禛之詩作與詩論的評價〉，《今日湖北（理論版）》，2007.7、
于海博、周麗：〈紀曉嵐詩學思想管窺 ── 據《紀曉嵐文集》
詩集序立論〉，《滄州師範專科學校學報》，2008.9。另外邱怡
瑄：《紀昀的試律詩學》，政治大學中國文學研究所 2009 年碩
士論文則是補白長久以來學界對紀昀的四本試律詩學著作：
《唐人試律說》、《庚辰集》、《館課存稿》及《我法集》研究
的空缺，紀昀被譽為「近人說試律者，既以紀文達師為宗」[22]，
本文探析紀昀理論與創作兼跨的完整詩學體系，並闡明紀昀
在「試律詩學」上的成就與貢獻，算是紀昀研究中新創的研
究領域。而洪麗玫：《紀昀詩論研究》，中央大學中國文學研
究所 2009 年博士論文，則是分別從論詩教、論雅俗、論體格
與宋詩派、論格調派的批評方法、論紀昀對唐宋詩論爭的立
場這五個方面，來探討紀昀之詩論。而研究取材的範圍除了
《紀曉嵐文集》外，主要則是前人較少論及的紀昀評點諸書

22 梁章鉅：《制藝叢話・試律叢話》，（上海：上海書店出版社，2001），
　　頁 494。

《紀評蘇詩》、《玉溪生詩說》、《瀛奎律髓刊誤》，這幾本清楚揭露紀昀評詩之立場的著作。另有徐美秋：《紀昀評點詩歌研究》，復旦大學 2009 年博士論文，則結合紀昀其文集、所評點的詩集、所評點的試律詩，綜合研究紀昀對詩歌的評點，較洪麗玫之文取材範圍更廣。至於綜合小說觀與詩文觀做全面的探討，以往雖然已有人嘗試[23]，但楊子彥所撰《紀昀文學思想研究》，北京大學 2002 年博士論文，則是在前人研究基礎上，對紀昀散見於著作和點評之中的文學思想作深入、系統的研究，但重點則是放在紀昀的詩學理論和小說觀上。

有關紀昀評點諸書的研究，以往較為人所忽略的原因，大概是由於紀昀所評點的諸書不容易看到，因此像《紀評文心雕龍》因為較易取得，所以研究的成果也較多。台灣的世界書局早在 1956、1962、1972 年就出版過紀評的《文心雕龍》，所以在 1997 年就有相關的博士論文出現[24]，廖宏昌：〈《文心雕龍》紀評的折中思維與接受〉，《文與哲》，2005.6，一文中則捻出了紀昀文學理論強調調和折衷的特色。大陸方面則遲至 1997 年才出版《紀評文心雕龍》[25]，之後相關的研究就多了起來，古籍出版對學術研究之重要性，可見一斑。這類研究成果有汪春泓：〈關于紀昀的《文心雕龍》批評及其文學

---

23 如王鎮遠：〈紀昀文學思想初探〉，《古代文學理論研究》第 11 輯，1986.8，頁 257-285、賴芳伶：〈淺談紀昀的詩文觀〉，《中外文學》，4：10、黃瓊誼：《淺論紀昀的文學觀 —— 以四庫提要與簡明目錄為中心》，國立編譯館館刊，20：2。
24 溫光華：《文心雕龍黃注紀評研究》，台灣師範大學中文所 1997 年博士論文。
25 《紀曉嵐評注文心雕龍》，（江蘇：廣陵古籍刻印社，1997）。

思想之研究〉,《北京大學學報(哲學社會科學版)》,2001：5、
沙先一:〈論紀昀的文心雕龍研究〉,《徐州師範大學學報哲社
版》,2002.9、何穎:《《文心雕龍》紀評中的創作論研究》,
內蒙古師範大學 2004 年碩士論文、王宏林,〈紀昀評點《文
心雕龍‧明詩》之辨析〉,《河南教育學院學報(哲社版)》,
2004.6、陶原珂:〈《紀曉嵐評注文心雕龍》之文體觀〉,《中
州學刊》,2006：3。這些研究不論是對紀昀的詩學觀或是龍
學的研究,都是有相當的助益。

　　除《文心雕龍》外,其他評點各書的研究也有所見,之
前已有學者論及[26],近年來也有一些篇章,如莫礪鋒:〈論紀
批蘇詩的特點與得失〉,《中國韻文學刊》,2006.12、吳曉峰:
〈心靈睿發其變無窮--從紀曉嵐批點《唐宋詩三千首》看他
的詩論主張〉,《長春師範學院學報》,2003.9、詹杭倫:〈紀
昀《瀛奎律髓刊誤》的得與失〉,《北京化工大學學報社科版》,
2004：4、洪滿山:《紀評蘇詩研究 —— 以詩風演變及蘇詩本
色為主》,中山大學中國文學系研究所 2007 年碩士論文、廖
宏昌:〈《瀛奎律髓》選評東坡詩的視角探析 —— 兼及紀昀評
點視野〉,《文與哲》,2007.12,來探討紀批《瀛奎律髓》、張
蕾:〈詩教法則的嚴守與變通 —— 紀昀評點《玉臺新詠》管
窺〉,《武漢大學學報(人文科學版)》,2007.5,一些對紀批
的研究成果,但相較於《閱微草堂筆記》和《文心雕龍》的

26　如張夢機:〈方回、紀昀批少陵詩平議〉,《中國學術年刊》第八期、
　　項楚:〈讀《紀評蘇詩》〉,《蘇軾研究論文集》第二輯,(四川:四川
　　人民出版社,1983)、邱鈺:〈《瀛奎律髓》及紀批的文獻價值〉,《大
　　學圖書情報學刊》,1998：3、王友勝:〈論紀昀的蘇詩評點〉,《中國
　　韻文學刊》,1999：2。

研究，則相對地顯得薄弱些。另外有雖然沒專篇探討，但對紀昀的批點能指出其價值，給予極高的評價「從總體看，紀昀稱得上是李商隱詩歌接受史上最集中地從審美角度評論李詩的學者，而且確實揭示出了義山許多優秀詩篇的藝術妙諦，同時對義山詩的缺點也作了相當嚴厲而中肯的批評。」[27]、「撰《玉臺新詠校正》十卷對《玉臺新詠》逐卷進行精細的校勘、考辨，又在每頁天頭寫下論析源流、品鑒賞讀的眉批，卓具史家手眼與詩人慧心，尚有散見於其他論著中的涉及《玉臺新詠》所錄詩人或詩作的言論，因此紀昀的《玉臺新詠》研究成果是多方面的。從某種意義上講，堪稱對古代《玉臺新詠》研究的總結……」[28]都是肯定紀昀文學批評的眼光。

近年來對紀昀文學理論的研究雖日漸增多，但是紀昀多部文學評點之作仍較少人深入探討。正如孫琴安所言：

> 毫無疑問，紀昀是繼何焯、沈德潛等人之後清代又一位傑出的詩歌評點家。……紀昀以他淵博的學識、深厚的詩學根柢和相對公允、不帶偏見的詩歌觀點，通過自己一系列的評點，又對自清初以來至乾隆中期一百多年間的論詩主張進行了一次清算和糾偏。他既繼承了由劉辰翁所開、明代人所熱衷的以文學為主體的傳統的詩歌評點方式，同時也吸納了何焯的批、校相

---

27 劉學鍇：《李商隱詩歌接受史》，（安徽：安徽大學出版社，2004），頁159。

28 張蕾：《〈玉臺新詠〉論稿》第九章，河北大學文學 2004 年博士論文，頁 120。張蕾另有〈《玉台新詠考異》為紀昀所作說補遺〉一文，《文獻》，2008：2。

結合以及乾嘉學派重考據的新學風，使兩者融合一體，兼而有之，或雙管齊下、交叉進行，從而創造了一種以評為主、校考為次，評、考結合的新的詩歌評點方式。[29]

這樣一位傑出的詩歌評點家的評點作品，實在有太多值得我們去研究的地方。如今他所評點的著作已大多有出版社出版[30]，甚至有將紀昀所評點書重新編排刊印[31]，也有將評點的內容加入重新編排的詩集中[32]，這些都為我們的研究，提供許多的便利，也相信日後有更多有關紀昀文學觀的研究會陸續出爐。

三、《四庫全書總目》納入紀昀文論的討論範圍原因說明

關於《四庫全書總目》的著作權，自清代《四庫全書》成書以來，學者大多以為歸諸於總纂官紀昀。如紀昀好友朱珪〈紀曉嵐墓誌銘〉「公館書局，筆削考核，一手刪定，為《全書總目》，裒然巨觀」、〈祭紀昀文〉「生入玉關，總持四庫，

---

29 孫琴安：《中國評點文學史》，（上海：上海社會科學研究院出版社，1999），頁 285-286。
30 如《瀛奎律髓刊誤》、《鏡煙堂十種》收在台北新文豐出版公司，《叢書集成》續編、三編中，1989、1996 年出版；《紀昀評點蘇東坡編年詩》2001 年由北京圖書館出版社出版；《玉溪生詩說》1971 年由台北藝文印書館印行。
31 《瀛奎律髓刊誤》由黃山出版社於 1994 重新排印。
32 如李慶甲集評校點《瀛奎律髓彙評》，（上海：上海古籍出版社，2005）、曾棗莊主編：《蘇詩彙評》，（重慶：四川文藝出版社，2000）、劉學鍇余恕誠：《李商隱詩歌集解》，（北京：中華書局，2004）。

萬卷提綱，一手編注」、〈五老會詩〉「宗伯河間姹，口吃善著
書。沈浸四庫間，提要萬卷餘」；翁方綱〈東墅復次前韻，有
懷鍾山院長盧抱經學士、錢辛楣詹事，且及二君經學，因復
次答，兼懷二君〉之二自注「昨見曉嵐援辛楣（錢大昕）《曹
全碑跋尾》一條，著於《四庫書錄》。不特徵定論之公，亦見
友朋服善之益也」。也有門生、晚輩如阮元〈紀文達公遺集序〉
「高宗純皇帝命輯《四庫全書》，公總其成。凡六經傳注之得
失，諸史記載之異同，子集之支分派別，罔不扶奧提綱，溯
源徹委。所擬定總目提要，多至萬餘種，考古必衷諸是，持
論務得其平」、劉權之〈紀文達公遺集序〉「（高宗純皇帝）特
命吾師總纂。《四庫全書總目》，俱經一手裁定」、陳鶴〈紀文
達公遺集序〉「其在翰林校理《四庫全書》七萬餘卷，《提要》
一書，詳述古今學術源流，文章體裁異同分合之故，皆經公
論次，方著於錄」、禮親王昭槤《嘯亭雜錄‧紀曉嵐》「北方
之士，罕以博雅見稱於世者，惟曉嵐宗伯無書不讀，博覽一
時。所著《四庫全書總目》總匯三千年間典籍，持論簡而明，
修辭淡而雅，人爭服之」。也有晚於紀昀的清人，如江藩《漢
學師承記》「《四庫全書提要》、《簡明目錄》皆出公手」、洪亮
吉《北江詩話》「乾隆中，四庫館開，其編目提要，皆公一手
所成，最爲贍博」、陸敬安《冷廬雜識》「《全書總目》二百卷，
亦公所撰，說者謂公才學絕倫，而著書無多，蓋其平生精力
已畢萃於此書矣」。甚至清仁宗嘉慶皇帝的〈御賜碑文〉也稱
「美富羅四庫之儲，編摩出一人之手」，更是代表朝廷對紀昀
《四庫全書總目》著作權的認定。反對將《四庫全書總目》
著作權歸諸於紀昀者，必須解釋這些人爲何有如此的說法，

卻從乾嘉之後，歷道、咸、同、光等朝之學者，對此種認定
不群起攻之，甚至無人反對。

　　除了清人認定《四庫全書總目》著作權歸諸於紀昀外，
紀昀本身也屢屢言及其編撰《四庫全書總目》：

> 余撰《四庫全書總目》，亦謂虛中推命不用時，尚沿
> 舊說。今附著於此，以志余過[33]

> 迦陵四六，頗為後來所蚩點，余撰《四庫全書總目》，
> 力支柱之。[34]

> 案相人之法，見於左傳，其書《漢志》亦著錄。惟太
> 素脈、揣骨二家前古未聞。太素脈至北宋，始出其授
> 受，淵源皆支離附會，依託顯然。余於《四庫全書總
> 目》，已詳論之。[35]

> 余於癸巳受詔校秘書，殫十年之力，始勒為《總目》
> 二百卷，進呈乙覽。[36]

> 余初學詩從《玉谿集》入，後頗涉獵於蘇、黃，於江
> 西宗派亦略窺涯涘。嘗有場屋為余駁放者，謂余詆諆
> 江西派，意在煽構，聞者或惑焉，及余所編《四庫書
> 總目》出，始知所傳蜚語，群疑乃釋。[37]

　　如果紀昀自稱編撰《四庫全書總目》是欺人之說，恐怕
不僅學者早就口誅筆伐，以《四庫全書總目》欽定的性質，

33　〈槐西雜志〉卷二，前揭書第二冊，頁 305。
34　嘉慶三年，十月，紀昀為劉墉（號石庵）所贈硯作硯銘。紀昀：《閱
　　微草堂硯譜》，（湖北：湖北美術出版社，2002），頁 23。
35　〈灤陽續錄〉卷一，前揭書第二冊，頁 494。
36　紀昀：〈詩序補義序〉，前揭書第一冊，頁 156。
37　紀昀：〈二樟詩鈔序〉，前揭書第一冊，頁 200。

此等貪天之功的說法，朝廷焉能輕輕放過，不聞不問？況且紀昀宦海浮沈數十載，若非事實，豈能膽大包天，不怕招人糾舉，無此警覺與顧忌？

至於《四庫全書總目》萬餘種提要，是各地進書送至四庫館時，即由各纂修官按照發下的校書單，完成校閱和擬定提要初稿後，送交總纂官審閱、修改、核定而成閣本《四庫全書》的書前提要。近年來對於提要稿的發現與比對的工作，有多位學者投身其中，他們就姚鼐、翁方綱、鄭際唐、程晉芳、余集、邵晉涵諸人的提要稿和《四庫全書總目》相比照，有以下的結論：「《惜抱軒書錄》與《四庫提要》頗多不一致處，從中可以看出紀昀是如何「損益」姚鼐提要稿，以使文風、批評標準與他篇保持一致的」[38]、「《姚錄》或多或少有所改動，有的改動較小，但尚可看出修改潤飾的痕跡，有的改動較大，面目全非，甚至則另起爐灶，全篇改寫」[39]、「（姚氏八十八篇提要）以增為主的提要有五十二篇，以改為主的提要有三十一篇」[40]、「（《翁方綱纂四庫提要稿》）總計 1150條。前三類所佔比例為 49.39%，後三類為 50.61%，換言之，一半以上為完全不同的，接近一半的提要稿經過不同程度的修改潤色，其增刪之跡還能比較出來。總之，從分纂官提要

---

38 杜澤遜：〈讀新見姚鼐一篇四庫提要擬稿〉，《中國典籍與文化》，1999：3，頁 43。

39 季秋華：〈從《惜抱軒書錄》看纂前提要與纂後提要之差異〉，《圖書館工作與研究》，頁 40。

40 徐雁平：〈《惜抱軒書錄》與《四庫全書總目》之比較〉，《文獻》，2006：1，頁 131-132。

稿到《總目》定稿還有一個相當長的過程」[41]、「除少數確實
撰寫精當者爲《四庫提要》全文采用外,《提要稿》與《四庫
提要》多有差異。此正說明《四庫提要》非一次寫定,而曾
屢經修改。不僅翁氏《提要稿》如此,見存其它四庫纂修官
所撰提要稿,亦多與《四庫提要》內容不同」[42]、「《四庫全
書總目》因《四庫全書》的編修需要而產生,是由纂修官分
別撰寫各書提要,再由總纂官多次修改、增刪而成。由於總
纂官和纂修官的著眼點不同以及學術觀點的差異,總纂官對
原撰稿進行了較多的修改,因此,纂修官的原纂稿和《總目》
提要均有較大出入。邵氏《分纂稿》中的三十七篇原纂稿亦
不例外。筆者曾將《四庫全書提要分纂稿》和《四庫全書總
目》一一比對,發現無一篇相同」[43]、「其(余集提要)撰寫
體制、內容與總目、閣本提要有諸多明顯的不同」[44]、「三篇
提要相比,鄭際唐初稿殊覺疏略,僅羅舉篇目而已……定本
除行文更覺凝煉外……有高屋建瓴之趣,所謂「考鏡源流」
者是也。蓋《四庫提要》均經紀昀筆削潤色,與原稿多有出
入,而持論精闢,文風犀利,俱見紀氏才學迥出諸公之上。
唯紀氏筆削提要,多未細檢原書,往往初稿不誤者,定稿反

---

41 司馬朝軍:《〈四庫全書總目〉編纂考》,,復旦大學博士論文,2003,
　　頁 202。
42 樂怡:〈翁方綱纂《提要稿》與《四庫提要》之比較研究〉,《圖書館
　　雜志》,2006:4,頁 76。
43 蘇虹:〈關于邵氏《四庫全書提要分纂稿》〉,《圖書館學刊》,2005:4,
　　頁 130。
44 李祚唐:〈余集《四庫全書》提要稿研究價值淺論〉,《學術月刊》,2001:
　　1,頁 79。

誤」[45]、「定稿行文較（程晉芳）原稿曉暢，但有原稿不誤而定稿修改致誤者」[46]。這些研究都說明了一點：提要稿和《四庫全書總目》定稿有一定程度的差異，兩者之間有不同程度的改易，有的則幾乎另起爐灶，全篇改寫。因此周積明的話正是清楚地說明這一點：

> 由此可見，分纂稿誠然為《總目》的撰寫提供了一定的基礎，但從分纂稿到《總目》決非簡單的潤色修飾，而是一種脫胎換骨式的再改造。經過這番改造，原來的分纂稿被整合成以紀昀學術文化觀念為內核的新的提要系統。[47]

此外，從三位總纂官的任職時間，也可以釐清《四庫全書總目》的著作權的歸屬問題[48]。將提要稿審閱、修改、核定而成閣本《四庫全書》的書前提要，是總纂官的工作。書前提要是列在《四庫全書》七閣所收各書卷首的提要，是隨著七閣《四庫全書》的完成而完成。三位總纂官中的孫士毅任職甚為短暫，他從乾隆 45 年入館，此時《四庫全書》編纂的工作已大致底定，隔年年底第一部文淵閣四庫全書即告完成。因此在袁枚為孫士毅所撰的神道碑及孫士毅之孫孫均在《百一山房詩集‧跋》中都未言及孫士毅纂修《四庫全書》

---

45 杜澤遜：〈讀新見鄭際唐一篇四庫提要擬稿〉，《中國典籍與文化》，1998：3，頁 38。

46 杜澤遜：〈讀新見程晉芳一篇四庫提要分撰稿〉，《圖書館建設》，1999：5，頁 71。

47 周積明，《紀昀評傳》，南京大學出版社，頁 77。

48 王鵬凱：〈紀昀撰《四庫全書總目》說之論析〉一文即以此觀點論述之，《東海圖書館館訊》新 97 期，2009.10，頁 46-77。本處觀點多受該文啟發。

之功，足見孫士毅於《四庫全書總目》的完成，著力甚微，是以親友也不以為意，故皆未曾言及此事。所以從提要稿修訂成閣本《四庫全書》的書前提要，功勞主要在紀昀及陸錫熊身上，這也就是為何乾隆的上諭〈乾隆三十八年八月二十五日奉上諭〉所稱的：

> 而撰述提要粲然可觀，則成於紀昀、陸錫熊之手。[49]

這裡所指的提要，應是指編輯過程中所撰寫的書前提要，而非成於乾隆六十年的武英殿本《四庫全書總目》。此外，《四庫全書》總裁于敏中在寫給陸錫熊的信中也稱紀昀和陸錫熊對提要稿修改之辛苦：

> 接信已悉，提要稿吾固知其難，非經足下及曉嵐先生之手不得為完稿。諸公即有高自位置者，愚亦未敢深信也。[50]

因此連陸錫熊也自稱：

> 臣等奉命纂輯《四庫全書總目》，現在編次成帙。[51]
> 宋曾鞏校史館書僅成目錄序十一篇，臣等承命撰次《總目提要》，荷蒙指示體例，編成二百卷。遭際之盛，實遠勝於鞏。[52]

49　《四庫全書總目・卷首》聖諭，（北京：中華書局，1997），頁 3。
50　于敏中：《于文襄手札》，轉引自徐慶豐：〈《于文襄手札》考釋 —— 并論于敏中與《四庫全書》纂修〉，北京師範大學碩士論文，2005，頁 16。
51　陸錫熊：「恭和御製經筵畢文淵閣賜茶作元韻」「中簿勤編勵省私」自注，《篁村集》卷 9，收入《續修四庫全書》第 1451 冊，（上海：上海古籍出版社，2002），頁 7。
52　陸錫熊：「恭和御製經筵畢文淵閣賜宴以四庫全書第一部告成度閣內用幸翰林院……元韻注」，《篁村集》卷 9，前揭書，頁 10。

　　但是陸錫熊於首部《四庫全書》完成後,「(乾隆)四十七年五月授大理寺卿,五十一年十二月提督福建學政,五十二年二月授都察院左副都御史仍留學政任,以五十五年春任畢旋京」[53],脫離了《四庫全書》編纂後續的工作。而《四庫全書總目》卻是不斷地進行修改,遲遲無法刊定,直到乾隆 60 年 11 月 16 日,方纔竣工刷印裝潢,曹文埴在〈原戶部尚書曹文埴奏刊刻《四庫全書總目》竣工刷印裝潢呈覽摺〉摺子中稱:

> 竊臣於乾隆五十一年奏請刊刻《四庫全書總目》,仰蒙俞允,並繕寫式樣,呈覽在案。續因紀昀等奉旨查辦四閣之書,其中提要有須更改之處,是以停工未刻。今經紀昀將底本校勘完竣,隨加緊刊刻畢工。謹刷印裝潢……現交武英殿收貯。[54]

　　是武英殿本《四庫全書總目》的完成是在乾隆六十年底,由紀昀所完成。而陸錫熊早在乾隆五十七年正月即病逝,等於在《四庫全書總目》初稿完成後的後續修訂工作,都未參與。而學者對現存文淵、文溯、文津三閣完整的書前提要,所做的研究指出不僅彼此互異且水準參差不一,如《四庫全書》在成書後,曾在乾隆五十二、五十六年作過兩次全面複

---

53 王昶:〈誥授通奉大夫都察院左副都御史陸公墓誌銘〉,《寶奎堂集‧墓誌銘》,續修四庫全書第 1451 冊,上海古籍出版社,2002,頁 7-8。

54 中國第一歷史檔案館編:《纂修四庫全書檔案》,(上海:上海古籍出版社,1997),頁 2374。另據《高宗實錄》卷一四九三乾隆六十年十二月甲午條記:「予告尚書曹文埴奏,《四庫全書總目》刻竣。謹進陳設二十部,備賞八十部。餘將板片交武英殿收藏外,並另刷四部,請發裝潢,分貯四閣。至是書最易繙閱,應照向辦官書,刷印發坊領售。報聞。」(清代實錄館纂修,北京:中華書局,1986,頁 977)

查，起因都是從文津閣本被乾隆發現錯誤引起的。而文溯閣提要「顯而易見，文溯閣書前提要內容過於簡略、單薄，其撰寫水平及其價值無法與《總目》提要相比。爲什麼會出現這種情況呢？原因是文溯閣《全書》遠存東北故宮，其作用只爲皇帝游幸時御覽，加之成書時間倉促，故經辦大臣爲簡省了事，多以館臣初稿所撰提要初稿稍加條理，即隨書抄錄而成。而館臣初稿粗精不等，且此閣只是備用，自然上下人等付出的工夫均不會如供御覽的文淵閣《全書》書前提要那樣工夫深湛」；另「文淵閣《全書》的書前提要內容多與《總目》提要相近，由此可知文淵閣書前提要加工較多，而《總目》提要也多爲在此基礎上刪削潤色而成。粗略比較《總目》提要在定稿前對文淵閣《全書》約 1/3 的書前提要內容作了或多或少的改動。具體的分布則是經、集多異，史、子多同，名篇多異，一般多同。原因很簡單，紀昀擅長經、集而於史、子不諳；又名篇爲關注對象，所以紀昀等用力尤勤」[55]。事實上三閣書前提要又和殿本《四庫全書總目》有所出入，經過學者的研究發現，兩者之間仍有許多的差異，如「《總目》與庫本提要之間內容有不少差異，主要表現爲四個方面：同義替換、語序變更、詳略不同、評價微殊」[56]、「就總體而言，閣書提要還不很成熟，在文字、體例、內容等方面都存在一些問題，反映了纂修官原撰提要向《總目》定稿進行過渡的

---

55 陳曉華：〈《四庫全書》三種提要之比較〉，《首都師範大學學報》（社會科學版），2005：3，頁 64。
56 司馬朝軍：〈殿本《四庫全書總目》與庫本提要之比較〉，《圖書館理論與實踐》，2005：2，頁 63。

情況。而《總目》在閣書提要基礎上，又經修改提高，全書體例整齊，思想統一，注重指示學術門徑，詳於內容介紹、文字考訂、得失評論乃至源流敍述」[57]，可見從閣本的書前提要，到殿本《四庫全書總目》的完成，中間還是有許多修改的工作，從總纂官任職的時間來看，這項工作無疑地是由紀昀來完成，因此如同王鵬凱：〈紀昀撰《四庫全書總目》說之論析〉一文研究的結論五點以說明紀昀是《四庫全書總目》始終其事而總其成者，今再引該文結論之言以說明之：

> 紀昀一來是首席總纂官，在完成《四庫全書總目》的過程中，不僅對纂修官的提要稿進行修改，甚至也有對其他總纂官的修改稿有審核的情形，足見紀昀的工作職務是有決定性的作用。二來，陸、孫二人皆未能全程參與，是紀昀始終其事而總其成者。其三，以《資治通鑒》作者掛名為例，劉攽、劉恕、范祖禹、司馬康等人皆有分任撰寫之功，然而後人論及此書，皆歸功於司馬光，紀昀於《四庫全書總目》既然有親力為之、始終參與、決定去取之功，因此殿本《四庫全書總目》的完成，榮耀歸之於紀昀豈曰不宜！[58]

至於有學者認為應考慮到乾隆的意旨會影響到館臣的撰寫提要，因此近來學者對紀昀文論之研究，為求慎重，也多將《四庫全書總目》排除在外。關於這點疑慮，筆者草成〈《四

57 黃愛平：〈《四庫全書總目》與閣書提要異同初探〉，《圖書館學刊》，1991：1，頁 41-43。
58 王鵬凱：〈紀昀撰《四庫全書總目》說之論析〉，《東海圖書館館訊》新 97 期，2009.10，頁 77。

庫全書總目》對乾隆旨意依違之例〉一文[59]，從《四庫全書總目・卷首》的 21 道聖諭[60]、《四庫全書總目》凡例中，來探討乾隆旨意對《四庫全書》編纂之規範。雖然在聖命難違的情形下，乾隆意旨確實對《四庫全書》的編纂產生了指導與規範的作用，但這種「欽定」的影響主要是在政治禁忌方面，對與政治無關的文學批評方面則不多，《四庫全書總目》在編纂上的因應之道，除了遵從外，仍會以一些曲折的方法來表達己見，其中甚至有不少明顯與乾隆衝突的觀點。今略述《四庫全書總目》的文學批評中，這些例子如下：

（一）說明作家、作品見斥之原由，以釐清文責。以青詞為例，幾乎遭刪除者都提到是乾隆之意旨所為，如「謹禀承聖訓，概從刪削」[61]、「欽遵諭旨……概予芟除」[62]，而《燕丹子》、陶潛《聖賢群輔錄》，也是明白地指出乃謹遵聖訓而見斥[63]，造成體例上的特例。這樣的說明，表面上雖然是彰顯乾隆聖裁的睿智，但也未嘗不是劃清責任之舉，說明責任在彼而不在己。尤其是乾隆的指示並不合宜，所以在凡例中才會加以詳細說明，如對刪除青詞、不收元曲等，會造成體例上的不全，因此凡例稱「文章流別，歷代增新。古來有是一家，即應立是一類，作者有是一體，即應備是一格，斯協

---

59 預訂發表於《東海圖書館館訊》新 121 期。
60 本數字是據武英殿本《四庫全書總目》統計所得，浙本《四庫全書總目》則為 25 道聖諭。
61 〈攻媿集提要〉，《四庫全書總目》卷 159，（北京：中華書局，1997），頁 2133。
62 〈雪山集提要〉，《四庫全書總目》卷 159，前揭書，頁 2127。
63 《四庫全書總目・凡例》，（北京：中華書局，1997），頁 34。

於全書之名,故釋道外教、詞曲末技,咸登簡牘,不廢搜羅……並蒙皇上指示,命從屏斥,仰見大聖人敦崇風教,厘正典籍之至意。是以編輯雖富,而謹持繩墨,去取不敢不嚴」,其中雖然讚揚「仰見大聖人敦崇風教,厘正典籍之至意」[64],但也反映出《四庫全書》未能「協於全書之名」之弊,實乃乾隆所為。又如對「用見聖朝彰善癉惡」來品評作家之指示,在凡例中還是說明「文章德行,自孔門既已分科,兩擅厥長,代不一二」[65],表達出文學批評應有的獨立性,而且《四庫全書總目》對所評論者的去取,仍能針對其文學成就加以說明,能清楚地說明有「論人而不論其書」;有「論書而不論其人」。此外,《四庫全書總目》雖不能明目張膽地反對乾隆指示,但在提要中仍能婉轉含蓄地表達出不同的意見。如元曲都斥入存目,《四庫全書總目》一方面很技巧地在凡例中說明了元曲見斥不被著錄的原因,是由於乾隆皇帝的旨意而非館臣等的主張,一方面也在各篇提要中加以肯定,以為「未可全斥為俳優也」[66]、「闡揚風化,開導愚蒙……豈徒斤斤於紅牙翠管之間哉」[67]、「小道可觀,遂亦不能盡廢」[68]。如在〈張小山小令提要〉中雖斥之為「敝精神於無用……非文章之正體」[69],但讚譽之詞遠多於此,足見寓褒於貶之中,只因乾隆之故,不得不如此。尤其是「小道可觀,遂亦不能盡廢」、

64　《四庫全書總目・凡例》,前揭書,頁 33。
65　《四庫全書總目・凡例》,前揭書,頁 33。
66　〈詞曲類敘〉,《四庫全書總目》,前揭書,頁 2779。
67　〈欽定曲譜提要〉,《四庫全書總目》卷 199,前揭書,頁 2811。
68　〈張小山小令提要〉,《四庫全書總目》卷 200,前揭書,頁 2823。
69　〈張小山小令提要〉,《四庫全書總目》卷 200,前揭書,頁 2823。

「闡揚風化，開導愚蒙……豈徒斤斤於紅牙翠管之間哉」更是對乾隆輕視元曲之意旨，強而有力的反詰。

（二）除乾隆欽點者外，去取標準並未全部一體照辦。以青詞而言，乾隆認為「非斯文正軌……跡涉異端……尤乖典則者乎……並當一律從刪」[70]，乾隆厭惡的理由是「跡涉異端」因而見斥。異端是相較於正統的儒學而言，故而往往也包含一些釋、道宗教活動的作品被刪除，所以在《四庫全書》中，若有收錄這類「跡涉異端」、「語涉異教」的作品者，理當一體照辦，一律刪芟。但是以葛勝仲《丹陽集》為例，卷九、十之中卻有〈湖州烏程縣烏墩鎮普靜寺觀音閣銘并序〉、〈歙州祁門縣青蘿山辟支佛舍利銘并序〉、〈十八羅漢贊并序〉、〈景德寺新鐘銘〉卷十、〈天齊仁聖帝祀文〉、〈祈晴禱觀音文〉、〈觀音廟謝晴文〉、〈諸廟謝晴文二首〉等多篇「跡涉異端」、「語涉異教」的作品仍是加以著錄。這並非一時的失察而未加以刪除，從該書的書前提要稱「惟青詞、功德疏、教坊致語之類，沿宋人陋例，一概濫載於集中，殊乖文體，今凜遵聖訓，並從刪削，庶益為全美云」，到紀昀「一手刪定」[71]的武英殿本《四庫全書總目》改稱「沿宋人陋例，一概濫載於集中，殊乖文體，流傳既久，姑仍其舊，付諸無譏之列矣」[72]，就可以知道這是有意為之，也是《四庫全書總目》並未遵

---

70 〈乾隆四十年十一月十七日奉上諭〉，《四庫全書總目·卷首》聖諭一，（北京：中華書局，1997），頁4。

71 朱珪：〈協辦大學士禮部尚書文達紀公昀墓誌銘〉，錢儀吉纂：《碑傳集》卷三十八，（北京：中華書局，1993），頁1090。

72 〈丹陽集提要〉，《四庫全書總目》卷156，前揭書，頁2093。這或許是紀昀敬重葛勝仲所致，如該提要中紀昀即盛讚葛勝仲「其氣節甚

照乾隆旨意之一例。又如乾隆以「彰善癉惡」來品評作家之
指示，在《四庫全書總目》中，卻有許多的例子並未遵守此
一準則，雖然也有因人品見斥者[73]，如但若是學術、文學的
成就的確不凡，紀昀還是找些「孔雀雖有毒，不能掩文章」[74]、
「不以人廢言之義」[75]的說法而將其作品列入著錄，如《四
庫全書總目》提到王安石「致位宰相，流毒四海」，但還是稱
譽他的文章「百卷之內，菁華具在，其波瀾法度，實足自傳
不朽。」[76]，此外如王安中、方回、張擴、郭祥正、史達祖、
孫覿、王珪等人人品低下，但不似嚴嵩般被乾隆欽點的品行
拙劣小人，文章寫得好的，所以站在不以人廢言的立場，紀
昀還是將其作品列入著錄。

　　（三）不以乾隆好惡爲品評之準則。有不以乾隆之惡爲
惡，以香奩體爲例，乾隆斥之「自《玉臺新詠》以後，唐人
韓偓輩，務作綺麗之詞，號爲香奩體，漸入浮靡。尤而效之
者，詩格更爲卑下」，當然，「尤而效之者，詩格更爲卑下」
的末流之弊，還是會被《四庫全書總目》見斥[77]。但紀昀甚

偉。歷典諸州，皆有幹略。再知湖州，遭逢寇亂，復有全城之功。其
宦績亦足以自傳，本不盡以文章重。即以文章論之，在南、北宋間亦
裒然一作者也」，是以有意保全其著作。
73 如「若沈繼孫之《柟林集》散見於《永樂大典》者，尚可排緝成帙，
以其人不足道而又與朱子爲難，則棄置不錄，以昭袞鉞，凡以不失是
非之眞而已」（〈珩璜新論提要〉，《四庫全書總目》卷 120，前揭書，
頁 1608）、「然（章）惇人不足道，倂其書亦爲世所棄置矣」（〈珩璜新
論提要〉，《四庫全書總目》卷 126，前揭書，頁 1691-1692）。
74 〈鴻慶居士集提要〉，《四庫全書總目》卷 157，前揭書，頁 2106。
75 〈初寮集提要〉，《四庫全書總目》卷 156，前揭書，頁 2091。
76 〈臨川集提要〉，《四庫全書總目》卷 153，前揭書，頁 2062。
77 如張綎《南湖詩集》被斥入存目，乃因「是集詩多豔體，頗涉佻薄，

爲欣賞《玉臺新詠》及韓偓之作，《四庫全書》中所著錄的《玉
臺新詠》，就是時任兵部侍郎的紀昀所獻的家藏本，《四庫全
書總目》以肯定之詞評論該書「詩雖皆取綺羅脂粉之詞，而
去古未遠，猶有講於溫柔敦厚之遺，未可概以淫艷斥之」[78]，
就明顯地異於乾隆之評價。此外《四庫全書》還收錄紀昀父
親紀容舒所著之《玉臺新咏考異》[79]，以及其所獻入《四庫
全書》館家藏的明馮舒《馮氏校定玉台新詠》和清吳兆宜《玉
台新詠箋注》，也都收列入存目中，從這些收藏及著作，足可
見紀昀是如何地看重《玉臺新詠》。只因《四庫全書總目》並
未收入《香奩集》，紀昀之辯解只能藉他書之提要而爲之，如：

> 六朝〈子夜〉、〈讀曲〉諸歌，唐人《香奩》諸集，豈
> 果淫者自述其醜？亦豈果實見其男女會合，代寫其
> 狀？不過人心佚蕩，相率摹擬形容，視爲佳話，而讀
> 者因知爲衰世之音。推之古人，諒亦如是，此正採風
> 之微旨。[80]

> 譬如國風好色，降而爲《玉臺》、《香奩》，不可因是

殆玉臺香奩之末流」，〈南湖詩集〉《四庫全書總目》卷 176，前揭書，
頁 2424。
78　〈玉臺新詠提要〉，《四庫全書總目》卷 186，前揭書，頁 2601。
79　本書應是紀昀在乾隆三十六年（48 歲）時所作的《玉臺新詠校正》，
而託諸另一位總纂官陸錫熊，以家藏本獻入《四庫全書》館。學者如
邵懿辰稱「容舒乃紀文達之父，此書實文達自撰，歸之父也」（《增訂
四庫簡明目錄標注》，上海：上海古籍出版社，2000，頁 880），雋雪
豔亦曾撰專文討論（〈玉台新詠考異〉爲紀昀所作，《文史》第 26 輯，
中華書局 1986，頁 366）、張蕾：《玉臺新詠》論稿第九章，（2004，
河北大學博士論文，頁 120-132），也都認爲該書實是紀昀所作。
80　〈白鷺洲主客說詩提要〉，《四庫全書總目》卷 18，前揭書，頁 228。

而罪詩，亦不可因是而廢詩也。[81]

　　除了替香奩體提出與乾隆不同意見的辯解外，在《四庫全書總目》中，也有不遵從乾隆意旨，加以著錄香奩體著作，正是並未一體照辦之例：

> 是編皆集唐人之句爲香奩詩，凡古今體九百三十餘首……雖其詞皆艷冶，千變萬化，不出於綺羅脂粉之間，於風騷正軌未能有合。而就詩論詩，其記誦之博、運用之巧，亦不可無一之才矣。[82]

　　既有不同意見，又不遵從乾隆意旨，一體照辦刪除香奩體之作，則紀昀於《四庫全書總目》中，不以乾隆好惡爲品評之準則，用意至爲明顯。

　　又有不以乾隆之好爲好，以《御選唐宋詩醇》爲例，乾隆所選李白、杜甫、白居易、韓愈、蘇軾、陸游等唐宋六家之詩，可知其喜好之所在。《四庫全書總目》在該書的提要中，當然要盛讚乾隆所選諸家詩「權衡至當，洵千古之定評矣」[83]的得當合宜，甚至遠勝於王士禎《古詩選》、《唐賢三昧集》所選之詩。但是紀昀在《四庫全書總目》中他處，對白居易、陸游的評價，顯然就不像乾隆那樣地推崇。《四庫全書總目》將白居易、陸游和杜牧、劉禹錫、吳偉業、葉夢得等人相比時，評價就沒有那麼地高，這就說明了紀昀不以乾隆之好爲好，也能堅持自己的觀點：

> 平心而論，（杜）牧詩冶蕩甚於元、白，其風骨則實

81　〈欽定曲譜提要〉，《四庫全書總目》卷 199，前揭書，頁 2811。
82　〈香屑集提要〉，《四庫全書總目》卷 173，前揭書，頁 2352。
83　〈御選唐宋詩醇提要〉，《四庫全書總目》卷 190，前揭書，頁 2659-2660。

出元、白上。其古文縱橫奧衍，多切經世之務……則
牧於文章，具有本末，宜其薄視長慶體矣。[84]

（劉禹錫）其詩則含蓄不足，而精銳有餘，氣骨在元、
白上，均可杜牧相頡頏，而詩尤矯出。[85]

（吳偉業）格律本乎「四傑」，而情韻為深，敘述類
乎香山，而風華為勝。[86]

（葉夢得）故文章高雅，猶存北宋之遺風。南渡以後，
與陳與義可以肩隨，尤、楊、范、陸（游）諸人皆莫
能及，固未可以其紹聖餘黨，遂掩其詞藻也。[87]

由上所言，《四庫全書總目》的撰寫並非如有些學者所
說的要體會、揣摩、貫徹最高統治者的意志和趣味，過度地
誇大《四庫全書總目》的「欽定性」，《四庫全書總目》的撰
寫者也並非只是代筆人而已。就《四庫全書總目》的文學批
評而言，其中還是有很大的學術自由的空間，表現出異於乾
隆意旨的學術意見。如果《四庫全書總目》一切以乾隆的意
旨為準則，《四庫全書總目》的撰寫者只是代筆人，要體會、
揣摩、貫徹最高統治者的意志和趣味而已，如此的《四庫全
書總目》又豈能見重於今日？《四庫全書總目》的學術地位，
真的是靠乾隆的意旨掙來的嗎？而這些異於乾隆意旨的意
見，又往往和紀昀私人著述中的意見相同，是紀昀意見貫徹
於《四庫全書總目》之例證，其例請詳參拙作〈紀昀撰《四

84　〈樊川文集提要〉，《四庫全書總目》卷 151，前揭書，頁 2020。
85　〈劉賓客文集提要〉，《四庫全書總目》卷 150，前揭書，頁 2010。
86　〈梅村集提要〉，《四庫全書總目》卷 173，前揭書，頁 2341。
87　〈石林居士建康集提要〉，《四庫全書總目》卷 156，前揭書，頁 2097。

庫全書總目》說之論析〉該文，此處就不贅言。

　　從上述所言，對於反對將《四庫全書總目》歸諸於紀昀者的疑慮，應有釋疑之作用。《四庫全書總目》萬餘種之提要絕非紀昀一人獨立完成，但各纂修官之提要稿，卻要經過總纂官紀昀、陸錫熊之改定方成閣本之書前提要，而閣本之書前提要復經紀昀之修改方成武英殿本《四庫全書總目》。因此武英殿本《四庫全書總目》之完成，是紀昀始終參與、筆削一貫、一手裁定、一手刪定後所完成的，「其實此書經紀氏之增竄刪改，整齊劃一而後，多人之意志已不可見，所可見者，紀氏一人之主張而已」[88]。所以各纂修官功在提要稿，陸錫熊功在閣本之書前提要，紀昀則功在武英殿本《四庫全書總目》。至於乾隆意旨確實對《四庫全書》的編纂產生了指導與規範的作用，但這種「欽定」的影響主要是在政治禁忌方面，對與政治無關的文學批評方面則不多，這從前文所提及的例子就可得知，而紀昀的因應之道，除了遵從外，仍會以一些曲折的方法來表達異於乾隆意旨的己見。基於上述理由，本文將殿本《四庫全書總目》、《四庫全書簡明目錄》納入研究紀昀文論之範圍。

---

[88] 黃雲眉：〈從學者作用上估計《四庫全書》之價值〉，《國立北平圖書館館刊》，7：5，1933.9，頁 52。

貳、紀昀文論探析

一、紀昀文論形成的外緣及內因

（一）外　緣

紀昀文論深受當時時代環境以及個人際遇的影響，從而形成他文論的特色。有關他的生平事蹟，不乏專書或專文介紹，[89]但較少論及時代環境以及個人際遇對其文論形成的影響，故而在此略述紀昀文論形成時的時代環境與個人因素等外緣內因如下。

1、唐宋詩之爭：自北宋中期以後，蘇東坡、黃山谷詩的影響日益擴大，「宋調」有別於「唐音」而自成面目，唐宋詩之爭的問題遂逐漸產生，由明至清，歷數百年而不休。紀昀所處的時代也正是祖唐桃宋爭論非常激烈的時期，有沈德潛主張「格調說」，透過評選《唐詩別裁集》，反對清初的宋詩派，推崇唐詩；有袁枚主張「性靈說」，透過《隨園詩話》，反對沈德潛的觀點；有以姚鼐為代表的桐城派，透過評選《五七言今體詩抄》來宣揚唐宋詩並舉的主張。紀昀學詩並不偏頗祖唐或桃宋，他自稱：

89　如周積明：《紀昀評傳》，（南京：南京大學出版社，1994）。孫致中等校點：《紀曉嵐文集》附錄紀曉嵐年譜，（河北：河北教育出版社，1991）。曹月堂：〈紀昀評傳〉，《北京社會科學》，1995：3。高明：〈紀昀評傳〉，《大學文選》，1967：5、賴芳伶：〈紀曉嵐（紀昀）這個人〉，《中外文學》，1976.12、盧錦堂〈紀文達公年譜〉，《中國書目季刊》，8：2，1974.9。

> 余初學詩從《玉谿集》入，後頗涉獵于蘇、黃，於江
> 西宗派亦略窺涯涘。嘗有場屋為余駁放者，謂余詆諆
> 江西派，意在煽構，聞者或惑焉。及余所編《四庫書
> 總目》出，始知所傳為蜚語，群疑乃釋。[90]

　　王鎮遠[91]點出了紀昀為何要用很多的精力，去矯正祖唐
祧宋兩派詩論的偏頗，是希望能於兩派之中取其所長而棄其
所短。我們看他評點整理過的書，便可以知道為何他喜歡對
一些有爭議的詩集加以評點和圈閱。如方回的《瀛奎律髓》、
李商隱的《玉谿生詩集》，馮舒、馮班批閱的《才調集》等，
又有評點校正《玉臺新詠》，這些詩集，前人都有爭議和不同
評價，於是他也通過評點來提出自己的看法。主要評點著作
有《瀛奎律髓刊誤》、《玉谿生詩說》、《刪正二馮先生評閱才
調集》、《唐人試律說》、《紀曉嵐墨評唐詩鼓吹》等。此外，
他對杜甫、蘇軾、陳師道、黃庭堅等人的詩作也曾作過評點。
《才調集》、《玉臺新詠》是主張西崑者最重視的兩部書，而
李商隱正是西崑派的宗主。方回的《瀛奎律髓》主張「一祖
三宗」，被認為典型的江西派的提倡者。陳師道即是「三宗」
之一，除黃庭堅外江西派最重要的詩人。可見紀昀對這些書
的評點，正是有意圍繞對此兩派的評價而開展的。這些大規
模的評點，雖然在評點中沒有明確、集中地提出自己的論詩
主張，但通過他對這幾種詩集評本的選擇和再評點，是可以

---

90 紀昀：〈二樟詩鈔序〉，前揭書第一冊，（石家庄市：河北教育出版社），
　　1991，頁 200。
91 王鎮遠：〈紀昀文學思想初探〉，《古代文學理論研究》第 11 輯，1986.8，
　　頁 274。

看出他的論詩態度的，這就是：不要像方回那樣以江西詩派
爲尊，也不要像錢謙益、二馮那樣以晚唐詩歌爲尊，而應該
相容並蓄，博采各家之長，以發展當時的詩歌和詩歌批評。
而紀昀以他淵博的學識、深厚的詩學根柢和相對公允、不帶
偏見的詩歌觀點，通過自己一系列的評點，是對自清初以來
至乾隆中期一百多年間主張祖唐祧宋論詩的爭議，進行了一
次清算和糾偏。紀昀對西崑與江西都未嘗厚非，只是批評那
種固執一端的見解，其《玉谿生詩說下‧鈔詩或問》「問上黨
馮氏評此詩如何」條中說：

> 二馮評才調集意在關江西而崇崑體，於義山尤力爲表
> 揚。然所取多屑屑雕鏤之作而欲持之以攻江西，恐江
> 西之生硬正亦如齊、楚之得失也。夫義山、魯直本源
> 少陵，才分所至，面貌各別而俱足千古。學者不求其
> 精神意旨所在而規規於字句之間，分門別戶，此詆粗
> 莽，彼詆塗澤。不問曲直，哄然佐鬥，不知粗莽者江
> 西之流派，江西本不以粗莽爲長；塗澤者西崑之流
> 派，西崑亦不以塗澤爲長也。[92]

因此紀昀對兩派各持門戶之見、互相詆毀的言論都致不
滿，才會用了這麼大的精力去矯正這兩派論詩的偏頗，主要
還是要求於兩派之中取其所長而棄其所短。

2、漢學興盛：清乾隆、嘉慶年間，是漢學昌盛，充
滿著考據精神的時期，因此漢學昌盛的時代烙印，不可避
免地影響到紀昀的文論。他在對詩歌進行評點的同時，有時

---

92 光緒十四年吳縣朱氏校刊本，頁 28-29。收入《叢書集成續編‧槐廬
叢書》，（臺北：藝文印書館），1971。

也會進行一些校勘和考訂的工作,所以他將評點的書名叫《瀛奎律髓刊誤》、《刪正二馮評閱才調集》、《玉臺新詠校正》就顯露了這種治學傾向,而且也獲得極高的成就,正是這種時代氛圍影響的情形:

> 紀昀識見廣博,他在批語中,對《文心雕龍》版本、文字、所引事類、前人評批,都多有討論,對後人的研究頗多啟發。[93]

> 紀昀於蘇詩用力頗勤,故所獲亦多。不惟評騭,即如文字之是正,真偽之辨訂,也是蘇詩之功臣。[94]

> 紀昀的眼光並不侷限於考訂、校勘,他還能透過歧義,發現一些關乎成書背景及原書編輯旨趣的隱秘問題,在案語中作出闡釋。因此紀昀的《玉臺新詠校正》其實是考與論的結合,這使它有別於其他校注性質的著作,而能夠「高洷群言」,體現出紀昀作為學問家兼批評家的寬廣視野。[95]

　　3、四庫全書的編纂:周積明認為四庫全書的編纂代表著古典文化穴結的時代,「越千載時空奔騰不息的中國古典文化在十八世紀終於臨近了它的『穴結』。所有的形式與內容都已趨於成熟、豐盈、完備。規模宏大,為『非常之製作』的《四庫全書》本身就是古典文化熟落的一個重要標誌」[96]在這文

---

93 林其錟:〈略論文心雕龍評本批語的學術價值 —— 以清紀昀評語為個案〉,(江蘇鎮江)《第四屆文心雕龍國際學術研討會論文集》,2000。

94 項楚:〈讀《紀評蘇詩》〉,《蘇軾研究論文集》第二輯,(重慶:四川人民出版社,1983),頁 15。

95 張蕾:《《玉臺新詠》論稿》,河北大學 2004 年博士論文,頁 124-125。

96 周積明:《紀昀評傳》導論,(南京:南京大學出版社,1997),頁 3。

化熟落的時代，紀昀面對所編纂四庫浩瀚的典籍，不禁有著如此的喟嘆：

> 自校理秘書，縱觀古今著作，知作者固已大備，後之人竭盡其心思才力，不出古人之範圍。[97]

> 余嘗謂古人為詩似難尚易，今之人為詩似易實難。余自早歲受書，即學歌詠，中間奮其意氣，與天下勝流相倡和，頗不欲後人；今年將八十，轉瑟縮不敢著一語，平生吟稿亦不敢自存，蓋閱歷漸深，檢點得意之作，大抵古人所已道；其馳騁自喜，又往往皆古人所撝呵，撊鬏擁被，徒自苦耳。[98]

和紀昀同時期的大學者趙翼也有著類似的感嘆：

> 古來佳句本無多，苦恨前人已說過。今日或猶殘瀋在，不知千載更如何。[99]

> 只愁後世無新意，不敢多搜錦繡腸。[100]

97　陳鶴：《紀文達公遺集》序，前揭書第三冊，頁 729。
98　紀昀：〈鶴街詩稿序〉，前揭書第一冊，206 頁。其實各種舊文體，到了清代都已經「通行既久，染指遂多，自成習套，豪傑之士，難於其中自出新意。」（王國維《人間詞話》語），也許張維屏說中他的心聲：「或言『紀達公博覽淹貫，何以不著書？』余曰：『文達一生精力俱見於四庫全書提要，又何必更著書？今人目中所見書不多，故偶有一知半解，便自矜為創獲，不知其說或為古人所已言，或為昔人所已駁，其不為床上之床、屋下之屋者，蓋亦鮮矣！文達之不輕著書，正以目逾萬卷，胸有千秋也』」（《聽松廬文鈔》）。紀氏晚年「不復以詞賦經心，惟時時追錄舊聞」（《姑妄聽之》盛時彥跋），寫成《閱微草堂筆記》，在小說史上也獲得相當的令譽，或許就是「遁而作他體，以自解脫」（《人間詞話》語）吧！
99　《甌北集‧佳句》卷四十九，《續修四庫全書》第 1447 冊，（上海：上海古籍出版社，1991），頁 174。
100　《甌北集‧論詩》卷四十九，《續修四庫全書》第 1447 冊，（上海：上海古籍出版社，1991），頁 172。

詩家徑路都開盡，只有求工稍動人。[101]

　　兩人的話中，都透露著一種文化熟落時代的特定文化心理。

　　紀昀在這古典文化大成熟、大穴結的文化氣氛中，有幸參與《四庫全書》的編纂，對他學問的增長絕對是有莫大的幫助。我們看到紀昀向座師錢茶山（錢維城）借閱《後山集》，然後才能刪定《後山集》，就可以知道參與《四庫全書》的編纂，能夠大量閱讀到私人無法聚集到的各種秘籍罕本，對學問的增長、視野的開拓，是多麼有幫助啊！所以紀昀自稱「自校理秘書，縱觀古今著作」[102]、「詩日變而日新，余校定《四庫》所見不下數千家」[103]，他也在〈自題校勘《四庫全書》硯〉一詩中吟哦道：

　　檢校牙籤十萬餘，濡毫滴渴玉蟾蜍。汗青頭白休相笑，曾讀人間未見書。[104]

　　有此因緣際會，讓紀昀學問更上層樓，贏得博學的美譽。但卻也讓紀昀有雖然能文，但卻不願從事學術著作與保留文稿的心態。紀昀學問淵博但卻著述不多，不是他不善於撰述，相反地，紀昀一向以能文聞名，甚至當時還有「北紀南錢」之稱[105]。他的子孫偷偷地將他過去的詩文裒集成帙，即要付

101　《甌北詩集·詩家》，卷四十六，《續修四庫全書》第 1447 冊，（上海：上海古籍出版社，1991），頁 147。
102　陳鶴《紀文達公遺集》序，前揭書第三冊，頁 729。
103　〈四百三十二峰草堂詩鈔序〉，前揭書第一冊，頁 207。
104　《紀曉嵐文集》，前揭書第一冊，頁 509。
105　陳康祺：〈文章名世南北齊名者〉，《郎潛紀聞》卷七：「本朝儒臣以文章名世者，天臺齊侍郎與諸城竇侍郎齊名，曰南齊北竇；河間紀文達公與嘉定錢詹事齊名，曰北紀南錢。」，（北京：中華書局，1997），頁 142。

梓，而恰巧被他碰見時，他便不以爲然的說：「此糟粕，何足
以災梨棗？」[106]，紀昀之所以「厥後高文典冊，多爲人提刀，
然隨手散失，並不存稿」[107]、「故生平未嘗著書，間爲人作序、
記、碑、表之屬，亦隨即棄擲，未嘗存稿」[108]。爲何不保留
本身的作品的原因，主要還是因爲他博覽群書的緣故，正如
他的自稱，可看出編纂《四庫全書》這次際遇，對紀昀的影
響：

> 今年將八十，轉瑟縮不敢著一語，平生吟稿亦不敢自
> 存，蓋閱歷漸深，檢點得意之作，大抵古人所已道；
> 其馳騁自喜，又往往皆古人所撝呵，撚鬚擁被，徒自
> 苦耳。[109]

（二）內　因

　　1. 紀昀有廣博的學識：紀昀廣博的學問屢屢出現在當時
和後人的論談中，前文已述及。他學識的涵養除了自己「自
四歲至今，無一日離筆硯」[110]、「卷軸筆硯，自束髮至今，無
數十日相離也」[111]的勤學苦讀外，「余校定四庫，所見不下數
千家，其體已無所不備」[112]，編纂《四庫全書》的際遇，也
讓他能博覽群書，因而學問大長。紀昀的學問，屢屢出現在

106　白鎔：〈紀文達公遺集序〉，《紀文達公遺集》，（上海：上海古籍出版
　　　社，1995），頁 1。

107　劉權之：〈紀文達公遺集序〉，前揭書第三冊，頁 725。

108　陳鶴：〈紀文達公遺集序〉，前揭書第三冊，頁 729。

109　〈鶴街詩稿序〉，《紀曉嵐文集》第一冊，前揭書，頁 206。

110　〈槐西雜志〉卷一，前揭書第二冊，頁 261。

111　紀昀〈姑妄聽之〉自題，前揭書第二冊，頁 375。

112　紀昀：〈四百三十二峰草堂詩鈔序〉，前揭書第一冊，頁 207。

當時和後人的論談中，如清高宗就曾說：

> 而撰述提要，粲然可觀，則成於紀昀陸錫熊之手。二
> 人學問本優，校書亦極勤勉，甚屬可嘉。紀昀曾任學
> 士，陸錫熊現任郎中，著加恩均授為翰林院侍讀，遇
> 缺即補，以示獎勵。[113]

　　他雖也曾批評紀昀「昀讀書多而不明理」[114]，但「學
問本優」、「讀書多」說明了乾隆皇心目中認為紀昀學問的廣
博。又如嘉慶朝的禮親王昭槤在《嘯亭雜錄》記載著劉統勳
對他的評語：

> 劉文正公復薦於朝，曰：「北直之士多椎魯少文，而
> 珪、筠兄弟與紀昀、翁方綱等皆學問淵博，實應昌期
> 而生者。」[115]

此外，「北方之士，罕以博雅見稱於世者，惟曉嵐宗伯無書不
讀，博覽一時」[116]「公徹儒籍，旁通百家」[117]、「我師河間紀
文達以學問文章著聲公卿間四十餘年，國家大著作非公莫屬」
[118]、「紀文達公昀學問浩博」、「紀文達公昀為昭代大儒，學問
淵雅，志識高卓」[119]，這些讚語都說明紀昀的學問受到推崇。

---

113 〈乾隆三十八年八月十八日上諭〉，中國第一歷史檔案館編：《纂修
　　四庫全書檔案》，（上海：上海古籍出版社，1997），頁 145。
114 王先謙編《東華續錄》嘉慶朝，十月己卯上諭（《續修四庫全書》第
　　374 冊，（上海古籍出版社，1995），卷一，頁 384）。
115 昭槤：《嘯亭雜錄》卷四，（北京：中華書局，1997），頁 103。
116 昭槤：《嘯亭雜錄》卷十，（北京：中華書局，1997），頁 353。
117 阮元：《紀文達公遺集》序，前揭書第三冊，頁 727。
118 陳鶴：《紀文達公遺集》序，前揭書第三冊，頁 729。
119 此二言前出自劉聲木：〈論紀昀撰述〉，《萇楚齋隨筆》卷三；後出自
　　劉聲木：〈四庫提要推重程朱〉，《萇楚齋續筆》卷一，（北京：中華
　　書局，1998），頁 65 及頁 232。

連高宗皇帝對他的能文博學也知之甚深：

> 乾隆朝開四庫全書館，惟紀文達公昀始終其事，其後
> 恭進全書表，相傳公振筆疾書，文不加點，同館莫不
> 歎服。時總其事者，復令陸耳山副憲錫熊、吳稷堂學
> 士省欽，合撰一表，終不愜意，乃以公所撰表書二人
> 銜名以進。純皇帝閱未終卷，顧謂諸臣曰：此表必紀
> 某所撰，遂特命加賞一分。文達碩學鴻才，固為本朝
> 有數人物。[120]

就連外邦使臣也有風聞，乾隆五十九年朝鮮使臣鄭東觀
對紀昀等的評價是：「中朝人物，文學則禮部尙書紀昀、翰林
學士彭元瑞，博雅贍敏，最於廷臣。」[121]；乾隆六十年朝鮮
冬至書狀官沈興永報告在出使北京時的見聞：「尙書紀昀，文
藝超倫，清白節儉」[122]。博學、能文正是身爲一位文學批評
理論家所應有的條件，淹貫古今的博學通才，使他立足於古
典文化的「穴結」點，對中國正統文學的發展過程，分合流
變、優劣長短等都了然於胸，進而作出涵蓋經學、文學、史
學等各領域規模宏偉的理論總結，使他的文學批評能講明文
學流變，帶著史的觀念，正所謂「操千曲而後曉聲，觀千劍
而後識器」(《文心雕龍・知音》)，紀昀博學、能文，正是身
爲一位優秀文學批評理論家所具有的條件，淹貫古今的博學
通才，使他對中國正統文學的發展過程，分合流變、優劣長

---

120 陳康祺：《郎潛紀聞初筆》卷八，(北京：中華書局，1997)，頁 186。
121 吳晗輯：《朝鮮李朝實錄中的中國史料・正宗實錄二 18 年》，(北京：
　　中華書局，1980)，頁 4881。
122 吳晗輯：《朝鮮李朝實錄中的中國史料・正宗實錄二 19 年》，(北京：
　　中華書局，1980)，頁 4894。

短等都胸有全局，也因此發表過許多很好的見解，關於這點，於後面參之三節中詳述之。

2. 紀昀有公正的態度，批評能除門戶之見。所謂「文章千古事，得失寸心知」(杜甫〈偶題〉)，批評家不僅要將這個得失講出來，還要說得合理公允。然而詞場恩怨，任何時代都有，難免會有偏見的產生，紀昀深深地瞭解到這種情形，鑑於以往文林間那種門戶之爭的弊端，紀昀無論在創作批評時，都本著客觀的態度，並指出：「余天性孤峭，雅不喜文社詩壇互相標榜。第念文章之患，莫大乎門戶……朋黨之見，君子病焉」[123]。

紀昀這樣破除門戶之見的治學理念，一來是和他的性格有關，從其漏言獲罪西戍後，心境上的轉折，由早年入詞館時的意氣風發，以文章與天下相馳驟，一變轉為深沈落寞。他自稱「余性耽孤寂，而不能自閒，卷軸筆硯，自束髮至今，無數十日相離也」，或者是門生的描述「性耽闃寂，不樂與名流相爭逐，公退後，閉門獨坐，沖然自得，平靜也又若此」[124]、「河間先生典校秘書廿餘年，學問文章，名滿天下。而天性孤峭，不甚喜交游。退食之餘，焚香掃地，杜門著述而已」[125]、「河間先生以學問文章負天下重望，而天性孤直，不喜以心性空談，標榜門戶；亦不喜才人放誕，詩社酒社，夸名士風流。是以退食之餘，惟耽懷典籍」[126]，無論是「性耽孤寂」、

123　〈耳溪詩集序〉，前揭書第一冊，頁 213。
124　汪德鉞：〈紀曉嵐師八十序〉，《四一居士文抄》卷四，《稀見清人別集叢刊》第 12 冊，(桂林市：廣西師範大學出版社，2007)，頁 332-333。
125　盛時彥：〈姑妄聽之跋〉，前揭書第二冊，頁 491。
126　盛時彥：〈閱微草堂筆記序〉，前揭書第一冊，頁 1。

「性耽闃寂」或是「天性孤峭」、「天性孤直」，都有厭倦結黨營派的傾向，自然會厭惡門戶之爭。二來是這種個性讓他能轉而杜門讀書，沈潛於學問之中，進而開闊了學術的眼界，因此紀昀除了主張破除門戶之見，更能提出公允之論，靠的就是他「惟耽懷典籍」而成的淵博學問。

　　3.身兼文人、學者兩種身分，使他努力地在儒家學者的立場（理）和詩家文人的慧心（情）中取得平衡。紀昀是學者型的詩人兼文論家，一方面他深受儒家正統文論的影響，一方面他也是充滿創作才氣的文人。除了人稱「少工詞賦，爍皇博麗，能爲班、馬之文」[127]外，他也自稱「余初授館職，意氣方盛，與天下勝流相馳逐，座客恆滿，文酒之會無虛夕」[128]、「昀早涉名場，日與海內勝流角逐於詩壇文間」[129]、「三十以後，以文章與天下相馳驟，抽黃對白，恒徹夜構思」[130]、「余自早歲受書，即學歌詠，中間奮其意氣，與天下勝流相倡和，頗不欲後人」[131]，甚至還博得「紀家詩」之稱[132]，是一位有相當創作成績的文論家。他服膺《詩大序》中的「發乎情，止乎禮義」的理論，「發乎情」是個體的、感性的；禮義群體的、理性的，他所思索的就是如何「酌乎其中」，並且用這樣的標準去評量歷代詩歌，指出了歷代詩歌兩種的偏差：

---

127 徐世昌：《大清畿輔先哲傳》卷 23，（北京：古籍出版社，1993），下冊頁 729。
128 紀昀：〈翰林院恃講寅橋劉公墓志銘〉，前揭書第一冊，頁 348。
129 紀昀：〈怡軒老人傳〉，前揭書第一冊，頁 325。
130 紀昀：〈姑妄聽之序〉，前揭書第二冊，頁 375。
131 紀昀：〈鶴街詩稿序〉，前揭書第一冊，頁 206。
132 紀昀：〈題從侄虞惇試帖〉自注「試帖多尚典贍，余始變爲意格運題，館閣諸公每呼此體爲紀家詩」，前揭書第一冊，495 頁。

余謂西河卜子傳詩于尼山者也,《大序》一篇,確有授受,不比諸篇小序為經師遞有加增。其中「發乎情,止乎禮義」二語實探風雅之大原,後人各明一義,漸失其宗。一則知「止乎禮義」而不必「發乎情」,流為金仁山《濂洛風雅》一派,使嚴滄浪輩激而為不涉理路、不落言詮之論。一則知「發乎情」而不必「止乎禮義」,自陸平原「緣情」一語引入歧途,其究乃至於繪畫橫陳,不誠已甚與!夫陶淵明詩時有莊論,然不至如明人道學詩之迂拙也。李、杜、韓、蘇諸集豈無艷體,然不至如晚唐人詩之纖且褻也。酌乎其中,知必有道焉。[133]

夫兩漢以後,百氏爭鳴,多不知詩之有教,亦多不知詩可立教。故晉、宋歧而元談,歧而山水,此教外別傳者也,大抵與教無裨,亦無所損。齊、梁以下,變而綺麗,遂多綺羅脂粉之篇,濫觴於《玉台新詠》而弊極於《香奩集》。風流相尚,詩教之決裂久矣。有宋諸儒起而矯之,於是《文章正宗》作於前,《濂洛風雅》起於後,借詠歌以談道學,固不失無邪之宗旨,然不言人事而言天性,與理固無所碍,而於「興觀群怨」、「發乎情,止乎禮義」者,則又大相徑庭矣。[134]

片面強調「發乎情」,會有綺靡冶蕩的流弊;片面強調「止乎禮義」,則會有失去真感情,成為枯燥無味道學詩的流弊。如此看來,紀昀似乎謹守著傳統詩教而已,其實卻又不然。

---

133 紀昀:〈雲林詩鈔序〉,前揭書第一冊,頁 198-199。
134 紀昀:〈詩教堂詩集序〉,前揭書第一冊,頁 209-210。

他在儒家傳統詩教外，提出了「教外別傳」一類的詩作，把道佛精神影響下的創作，納入上承《詩經》觸目起興、情景相生的一脈，紀昀把把陶、謝、王、孟這一派展現妙悟與美刺無關的詩作，和《詩經》觸目起興、情景相生的這一脈相銜接：

> 鍾嶸《詩品》陰分三等，各溯根源，是為詩派之濫觴。張為創立《主客圖》，乃明分畦畛。司空圖分為二十四品，乃辨別蹊徑，判若鴻溝。雖無美不收，而大旨所歸則在清微妙遠之一派，自陶謝以下，逮乎王，孟、韋、柳者是也。至嚴羽《滄浪詩話》始獨標「妙悟」為正宗，所謂「如空中音，如相中色，如鏡中花，如水中月，如羚角無跡可尋」即司空圖所謂「不著一字，盡得風流」也。[135]
>
> 《書》稱「詩言志」，《論語》稱「思無邪」，子夏《詩序》兼括其旨曰「發乎情，止乎禮義」，詩之本旨盡是矣。其間觸目起興，借物寓懷，如楊柳雨雪之類，為後人長吟而遠想者，情景之相生，天然湊泊，非「六義」之根柢也。然風會所趨，質文遞變，如食本療饑，而陸海窮究其滋味；衣本御寒，而纂組漸鬥其工巧。於是乎詠物之作，起於建安；游覽之篇，沿於典午。至陶、謝而標其宗，至王、孟、韋、柳而參其妙，至蘇、黃而極其變。自唐至今，遂傳為詩學之正脈，不復能全宗《三百篇》矣。飴山老人作《談龍錄》力主

---

135 紀昀：〈田侯松岩詩序〉，前揭書第一冊，頁 209-210。

> 「詩中有人」之說，固不為無見，要其冥心妙悟，興
> 象玲瓏，情景交融，有餘不盡之致，超然於畦封之外
> 者，滄浪所論與風人之旨，固未嘗相背馳也。[136]

紀昀把陶、謝、王、孟這一派溯其源流，納入《詩經》觸目起興、情景相生的一脈，解決了此派在儒家詩教價值體系中的地位，也說明了紀昀在傳統詩教外，能重視詩歌本身的審美屬性和獨立性。

二、紀昀的文論

（一）對文學作品的看法

紀昀對文學作品的意見，大體上可以從作品的內容、表現技巧、功用以及作品的成就等幾方面來加以說明：

1.就作品內容而言

就文學作品內容而言，大致可分為兩種，其一是所謂「代聖立言」—也就是說理的；其二是「自抒懷抱」—也就是抒情寫志[137]。對於說理（大我）的宣頌和抒情述志（小我）的表達，紀昀仍沿襲傳統儒家的思想觀念：

> 詩本性情者也，人生而有志，志發而為言，言出而成
> 歌詠，協乎聲律。其大者，和其聲以鳴國家之盛，次
> 亦足抒憤寫懷。舉日星河嶽，草秀珍舒，鳥啼花放，
> 有觸乎情即可以宕其性靈，是詩本乎性情者也，而究

---

136 紀昀：〈挹綠軒詩集序〉，前揭書第一冊，頁204。
137 黃啓方：〈中國文學批評中的評價問題〉一文，《中外文學》，4：2，頁6。

非性情之至也。夫在天為道，在人為性，性動為情，情之至由於性之至。至性至情不過本天而動，而天下之凡有性情者，相與感發而不自知，詠歎於不容已，於此見性情之所通者大，而其機自有真也。彼至性至情，充塞於兩間蟠際不可漸滅者，孰有過於忠孝節義哉？[138]。

　本乎「忠孝節義」所發出的性情，才是天地間的至情至性，而小我的感動之辭，被他列在大我（國家）的宣頌之下[139]，如此說來，紀昀倒像是位道貌岸然的道學家。其實紀昀也還能看出文學作品獨立性的價值，未必一定要將文學依附於政教之下方有存在的價值，這是紀昀思想進步之處：

蓋爭天下之大計，自為一事；抒一時之興會，又自為一事。固不必即景詠懷，皆作理語，而後謂之君子也。[140]
以濂洛之理責李、杜，李、杜不能爭，天下亦不敢代為李杜爭，然而天下學為詩者，終宗李杜，不宗濂洛也。此其故可深長思矣。[141]

　他是以大我為前提，但並不因此而輕視文學作品有情感抒發的小我，而是把大我與小我做合理的調適，因此他特別舉出「發乎情，止乎禮義」一詞為準則。他雖然為正統的儒

---

138 紀昀：〈冰甌草序〉，前揭書第一冊，頁 209-210。
139 賴芳伶：〈淺談紀昀的詩文觀〉一文前言部份，《中外文學》；4：10，頁 162。
140 〈清獻集提要〉，《四庫全書簡明目錄》卷 15，（台北：世界書局，1975），頁 619。
141 〈濂洛風雅提要〉，《四庫全書總目》卷 191，（北京：中華書局，1997），頁 2672。

者，但濂洛風雅說理一派，在他看來仍算不得詩家的正宗，情與理必須取得協調，才不致各有所偏：

> 余謂西河卜子，傳詩於尼山者也，大序一篇，確有授受，不比諸篇小序，為經師遞有增加，其中「發乎情，止乎禮義」二語，實探風雅之大原。後人各明一義，漸失其宗，一則知「止乎禮義」而不必其「發乎情」，流而為金仁山濂洛風雅一派，使嚴滄浪矯激而為「不涉理路，不落言筌」之論。一則知「發乎情而不必其止乎禮義」，自陸平原一語引入歧途，其究乃至於繪畫橫陳，不誠已甚歟！[142]

如此說來，紀昀並非一位多烘先生，他只是認清文學的本質，承認文學的獨立性與獨特性。但是深受儒家傳統詩教影響的紀昀，也不是將文以載道的信念棄之不顧，而是在重視道的前提下，也能強調文的審美特性。

依照他對文學作品內容的看法來看，首先要求內容思想的純正，他欣賞的作品是「不屑為靡靡之音」[143]、「無元季靡靡之音」[144]，如別有缺點倒也還能忍受：「詩間有粗俗之語，不離宋格，而骨力猶健，亦非靡靡之音」[145]，但若是靡靡之音，自不免斥入存目：

> 詩多綺羅脂粉語，未免近靡靡之響。[146]

---

142 紀昀：〈雲林詩鈔序〉，前揭書第一冊，頁 198-199。
143 〈覆瓿集提要〉，《四庫全書總目》卷 165，（北京：中華書局，1997），頁 2187。
144 〈北郭集提要〉，《四庫全書總目》卷 168，前揭書，頁 2249。
145 〈文溪存稿提要〉，《四庫全書總目》卷 164，前揭書，頁 2173。
146 〈負苞堂稿提要〉，《四庫全書總目》卷 179，前揭書，頁 2489。

　　而他本著儒家傳統的觀念，自然也不會接受摻雜釋老思想的作品，自不免斥入存目：

　　　　其詩不脫釋家語錄之氣，不足以接蹟吟壇。[147]

　　　　詩文多類禪悟，不出李贄、屠隆舊習。[148]

　　紀昀對思想純正是根本的要求，其具體表現便是要「言之有物」，若是應酬之作，自難合乎他的要求，自不免斥入存目：

　　　　然集中諸作大抵應酬之文也。[149]

　　　　顧嗣立《元百家詩選》譏其多應酬俚近之作，非苛論也。[150]

　　而平庸的作品，並沒有什麼特出的內容，也不被他看好：

　　　　太抵平實簡易，無擅勝之處，亦無蹖駁之處。[151]

　　　　今觀其集，正韓愈所謂無好無惡之詩耳。[152]

　　尤其是明代臺閣一派的作品，雖然是雍容華貴，但因缺乏內涵，亦皆被斥入存目：

　　　　今觀所作，雖有舂容宏敞之氣，而不免失之膚廓，蓋臺閣一派，至是漸成矣。[153]

　　　　故其詩不求工於聲律，以理趣為主，蓋濂洛風雅之流派也。[154]

147　〈石屋山居詩提要〉，《四庫全書總目》卷 180，前揭書，頁 2514。
148　〈仁節遺稿提要〉，《四庫全書總目》卷 180，前揭書，頁 2513。
149　〈熊南沙文集提要〉，《四庫全書總目》卷 177，前揭書，頁 2441。
150　〈清江碧嶂集提要〉，《四庫全書總目》卷 174，前揭書，頁 2377。
151　〈朱圍山人集提要〉，《四庫全書總目》卷 184，前揭書，頁 2576。
152　〈南冷集提要〉，《四庫全書總目》卷 176，前揭書，頁 2489。
153　〈石溪集提要〉，《四庫全書總目》卷 176，前揭書，頁 2489。
154　〈龜川詩集提要〉，《四庫全書總目》卷 176，前揭書，頁 2476。

> 其文正大光明，不為浮誕奇崛，蓋洪宣間臺閣之體大
> 率如是也。[155]
>
> 尚沿臺閣舊體，無疵累之可摘，亦無精華之可挹。[156]
>
> 其詩沿臺閣舊派，不免膚廓。[157]
>
> 其文平正通達，無鉤章棘句之習，而亦無警策，蓋猶
> 沿臺閣舊體。[158]

斥入存目類作品中，也有講學家缺乏風人之致的作品，
足見紀昀士看重作品的文學性：

> 詩多理語，鮮風人之致。[159]
>
> 今觀其詩皆濂洛風雅一派，其文亦類語錄講義，蓋其
> 淵源如是云。[160]
>
> 然其著作則自成其為講學家之詩文而已。[161]

著作要能做到說理、抒情兩不相廢，才能得到他的讚賞：

> 惟其長歌，慷慨之中，能發乎情、止乎禮義，猶有詩
> 人忠厚之遺，為足尚耳。[162]

綜合上列之言，我們可清楚地看出紀昀理論已運用到實
際的批評上，而其理論並不那麼八股，雖然不脫傳統儒家的
觀念，但也兼顧文學作品本身的審美屬性與政治上的價值，
並未失之偏頗，仍是相當可取的文學理論。

155　〈尚約居士集提要〉，《四庫全書總目》卷 175，前揭書，頁 2394。
156　〈劉文介公集提要〉，《四庫全書總目》卷 175，前揭書，頁 2396。
157　〈貞翁淨稿提要〉，《四庫全書總目》卷 176，前揭書，頁 2412。
158　〈師暇裒言提要〉，《四庫全書總目》卷 177，前揭書，頁 2455。
159　〈後齋遺稿提要〉，《四庫全書總目》卷 176，前揭書，頁 2422。
160　〈紫峯集提要〉，《四庫全書總目》卷 176，前揭書，頁 2427。
161　〈燕詒錄提要〉，《四庫全書總目》卷 177，前揭書，頁 2440。
162　〈傲軒吟稿提要〉，《四庫全書簡明目錄》卷 17，前揭書，頁 745。

2.就表現技巧而言

　　表現的技巧，包括文字的駕馭、聲調的調和、句法與結構的嚴整，古人作詩講究「工」，所謂「工」，就是指聲韻、字句、對仗的鍛鍊達到了極完美和諧的境界。紀昀對文學作品的表現技巧，也有如此的要求，斥入存目的作品，即有未達此一標準者：

　　　　其詩皆信筆揮灑，於聲律多未能諧。[163]

　　　　其詩則全作擊壤集體，不以聲律論矣。[164]

　　其實紀昀就是要有一寫作的規範法度：

　　　　其文疎快有氣，然皆率其才氣縱筆一往，未能範以法
　　　　度也。冼桂奇序以司馬遷擬之，談何容易乎？[165]

　　但是他又說：「文無定法，是即法在。」[166]，其意思乍看之下是背道而馳。他又說：「蟲之蝕，非方非圓；古之至文，自然而然。」[167]，他所謂的「法」，原來就是要求自然而不造作，是要不限於人為的格局，突破種種的死規範，而到達遊刃自如的境地，就是所謂的「譬彼文章，渾成者勝於湊合」[168]。然而在這規矩法度和自然不造作之間，看似矛盾，紀昀仍得到平衡，自然是經過鍛鍊而來（這和學習過程有關，待後詳說），而鍛鍊法度是要達到自然的境界，也就是由不工到達工，由工回到不工。其實這不過是說在技巧的運用上做到「得

163　〈雪鴻堂文集提要〉，《四庫全書總目》卷184，前揭書，頁2574。
164　〈欒庵集提要〉，《四庫全書總目》卷178，前揭書，頁2476。
165　〈司勳文集提要〉，《四庫全書總目》卷177，前揭書，頁2442。
166　紀昀：〈雲龍硯銘〉，前揭書第一冊，頁283。
167　紀昀：〈破葉硯銘〉，前揭書第一冊，頁289。
168　紀昀：〈筆斗銘〉，前揭書第一冊，頁298。

魚忘筌，得意忘言」，雖說目的是在自然，但卻須有法度的學習。從他實際的批評來看，不難看出他在這兩者之間，所得到的平衡，並未造成對立，有所偏者就被列入存目：

> 然過任自然，罕鑄詞之功。[169]

> 古文具有間架而醞釀未深，詩詞亦多率意之作，不留心於陶煉。[170]

> 以自拔於蹊徑，而斧痕則尚未渾化也。[171]

> 雜文亦有意矯揉，頗失渾雅。[172]

> 《吹劍草》為所做詩文，自稱不作唐以後語。然刻意摹擬，斧鑿之痕不化。[173]

另外，紀昀認為文學創作迂婉含蓄要比直截了當為佳，因此他說：

> 其思表纖旨，文外曲致，言短而味長，言盡而意不盡，
> 與言在此而意在彼者，恆使人黯然有思，翠然高望。[174]

文學作品少了雋永含蓄一唱三嘆，自是不合他的標準，存目中頗多這類作品，紀昀以清水廻溪來比擬此類作品，相當傳神：

> 其詩文以清麗為宗，如曲澗廻溪，瑩澈見底。而一往

---

169 〈履庵集提要〉，《四庫全書總目》卷 177，前揭書，頁 2454。

170 〈程念齋集提要〉，《四庫全書總目》卷 175，前揭書，頁 2408。

171 〈玉芝堂集提要〉，《四庫全書總目》卷 185，前揭書，頁 2593。

172 〈天目山堂集提要〉，《四庫全書總目》卷 178，前揭書，頁 2461。

173 〈御龍子集提要〉，《四庫全書總目》卷 179，前揭書，頁 2486。

174 紀昀：〈香亭文稿序〉，前揭書第一冊，頁 298。

清激，尚少渟蓄之致。[175]

詩格極為遒上，但才鋒太銳，少一唱三嘆之致。文則縱筆而成，傷於平易，又不及其詩。[176]

大抵流易有餘，而頗乏雋永之味。[177]

今觀是集，大抵圓轉流便而短於含蓄，正如清水半灣，洸洸易盡。[178]

而含蓄雋永則有賴比興手法的塑造，淺於比興，自不免意言並盡，婉約含蓄，托興深微，才是他所欣賞的，興象不足、興寄頗淺、淺於比興的作品，則不免斥入存目之中：

其詩多婉約流麗，托興深微，頗類詞人之作。[179]

詩則秀潤有餘而興象不足，純為七子之派。[180]

詩則率意而成，興寄頗淺。[181]

其詩頗清遒而淺於比興，往往意言並盡，少含蓄深婉之致。[182]

而作者不能醞釀沈思、作品傷於粗淺，以及意境不能深厚等，也是列入存目的原因，反之，則能得到好評，如讚譽吳師道「其詩則風骨遒上，意境頗深，非復仁山集中格律矣」[183]，將其著作收錄於《四庫全書》中。這一方面可看出紀昀

175　〈節庵集提要〉，《四庫全書總目》卷 175，前揭書，頁 2389。
176　〈紺寒詩集提要〉，《四庫全書總目》卷 183，前揭書，頁 2564。
177　〈庵集提要〉，《四庫全書總目》卷 175，前揭書，頁 2400。
178　〈滄洲集提要〉，《四庫全書總目》卷 175，前揭書，頁 2400。
179　〈莊簡集提要〉，《四庫全書簡明目錄》卷 16，前揭書，頁 646。
180　〈快獨集提要〉，《四庫全書總目》卷 179，前揭書，頁 2485。
181　〈七星詩文存提要〉，《四庫全書總目》卷 175，前揭書，頁 2404。
182　〈高閒雲集提要〉，《四庫全書總目》卷 174，前揭書，頁 2381。
183　〈禮部集提要〉，《四庫全書簡明目錄》卷 17，前揭書，頁 736。紀

對創作審慎的態度，一方面也和紀昀雋永含蓄的主張一樣，忌諱作品的淺顯不深厚：

> 然其詩縱調騁情，才思雖捷而少沈思，故王世貞謂（張）寧詩，如小櫂急流，一瞬而過，無復雅觀也。[184]
>
> 其詩時有清脫之致，而醞釀未深。[185]
>
> 詩文皆清而過淺，未足抗行於作者之間。[186]
>
> 其人品高於楊維楨，至詩文則頗涉粗淺，不逮維楨遠甚。[187]
>
> 其文有紆徐曲折之致，而意境不深。[188]
>
> 詩意境頗清而歉於深厚，文亦如之。[189]
>
> 其詩音節諧暢而意境不深，蓋弘、正之間，風氣初變，漸趨七子之派而未盡離三楊之體也。[190]
>
> 其詩風華有餘，深厚不足，蓋亦沿七子之派，多浮聲而少切響也。[191]

昀於此還認為師道之詩作勝於其師金履詳之詩，原因就在於紀昀對道學詩失去文學性的不滿：「其詩乃彷彿《擊壤集》，不及朱子遠甚。王士禎《居易錄》極稱其《箕子操》一篇，然亦不工。夫邵子以詩為寄，非以詩立制。履祥乃執為定法，選《濂洛風雅》一編，欲挽千古詩人歸此一轍，所謂華之學王皆在形骸之外，去之愈遠。所作均不入格，固其所矣。」（〈仁山集提要〉，《四庫全書總目》卷 165，前揭書，頁 2198）。

184　〈奉使錄提要〉，《四庫全書總目》卷 175，前揭書，頁 2398。

185　〈芳園稿提要〉，《四庫全書總目》卷 177，前揭書，頁 2443-2444。

186　〈程梅軒集提要〉，《四庫全書總目》卷 174，前揭書，頁 2381。

187　〈茶山老人遺集提要〉，《四庫全書總目》卷 174，前揭書，頁 2382。

188　〈襪線集提要〉，《四庫全書總目》卷 175，前揭書，頁 2391。

189　〈敝帚集提要〉，《四庫全書總目》卷 175，前揭書，頁 2393。

190　〈靜芳亭摘稿提要〉，《四庫全書總目》卷 176，前揭書，頁 2409。

191　〈蒼耳齋詩集提要〉，《四庫全書總目》卷 179，前揭書，頁 2483。

　　表現技巧是屬於作品的形式，內容是作品的「質」，形式是作品的「文」，紀昀對兩者的態度是認為內容和形式兼顧，才能有紅花綠葉，相得益彰的效果，也正是孔子說的「文質彬彬，然後君子」，「文質彬彬」是文學作品的理想之境，雖然不是什麼創新的理論，但卻也不失之偏頗：

> 然文質相扶，理無偏廢，各明一義，未害同歸，惟末學循聲，主持過當，使方言俚語，俱入詞章，麗製鴻篇，橫遭嗤點……今一一別裁，務歸中道。[192]

他實際的批評，也是信守著理論：

> 其詩純作宋格，疏爽有餘而亦頗傷樸直。如《洗象行》之類，皆病於太質。[193]
>
> 意求通俗，然太質勝於文矣。[194]

3.就作品的作用而言

　　紀昀對文學作品的作用，仍沿襲中國儒家傳統的觀念，認為：

> 夫詩有貞淫奢儉，可以觀天下之政教；有興觀羣怨，可以正天下之性情。於言志之中，寓無邪之旨。[195]
>
> 《書》稱詩言志，《論語》稱思無邪，子夏《詩序》兼括其旨，曰「發乎情止乎禮義」，詩之本旨盡是矣。[196]
>
> 孔子論詩，歸本於事父、事君，又稱溫柔敦厚為詩教。[197]

192　〈總集類敘〉，《四庫全書總目》卷186，前揭書，頁2598。
193　〈青要集提要〉，《四庫全書總目》卷184，前揭書，頁2575。
194　〈龍溪草堂集提要〉，《四庫全書總目》卷184，前揭書，頁2578。
195　紀昀：〈端本導源論〉，前揭書第一冊，頁137。
196　紀昀：〈挹綠軒詩集序〉，前揭書第一冊，頁204。
197　紀昀：〈鸛井集序〉，前揭書第一冊，頁191。

他把言志和載道合而為一，由小我擴大為大我[198]，因此文學作品就負有相當嚴肅的教化責任：

> 在上者以是事君，即為純臣；以是涖民，即為循吏。在下者有所觀感則易為善，有所懲創則憚為惡，推而廣之，即陶冶萬類無難也。[199]

在對四庫全書的編纂上，也是這種論點的表現：

> 然其詩文皆骨力蒼堅，大旨不詭於經訓。[200]

> 其有言非立訓，義或違經，則附載其名，兼匡厥謬……蓋聖朝編錄遺文，以闡聖學明王道者為主，不以百氏雜學為重也。[201]

由上述所言，紀昀看似完全是一副儒者說教的口吻，但實際上他仍能認清文學創作有個人抒情的功能：

> 詩本性情者也。人生而有志，志發而為言，言出而成歌詠，協乎聲律。其大者，和其聲以鳴國家之盛，次亦足抒憤寫懷。舉日星河嶽、草秀珍舒、鳥啼花放，有觸乎情，即可以宕其性靈。是詩本乎性情者也，而究非性情之至也。[202]

> 人心之靈秀發為文章，猶地脈之靈秀融結而為山水……蘇、李之詩天成；曹、劉之詩閎博；嵇、陸之詩妙遠；陶、謝之詩高逸；沈、范之詩工麗；陳、張之詩高秀；沈、宋之詩宏整；李、杜之詩高深；王、

198　張健：《明清文學批評》，（臺北：國家出版社，1983），頁227。
199　紀昀：〈端本導源論〉，前揭書第一冊，頁137。
200　〈演山集提要〉，《四庫全書簡明目錄》卷15，前揭書，頁635。
201　〈四庫全書凡例〉，《四庫全書總目》，前揭書，頁31、34。
202　紀昀：〈冰甌草序〉，前揭書第一冊，頁186。

孟之詩淡靜；高、岑之詩悲壯；錢、郎之詩婉秀；元、
白之詩樸實；溫、李之詩綺縟。千變萬化，不名一體，
而其抒寫性情則一也。帝媯有言曰：「詩言志，歌永
言」，揚雄有言曰：「言，心聲也；文，心畫也。」故
善為詩者，其思浚發於性靈，其意陶熔於學問。凡物
色之感於外，與喜怒哀樂之動於中著，兩相薄而發為
歌詠，如風水相遭自然成文，如泉石相舂自然成響。[203]

　　彷彿又是性靈說的面目，但他所主張的，跟正宗的性靈
派如袁宏道、袁枚等，實已大有距離，而有心包容後者的迹
象，則了然可見[204]，要言之，他所持的意見是兩不相廢，和
前面所提到大我小我的平衡是一樣的，於此就不再重複。

（二）對作者的看法

　　文學作品是由人創造出來的，而我國素有「知人論世」、
「言為心聲」的觀念，作品表達作者的思想情感，因而在評
估作品時，便很自然的會牽涉到作者的人品上。事實上，作
者本身所具備的主觀條件，是會直接影響作品成就的高低，
紀昀也明顯地受這種傳統觀點的影響。他一方面看重人品對
作品的影響，認為「蓋詩者，性之所之，與人品學問之所見，
殆不誣乎」[205]，更以為「人品高則詩格高，心術正則詩體正」
[206]；但另一方面，他宏博的學識所具有的史觀，以及他兼具

203 紀昀：〈清艷堂詩序〉，前揭書第一冊，頁 202。
204 張健：《明清文學批評》，（臺北：國家出版社，1983），頁 228。
205 紀昀：〈郭茗山詩集序〉，前揭書第一冊，頁 192。
206 紀昀：〈詩教堂詩集序〉，前揭書第一冊，頁 210。

學者與作家的身份，讓他能夠一定程度地擺脫政治和道德上的偏見，客觀地看到文學上存在的立身與立言脫節的現象，能就文言文承認文學有獨立的價值，而有不以人廢言的看法。以下就來說明他對作者的學力、品格、才力和年齡四者與創作的關係上的見解。

1.就作者學力而言

紀昀在這方面提出許多意見，除了知識的積蓄運用之外，個人的際遇、學習環境等等亦有所談論，今分述如後：

（1）學識對創作的影響

紀昀十分肯定學識對創作的影響，學識根柢不深，將使作品「氣味不免太薄」，反之，則有「宏瞻淹雅」之譽。如同前面提到的「其思浚發於性靈，其意陶熔於學問」，創作雖然是情感的抒發，但表達的技巧則離不開學問，須合則兩美，離則兩傷，他認為對才與學兩者認為：

> 流而馳騁橫議，価規破矩以為才，則才為偽；流而剽竊鈔襲，餖飣湊合以為學，則學亦偽。[207]

他並以此作為是否收錄於《四庫全書》的標準：

> （司馬）光大儒名臣，不於文章論工拙。然即以文章而論，其氣象亦包括諸家，凌跨一代。蓋學問、德行、經濟皆文章之根柢也。[208]

> （沈）括以博物冠一時，不甚以文章著。然學有根柢，所作亦宏瞻淹雅，具有典則。[209]

---

207 紀昀：〈壬戌會試錄序〉，前揭書第一冊，頁151。
208 〈傳家集提要〉，《四庫全書簡明目錄》卷15，前揭書，頁619。
209 〈長興集提要〉，《四庫全書簡明目錄》卷15，前揭書，頁633。

惟其記誦淹博，冠絕一時，故文章爾雅，迥勝游談，在有明一代，亦不能不謂之作者矣。[210]

（趙）撝謙精研小學，不甚以文章著。此集掇拾殘闕，尤不盡所長。然意度波瀾頗存古格，是則學有根柢之故也。[211]

其詩屬對工巧，多若天成，則記問賅博，驅遣如意之故也。[212]

所與酬倡者，皆一代勝流。耳濡目染，落筆自能遠俗。但根柢不深，氣味不免太薄耳。[213]

（2）重視工夫

正如上述，所以他重視熔煉涵養的工夫，或許是有心修正神韵派所講「頓悟」相對地忽視熔煉涵養工夫的短處：

詩未有不工者，功深則興象超妙，痕跡自融耳。醞釀不及古人而剽取空調以自托，猶禪家所謂「頑空」也。[214]

此種皆熔煉之至，渣滓俱融，涵養之熟，矜躁盡化，而後天機所到，自在流出，非可以摹擬而得者。無其熔煉涵養之功，而以貌襲之，即為窠臼之陳言、敷衍之空調。矯語盛唐者，多犯是病。此亦如禪家者流，有真空、頑空之別，論詩者不可不辨。[215]

210 〈重編瓊臺會稿提要〉，《四庫全書簡明目錄》卷 18，前揭書，頁 784。
211 〈考古文集提要〉，《四庫全書簡明目錄》卷 18，前揭書，頁 764。
212 〈竹隱畸士集提要〉，《四庫全書簡明目錄》卷 15，前揭書，頁 640。
213 〈完玉堂詩集提要〉，《四庫全書總目》卷 181，前揭書，頁 2527。
214 《瀛奎律髓》紀昀刊誤，卷 10〈春寒〉紀批語，（安徽：黃山出版社，1994），頁 190。
215 《瀛奎律髓》紀昀刊誤，卷 23〈終南別業〉紀批語，（安徽：黃山出版社，1994），頁 556。

　　工夫到家而不失自然渾成，是紀昀心目中所讚賞的作品，即前面提到由工回到不工的地步，而文無定法的自然，則是「天機所到」，「非信手趁韵之謂，如以淺易爲自然，失之遠矣。」[216]於此亦可看出紀昀的意見和歐陽修、方回意見大相逕庭[217]。而工夫的表現就是要鍛鍊陶冶，並以此來評定作品的優劣，以決定是否收入《四庫全書》或斥入存目：

　　　　故其詩亦稱心而談，罕鍛鍊之功云。[218]

　　　　今觀其集，大致亦承九僧、四靈之派，而陶冶之力則不及古人，故邊幅淺狹，意言並盡，五首以外，規模略同。[219]

　　（3）學習的方向

　　從模仿到創作的過程，他要求的是「手執規矩，自爲方圓」，而他對學習的方向則提出學古人的規矩：

　　　　夫爲文不根柢古人，而値規矩也，爲文而刻畫古人，是手執規矩，不能自爲方圓也。孟子有言：「梓匠輪輿，能與人規矩，不能使人巧。」是雖非爲論文設，而千古論文之奧，具是言矣。夫巧者，心所爲；心所以能巧，則非心之自能爲。學不正則雜，學不博則陋，學不精則膚，雜而兼以陋且膚，是惡能生巧？即恃聰明以爲巧，亦巧其所巧，非古人之所謂巧也。惟根本六經，而旁參以史、子、集，使理之疑似，事之經權，

216 《瀛奎律髓》紀昀刊誤，卷14〈終南別業〉紀昀批語，（安徽：黃山出版社，1994），頁295。
217 張健：《明清文學批評》，（臺北：國家出版社，1983），頁230。
218 〈東白草堂集提要〉，《四庫全書總目》卷177，前揭書，頁2446。
219 〈松月集提要〉，《四庫全書總目》卷175，前揭書，頁2388。

了然於心，脫然於手，縱橫伸縮，惟意所如，而自然
不悖於道。其為巧也，不有不期然而然者乎？[220]

　　學古人的規矩，就是要多讀書，以此作為準備的工夫，
讀的範圍要廣博，程度要能精，並不限於前人之詩文，而應
徧及經、史、子、集各種學問：

究心道學而能博觀典籍，於六經百氏無所不通，故其
文樹義醇正，而皆有根據，詩非所長，亦無俚語，殆
澤於古者深歟！[221]

　　由於學習古人的規矩，使紀昀有些的言論，看起來似乎
是崇古成癖：

古之人去今日遠，其沉思奧義，類非後人所解；即其
句格、語助，亦往往與今日殊。後人所賞，尚未必古
人之自賞，而妄齮其瑕，不亦慎耶？若後人與後人，
則相去伯仲間矣，其佳處吾知之，其累處吾亦得知
之。[222]

　　雖然他以古為法，但還是認為要能學古而不泥古（詳說
於後），推陳出新，自家仍有自家的精神所在，主張以古人為
法在其「神髓」的領悟，而非僅在「面貌」的尋求，得到神
髓之後還須「不自掩其性情」：

（陳師道）五言律蒼堅瘦勁，實逼少陵。其間意僻語
澀者，亦往往自露本質。然胎息古人，得其神髓，而

220　紀昀：〈香亭文稿序〉，前揭書第一冊，頁 193。
221　〈勤齋集提要〉，《四庫全書簡明目錄》卷 17，前揭書，頁 371。
222　紀昀：〈刪正帝京景物略後序〉，前揭書第一冊，頁 165。

不自掩其性情，此後山所以善學杜也。[223]

（曾）幾詩源出黃庭堅，而語多自造，不甚隸事為小
異。一傳而為陸游，變而圓潤，與幾又異。然游之學
幾，而不似幾；猶趙孟頫書學李邕而不似李邕，特不
襲其面貌而已。[224]

他推崇陳後山、曾幾的理由就在善學古人而不僅襲其面
貌而已，仍有自家精神在，能卓然自成一家（關於「自成一
家」容後再論），可見紀昀的理論並未失之偏頗，仍然是相當
的合情合理。

（4）擬議與變化

前面提到紀昀主張學古而不泥古，學古就是擬議古人，
不泥古就是能變化。只能擬議而未能變化，以及不根柢古人
而倔規矩的，都是他列入存目的原因：

其詞有南宋人格意，而罕睹新聲，亦擬議而未變化
也。[225]

是集樂府規仿舊文，七言古詩多學初唐四傑之體，皆
擬議而未能變化。[226]

其文有意刻畫韓、柳，而往往失之粗率，詩則音調諧
美，亦學唐格而過於模擬者也[227]

所作音節高亢而神理不具，往往失之蹈襲。其《邊憤》

223　紀昀：〈後山集鈔序〉，前揭書第一冊，頁 184。
224　〈茶山集提要〉，《四庫全書簡明目錄》卷 16，前揭書，頁 657。
225　〈浣亭詩畧二卷浣亭歸來吟一卷附山薑花埜長短句一卷提要〉，《四庫全書總目》卷 177，前揭書，頁 2535-2536。
226　〈寶編堂集提要〉，《四庫全書總目》卷 181，前揭書，頁 2532。
227　〈大司空遺稿提要〉，《四庫全書總目》卷 177，前揭書，頁 2452。

詩，朱彝尊《明詩綜》獨取之。然究不出少陵《諸將》蹊徑也。[228]

近體頗合西崑，然摹古終太有痕也。[229]

皆率意一往，不復絜以規矩者也。[230]

文頗平澹，詩亦妥適，而步趨東里，得其形似，格力未能道上也。[231]

　　而紀昀的用意，從下面這段文字不難看出，不外乎是希望擬議與學古兩者不可走向偏鋒，而要能兼顧擬議與學古，最終能有自我的風格，達到自成一家的目的：

故體格日新，宗派日別，作者各以其才力學問智角賢爭，詩之變態遂至于隸首不能算。然自漢、魏以至今日，其源流正變、勝負得失少雖相競者非一日，而撮其大概，不過擬議、變化之兩途。從擬議之說最著者無過青邱，仿漢魏似漢魏，仿六朝似六朝，仿唐似唐，仿宋似宋，而問「青邱之體裁如何？」則莫能舉也。從變化之說最著者無過鐵崖，怪怪奇奇，不能方物，而卒不能解文妖之目，其亦勞而鮮功乎？……今觀所作，一一能抒其性情，戞戞獨造，不落因陳之窠臼……，亦不償古人之規矩……是真能自言其志，毅然自為一家矣。[232]

　　然而不論是擬議或是變化，最終的目的就是要能卓然自

---

228 〈汪山人集提要〉，《四庫全書總目》卷 178，前揭書，頁 2471。
229 〈元蓋副草提要〉，《四庫全書總目》卷 180，前揭書，頁 2502。
230 〈松岡集提要〉，《四庫全書總目》卷 175，前揭書，頁 2395。
231 〈吾野漫筆提要〉，《四庫全書總目》卷 178，前揭書，頁 2470。
232 紀昀：〈鶴街詩稿序〉，前揭書第一冊，頁 206-207。

成一家,所謂「善學柳下惠」,是他所讚許的:

> 今觀所作,大抵盤空硬語,時參文句,可謂浩浩落落,
> 自成一家。[233]

> 大抵早年沿溯晚唐,自官新安掾後,乃規取蘇黃遺法,
> 變以婉峭,自為一家。[234]

> (宋)禧受學於楊維楨,維楨詩歌以奇譎兀臬,凌踔
> 一世;禧詩乃清和婉轉,以自然為宗,出入於香山、
> 劍南之間,文亦詳贍暢達,可謂善學柳下惠。[235]

至於那些未能成家、無大創作、得其形似、未能拔俗、
學步、支派、緒餘之類作品,當然是被列入存目:

> 詩有清腴之致而風骨未遒,故於一時流輩之中,尚不
> 能排突諸家,自成一隊。[236]

> 皆祖沈謙、毛先舒之說,蓋取便携閱而已,無大創作
> 也。[237]

> 五言古体多摹《文選》,七言古體學初唐,近體亦頗
> 有大曆諸人風調,然音節暢而性情少,所謂得皮而未
> 得髓者也。[238]

> 與李澄中、洪嘉植以談詩相契,其斥當時劍南流派之
> 非,力主祧宋以宗唐,然僅得唐人之形似而已。[239]

---

233 〈筠溪集提要〉,《四庫全書簡明目錄》卷 16,前揭書,頁 648。
234 〈石湖詩集提要〉,《四庫全書簡明目錄》卷 16,前揭書,頁 676。
235 〈庸菴集提要〉,《四庫全書簡明目錄》卷 17,前揭書,頁 754。
236 〈清芬堂存稿提要〉,《四庫全書總目》卷 183,前揭書,頁 2556。
237 〈選聲集提要〉,《四庫全書總目》卷 200,前揭書,頁 2819。
238 〈潘象安詩集提要〉,《四庫全書總目》卷 180,前揭書,頁 2504。
239 〈證山堂集提要〉,《四庫全書總目》卷 182,前揭書,頁 2542。

然文格未能拔俗，集中亦大抵應酬之作。[240]

集中所錄，大抵舊調居多，新意殊少，仍七子之支派而已。[241]

大抵宗旨不出七子門庭，其造語多用四言二句，務摹敖陶孫《詩評》，亦頗嫌學步。[242]

然據其全書，則皆拾七子之緒餘。實於漢、魏、盛唐，了無所解，於宋詩亦無所解也。[243]

（5）學習環境

就整個大的學習環境來說，紀昀是承認地域關係的影響的：

其詩承藉鄉風，出入於四靈之間，然尚永嘉之初派，非永嘉之末流也。[244]

而師友的影響更為直接，紀昀曾就方回瀛奎律髓中的見解提出他的修正：

此是正論（按：方回列舉立志、讀書、用心、從師四原則），然亦恐錯卻路頭，走入魔趣，立志愈高，用心愈苦，讀書愈多，而其去詩也乃日遠。故四者之中，尤以從師之真為第一義，此尚倒說。[245]

除了所學之外，交遊與家學也都有影響，在紀昀實際的

---

240 〈嚴文靖公集提要〉,《四庫全書總目》卷 177，前揭書，頁 2452。
241 〈覆瓿草提要〉,《四庫全書總目》卷 178，前揭書，頁 2469。
242 〈詩談提要〉,《四庫全書總目》卷 197，前揭書，頁 2769。
243 〈過庭詩話提要〉,《四庫全書總目》卷 197，前揭書，頁 2771。
244 〈雲泉詩提要〉,《四庫全書簡明目錄》卷 16，前揭書，頁 702。
245 《瀛奎律髓》紀昀刊誤，卷 36〈論詩類序〉紀昀批語，（安徽：黃山出版社，1994），頁 863。

批評上，不乏此類例子：

> （柳）貫經學受於金履祥，史學受於牟應龍，文章則
> 得於方鳳、謝翱、吳思齊、方回、龔開、仇遠、戴表
> 元、胡長孺，授受相承，皆遠有端緒。故其文根柢深
> 厚，閎肆而精嚴，與黃溍齊名，而駸駸乎欲爭先路。[246]

> （楊）翮父剛中為大德中耆宿，翮承其家學，又與虞
> 集、楊維楨等遊，故才力雖不富健，而規矩森然，不
> 同率爾。[247]

> 有元一代，經術莫深於黃澤，文律莫精於虞集。汸受
> 經於澤，學文於集，淵源所自，皆天下第一，故其文
> 在元季，亦翹然特出。[248]

（6）際遇的問題

作家一生的經歷，事實上也是他學習的過程，他的際遇
無疑也會對作品有某些影響，紀昀認為這種影響是存在的：

> 富貴之場，不能為幽冷之句；躁競之士，不能為恬淡之
> 詞。強而為之，必不工；即工，亦終有毫釐差。[249]

在實際的批評上，亦常有這樣的例子：

> （楊）榮歷事四朝，恩禮無間，故其文委蛇和雅，有
> 富貴福澤之氣，與山林枯槁者殊。[250]

> 《初集》作於前明，身經離亂，多悲苦之音。大旨宗

246　〈待制集提要〉，《四庫全書簡明目錄》卷 16，前揭書，頁 702。
247　〈佩玉齋類稿提要〉，《四庫全書簡明目錄》卷 17，前揭書，頁 751。
248　〈東山存稿提要〉，《四庫全書簡明目錄》卷 17，前揭書，頁 753。
249　紀昀：〈郭茗山詩集序〉，前揭書第一冊，頁 192。
250　〈楊文敏集提要〉，《四庫全書簡明目錄》卷 18，前揭書，頁 778。

尚北地、太倉、曆下諸人，未脫摹仿之迹。[251]

中多淒楚之音，蓋皆明季兵燹及國初江南初定，餘孽
未平，山居避寇之作也。[252]

元一代治亂興亡，（周霆震）一身畢閱，故其詩憂時
傷世，感喟至深。[253]

　　然而作家若遭逢現實環境的困阨，其發為詩文，若是反
映時代的黍離麥秀、哀怨之音，並非不可取，但若是個人的
挫折困逆而形諸筆墨，這是紀昀所不贊同的，於此紀昀還是
主張哀而不怨、溫柔敦厚的詩教，要能夠安命委時、淡泊明
志：

詩餘多作於崇禎中，大抵皆紅愁綠慘之詞，所謂亡國
之音哀以思也。[254]

其詩雖格近晚唐，而亡國哀音，頗為悽切。[255]

逢源生當明季崎嶇，轉徙於江、漢、淮、海之間，故
幽憂之語多，而和平之韻鮮焉。[256]

其詩沿何、李之派，故擬燒騷、擬樂府不能變化蹊
徑……故憤鬱不平，屢形篇詠，然事殊屈子而怨甚，
行吟未免失之過激，與風人溫厚之旨為有間矣。[257]

（郭）鈺遭逢亂世，詩多成於流離道路、轉側兵戈之

251　〈藕灣全集提要〉，《四庫全書總目》卷 181，前揭書，頁 2522。
252　〈蘧廬詩提要〉，《四庫全書總目》卷 181，前揭書，頁 2524。
253　〈石初集提要〉，《四庫全書簡明目錄》卷 17，前揭書，頁 748。
254　〈花影集提要〉，《四庫全書總目》卷 200，前揭書，頁 2816。
255　〈秋堂集提要〉，《四庫全書簡明目錄》卷 16，前揭書，頁 704。
256　〈積書巖詩選提要〉，《四庫全書總目》卷 182，前揭書，頁 2543。
257　〈楊道行集提要〉，《四庫全書總目》卷 179，前揭書，頁 2489。

時，故哀怨之音，居其大半。其抱節不仕，但以病廢
為詞，尤和平溫厚。[258]

過嶺以後，多與胡銓手札往還，溫厚纏綿，無牢騷不
平之意，尤難能也。[259]

有關於作家的際遇問題，「詩窮而後工」，一直是熱門的
題材，紀昀對此有他自己的看法，他曾對方回所說的「此能
極言閑適之味矣，詩家之所必有而不容無者也」[260]提出反駁，
他認為作品的好壞和人生的窮達未必有必然的關係：

人生窮達，繫於所遭，不必山林定高於廊廟；而四始
六義之源，溫柔敦厚之旨，亦非專為石隱者設。必以
閑適之作為詩家所不可無，然則上薄風雅，下及騷
人，皆未知詩歟？亦矯而妄矣。[261]

詩必窮而後工，殆不然乎。上下二千年間，宏篇鉅製，
豈皆出山澤之癯耶？然謂詩窮而後工者，亦自有說。
夫通聲氣者騖標榜，居富貴者多酬應，其間為文造
情，殆亦不少，自不及閒居恬適，能翛然自抒其胸臆，
亦勢使然矣。惟是文章如面，各肖其人，同一坎坷不
偶，其心狹隘而刺促，則其詞亦幽鬱而憤激……其心
澹泊而寧靜，則其詞脫洒軼俗，自成山水之清音……
斯真窮而後工，又能不累於窮，不以酸側激烈為工

---

258 〈靜思集提要〉，《四庫全書簡明目錄》卷 17，前揭書，頁 750。
259 〈莊簡集提要〉，《四庫全書簡明目錄》卷 16，前揭書，頁 646。
260 《瀛奎律髓》紀昀刊誤，卷 23〈閑適類序〉方回語，（安徽：黃山出
版社，1994），頁 556。
261 《瀛奎律髓》紀昀刊誤，卷 23〈閑適類序〉紀昀批語，前揭書，頁
556。

者，溫柔敦厚之教，其是之謂乎！……要當以不涉怨
尤之懷，不傷忠孝之旨為詩之正軌。昌黎〈送孟東野
序〉，稱不得其平則鳴，乃一時有激之言，非篤論也。[262]

在這段文字中紀氏指出「宏篇鉅製」並非都出自「山澤
之癯」，但是因為富貴之人相互標榜、應酬這類「為文造情」
的作品太多了，相形之下，自然比不上那些閑居江湖之作。
而且紀昀認為作品工與不工，關鍵在於作者的人格特性而非
作者的窮達遭遇，「文章如面，各肖其人」（詳說於後），如果
是「其心狹隘而刺促」的人，遭遇拂逆困頓，他的作品難免
是「幽鬱而憤激」，自然是不合前面提到紀氏所主張溫柔敦厚
的詩教。反之，作者「其心澹泊而寧靜」，作品方能「脫灑軼
俗，自成山水之清音」，這才是「真窮而後工，又能不累於窮」，
合於溫柔敦厚的詩教。

2.注意作者創作的年歲

世上雖然有早慧的作家，但能留下不朽之作的畢竟不
多，紀昀認為作者的「功候」與其享年是有關連的：

> 毛奇齡《西河詩話》中極稱其吐屬工敏，蓋其穎悟有
> 過人者。其氣骨未遒，則年未四十而歿，功候猶淺之
> 故也。[263]
> 吐屬頗韶秀，而得年僅二十有六，功候未深，故骨格
> 未能成就焉。[264]
> 其文頗有英氣，唯年僅三十三而卒，功候未深，故風

---

262 紀昀：〈月山詩集序〉，前揭書第一冊，頁 195-196。
263 〈野香亭集提要〉，《四庫全書總目》卷 183，前揭書，頁 2560-2561。
264 〈梯青集提要〉，《四庫全書總目》卷 185，前揭書，頁 2590。

格未就。[265]

　　由於紀昀對作者學習所下的工夫相當重視，因此也對那些問世太早的作品，感到惋惜：

> （高）啟天才高逸，在明一代詩人上。凡摹擬古調，無不逼真。惟行世太早，殞折太速，未能鎔鑄變化，自為一家。故備有古人之體，而反不能名啟為何體，此則天實限之，非啟過矣。[266]

> （安）箕，名父之子，承其家學，故詩文皆有矩度。惟波瀾尚未老成，則問世太早之故也。[267]（四庫提要卷一八三綺樹閣稿提要）

> 今觀所作，文豪邁有餘而落筆太快，少渟瀯洄蓄之致；詩亦矢口即成，不耐咀詠。是亦登科太早，才高學淺之効歟？[268]

3.就作者的品格而言

　　儒家向來有「蓄道德、成文章」的理論，並且深深地影響文學評價的觀念。在四庫著錄的取捨時，這種以人為取捨標準的意見，就十分明顯：

> 文章、德行，自孔門既已分科，兩擅厥長，代不一二。今所錄者，如龔詡、楊繼盛之文集……則論人而不論其書……至於姚廣孝之《逃虛子集》、嚴嵩之《鈐山堂詩》，雖詞華之美足以方軌文壇，而廣孝則助逆興

265　〈劉直洲集提要〉，《四庫全書總目》卷 179，前揭書，頁 2492。

266　〈大全集提要〉，《四庫全書簡明目錄》卷 18，前揭書，頁 765。

267　〈綺樹閣稿提要〉，《四庫全書總目》卷 183，前揭書，頁 2564。

268　〈東岡集提要〉，《四庫全書總目》卷 175，前揭書，頁 2391。

兵，嵩則怙權蠹國，繩以名義，匪止微瑕。凡茲之流，並著其見斥之由，附存其目，用見聖朝彰善癉惡，悉準千秋之公論焉。[269]

（嚴）嵩雖怙寵擅權，其詩在流輩之中乃獨為迴出。王世貞《樂府變》云：「孔雀雖有毒，不能掩文章」亦公論也。然跡其所為，究非他文士有才無行可以節取者比。故吟咏雖工，僅存其目，以昭彰癉之義焉。[270]

詩文皆所造不深，然光明俊偉之氣，自不可掩。忠臣孝子之文，固不與詞人爭字句之工也。[271]

然朝鮮文士大抵以吟咏聞於上國，其卓然傳濂、洛、關、閩之說以教其鄉者，自（徐）敬德始，亦可謂豪傑之士矣。故詩文雖不入格，特存其目以表人焉。[272]

詩不甚工，而公豫於當時為循吏，以其人而存之。[273]

甚至認為人品志節高超者，也會致使文章得以久傳：

多不經意之作，未足名家，然完節捐生，其人不朽，其文亦理在必傳。[274]

（呂）陶排擊姦邪似劉安世，其深防紹述之禍似范祖禹，以不入洛、蜀之黨，故兩黨皆罕稱述之，遺集遂幾希泯滅。然越數百年終能於蠹蝕之餘，自發其光，豈非

269　〈四庫全書凡例〉，《四庫全書總目》，前揭書，頁 33。
270　〈鈐山堂集提要〉，《四庫全書總目》卷 176，前揭書，頁 2414。
271　〈忠愍集提要〉，《四庫全書簡明目錄》卷 15，前揭書，頁 641。
272　〈徐花潭集提要〉，《四庫全書總目》卷 178，前揭書，頁 2478。
273　〈燕堂詩稿提要〉，《四庫全書簡明目錄》卷 16，前揭書，頁 664。
274　〈黃給諫遺稿提要〉，《四庫全書簡明目錄》卷 18，前揭書，頁 775。

嚴氣正性，足以不朽，故若有呵護者歟。[275]

紀昀肯定「詩言志」是作者的人格與風格的表現，視作品為作者人格的反映表現，他認同趙執信「飴山老人持詩中有人之說，亦是意焉耳」，「蓋詩者，性之所之，與人品學問之所見，殆不誣乎」[276]，更以為「人品高則詩格高，心術正則詩體正」[277]，所以又說：「其心澹泊而寧靜，則其詞脫洒軼俗，自成山水之清音」[278]（同前，月山詩集序）。他對人品與作品風格關連的看法，可從下列幾個例子看出：

（康）海亦一時才士，徒以救李夢陽之故，失身劉瑾，人品文品，遂併頹唐。[279]

（劉）克莊晚節頹唐，詩亦日趨潦倒。[280]

其詩多規仿陳子昂體，雖格律未純，而人品既高，神思自別，下視方回輩背主求榮，如鳳凰之翔千仞矣。[281]

（沈）周以畫名一代，詩其餘事，然胸次既高，吐屬自別，往往不甚經意，而天趣盎然。[282]

其詩風骨峻嶒，有毅然不可犯之色。蓋當志操堅苦，義不負元。陳友諒迫脅幽繫，卒不能屈；明太祖以禮招之，亦長揖不拜，其人品本高故也。[283]

---

275 〈淨德集提要〉，《四庫全書簡明目錄》卷15，前揭書，頁622。
276 紀昀：〈郭茗山詩集序〉，前揭書第一冊，頁192。
277 紀昀：〈詩教堂詩集序〉，前揭書第一冊，頁210。
278 紀昀：〈月山詩集序〉，前揭書第一冊，頁195。
279 〈對山集提要〉，《四庫全書簡明目錄》卷18，前揭書，頁794。
280 〈後村詩話提要〉，《四庫全書簡明目錄》卷20，前揭書，頁880。
281 〈蒙川遺稿提要〉，《四庫全書簡明目錄》卷16，前揭書，頁697。
282 〈石田詩選提要〉，《四庫全書簡明目錄》卷18，前揭書，頁784。
283 〈學言詩稿提要〉，《四庫全書簡明目錄》卷17，前揭書，頁746。

　　雖然紀昀以爲「人品高則詩格高、心術正則詩體正」，但是反過來說「詩格高是否人品高，詩體正是否心術正」，就很難說了。紀昀自己亦知有些人寫得好作品，但卻人品低下，如前所言及的嚴嵩，被斥入存目，應是寓有懲戒的意味，以做爲教化的宣導。另有一些不似嚴嵩般惡名昭彰的小人，文章寫得好的，儘管紀昀厭惡他們，但站在不以人廢言的立場，還是能客觀地承認他們作品的成就。如他認爲王安石「致位宰相，流毒四海」，但還是稱譽他的文章「百卷之內，菁華具在，其波瀾法度，實足自傳不朽。」[284]，所以一些不是大奸大惡之徒，紀昀還是找些「文章工拙不足以定人品」、「孔雀有毒，不掩文章」的理由，而將其作品列入著錄：

　　　　（王）安中喜依附名流，而反覆炎涼，頗干清議……
　　　　其詩文乃典雅凝重，絕不類其爲人，存之亦足見文章
　　　　工拙，不足以定人品也。[285]
　　　　（孫）覿一生巧宦，殆不知世有廉恥……其詞采則汪
　　　　藻、綦崇禮以外，罕與抗行，亦所謂孔雀有毒，不掩文
　　　　章者。故自宋以來，無不菲薄其人，而不廢其集焉。[286]
　　　　（郭祥正）人不足道，其詩則才氣坌涌，在熙寧、元
　　　　祐之間，能自成一隊。[287]
　　　　（張擴）皆貢諛取媚，人品殊不足道，其詞采清麗，
　　　　則蔚然一時之秀也。[288]

284　〈臨川集提要〉，《四庫全書總目》卷 153，前揭書，頁 2062。
285　〈初寮集提要〉，《四庫全書簡明目錄》卷 16，前揭書，頁 644。
286　〈鴻慶居士集提要〉，《四庫全書簡明目錄》卷 16，前揭書，頁 653。
287　〈青山集提要〉，《四庫全書簡明目錄》卷 15，前揭書，頁 632。
288　〈東窻集提要〉，《四庫全書簡明目錄》卷 16，前揭書，頁 646。

　　試想會造成如此著錄的差異，一來是有「用見聖朝彰善
癉惡」的用意，總要找個人來開刀，二來畢竟儒家的觀念，
根深蒂固地深入人心，於是在文學批評上，就似無意實而有
意地把批評的重點放在作者的品格上。紀昀當然是比較欣賞
那些志節高超的作家，取捨之間雖然有教化的意味在其中，
但對作品的好壞倒也還能說句公道話，並非一味抹殺創作的
成績，也看出紀昀不純然以人品論文章，已有尊重文學獨立
的一面。但基本上紀昀還是認為作品為作者人格的映現，作
品風格和作者的個性、人格有其關連性：

> （王）翰始抗驕王，終殉國難，立身具有本末，發為
> 文章，亦具有剛勁之氣。[289]
>
> 然則（龔）斅禔躬端重，為世師範，故其文亦嚴正如
> 是也。[290]
>
> 統其全集觀之，則頗傷粗率，蓋天性耿直，直抒胸臆，
> 不甚留意於文章云。[291]
>
> （蘇舜欽）其歌行多雄放，如其為人。[292]
>
> 其詩具有風度而不失氣格，其文亦光明磊落肖其為
> 人。[293]
>
> 嘗告以「盍有所待，不當以浮屠老」。蓋負其桀黠之
> 才，有不肯槁死牖下者。故其文往往踔屬風發，縱橫
> 排奡，極其意所馳騁，而不能悉歸之醇正，頗肖其為

289　〈梁園寓稿提要〉，《四庫全書簡明目錄》卷 18，前揭書，頁 771。
290　〈鷺湖集提要〉，《四庫全書簡明目錄》卷 18，前揭書，頁 772。
291　〈四思堂文集提要〉，《四庫全書總目》卷 183，前揭書，頁 2529。
292　〈蘇學士集提要〉，《四庫全書簡明目錄》卷 15，前揭書，頁 618。
293　〈忠愍集提要〉，《四庫全書總目》卷 155，前揭書，頁 2089。

人。[294]

（楊）榮當明全盛之日，歷事四朝，恩禮始終無間，
儒生遭遇，可謂至榮。故發為文章，具有富貴福澤之
氣，應制諸作，渢渢雅音。其他詩文亦皆雍容平易，
肖其為人。[295]

　但他也意識到文學創作是感情的流露，不論是正人君子
或小人，自會有些「不類其為人」優秀作品的創作，如同前
文所提到一些小人的例子，和下面君子的例子，還是會有一
些特例，因此創作風格與人格之間，基本上是有關連性，但
非必然性：

（劉）球力折權璫，隕身不顧，剛義之氣，萬古如生。
其文乃和平溫雅，不類其為人。此義理之勇所由，異
於血氣用事者歟。[296]

史稱（許景衡）既沒之後，高宗每念其遇事敢言，追
思不置。亦足見其忠愛之忱，有以感孚於平素也。至
其詩篇，乃吐言清拔，不露忼厲之氣，如「玉樽浮蟻
一樣白，青眼與山相對橫」諸句，殊饒風調。胡仔《漁
隱叢話》謂冦準詩含思凄婉，富於音情，殊不類其為
人，今景衡亦然。蓋詩本性情，義存比興，固不必定
為濂洛風雅之派而後謂之正人也。[297]

　對於那違反其本性的作品，紀昀認為「強而為之必不工，

294　〈牟軒集提要〉，《四庫全書總目》卷169，前揭書，頁2275。
295　〈楊文敏集提要〉，《四庫全書總目》卷170，前揭書，頁2290。
296　〈兩溪文集提要〉，《四庫全書簡明目錄》卷18，前揭書，頁780。
297　〈橫塘集提要〉，《四庫全書總目》卷156，前揭書，頁2092。

即工亦終有毫釐差」，兩者之間毫釐的差異，我想就在於一個只是「詞采清麗」、「吟咏雖工」這種形式上表現技巧的「工」，而缺乏那種「胸次既高」所讓人感受到「風骨峻嶒，有毅然不可犯之色」及「光明俊偉之氣自不可掩」強烈的人格感召吧！

4.就作者的才力而言

　　紀昀認為創作和作者的才力有關，也就是受制於他所稟受的先天表現能力：

　　　　其詩宗李夢陽，而才力薄弱，頗窘於邊幅。[298]

　　　　其詩不盡落婁東窠臼，然邊幅窘束，則才地限之也。[299]

　　而才力又難有全才，即使是偏才，但作者能順著自己天賦發揮，自然有較好的表現：

　　　　其詩法得諸張翥，雖不及翥之才力富健，諸體兼備……五言古體，綽有韋、柳遺音，其格韵乃似在翥上，殆才有偏長歟！[300]

　　　　然文不及其詩，詩則諸體不及七言律。蓋性有偏近，功有獨至也。[301]

　　才力和學問，紀昀以為相輔相成兩相並重，由「性靈」的「靈」（才華），發而為思慮想像，再輔以學問，乃能有完美的意境創造作品：

　　　　故善為詩者，其思濬發於性靈，其意陶鎔於學問。凡

298　〈康谷子集序〉，《四庫全書總目》卷 176，前揭書，頁 2417。
299　〈免園草提要〉，《四庫全書總目》卷 178，前揭書，頁 2472。
300　〈山窗餘稿提要〉，《四庫全書簡明目錄》卷 17，前揭書，頁 749。
301　〈花溪集提要〉，《四庫全書簡明目錄》卷 17，前揭書，頁 753。

物色之感於外，與喜怒哀樂之動於中者，兩相薄而發為歌詠，如風水相遭自然成文，如泉石相舂自然成響，劉勰所謂「情往似贈，興來如答」。[302]

在實際批評上，他是有注重兩者的配合，若是茲才高而學養不足者，亦不免斥入存目之中：

大抵其才力足以馳驟古人，而學養之深醇則未之逮也。[303]

其詩多應酬牽率之作，而時露風格。岳岱《今雨瑤華》謂其「晚就操觚，靈心鳳構，穎悟居多」，蓋天姿高而學力未至者也。[304]

（三）對批評家的看法

所謂「文章千古事，得失寸心知」，是一般作者對批評很自然的反應，也是知音難遇的感歎，而「知音」就是批評家所扮演的角色[305]。然而詞場恩怨，任何時代都有，難免會有偏見產生，紀昀深深了解這種情形：

詩文評之作，著於齊梁……鍾嶸以求譽不遂，巧致譏排；劉勰以知獨深，繼為推闡。詞場恩怨，亙古如斯。冷齋曲附乎豫章，石林隱排乎元祐，黨人餘釁報及文章，又其已事矣。固宜別白存之，各核其實。[306]

或許是鑑於以往文林間，門戶之爭的弊端，紀昀對批評

302　紀昀：〈清艷堂詩序〉，前揭書第一冊，頁 202。
303　〈蘐廬草集提要〉，《四庫全書總目》卷 183，前揭書，頁 2556。
304　〈桃谷遺稿提要〉，《四庫全書總目》卷 176，前揭書，頁 2422。
305　語見黃啓方：〈中國文學批評中的評價問題〉一文，《中外文學》，4：2，頁 14。
306　〈四庫全書總目集部總敘〉，《四庫全書總目》，前揭書，頁 1970。

家的要求是 —— 要本著客觀的態度，不可懷挾恩怨，顛倒是
非：

> 大抵門戶構爭之見，莫甚於講學，而論文次之……文
> 人詞翰，所爭者名譽而已，與朝廷無預，故其患小也。
> 然如艾南英以排斥王、李之故，至以嚴嵩為察相，而
> 以殺楊繼盛為稍過當，豈其捫心清夜，果自謂然？亦
> 朋黨既分，勢不兩立，故決裂名教而不辭耳。至錢謙
> 益《列朝詩集》更顛倒賢奸，彞良泯絕，其貽害人心
> 風俗者，又豈鮮哉！今掃除畛域，一準至公，明以來
> 諸派之中，各取所長而不罔護所短，蓋有世道之防
> 焉，不僅為文體計也。[307]

> 若懷挾恩怨，顛倒是非，如魏泰、陳善之所為，則自
> 信無是矣。[308]

對於紀昀這項見解，我們反觀其實際的批評，無論是他
的才學或其所秉持的態度，都可說是實踐他的理論。首先，
對前人的批評他會加以斟酌，或是採納、或是辨駁：

> 陸游老學菴筆記稱北宋詩僧以節為第一，今觀是集，
> 游殆不誣。[309]

> 其文則源出韓愈，多謹嚴峭健。鄧文原序，以舂容紆
> 徐稱之，殊為不類。[310]

> 劉淮序以其詩擬白居易，殊不相類；以其詞擬辛棄

---

307 〈四庫全書總目集部總敍〉，《四庫全書總目》，前揭書，頁 1970。
308 紀昀：〈姑妄聽之序〉，前揭書第二冊，頁 375。
309 〈倚松老人集提要〉，《四庫全書簡明目錄》卷 15，前揭書，頁 633。
310 〈養蒙集提要〉，《四庫全書簡明目錄》卷 17，前揭書，頁 717。

疾，則大概近之。[311]

而且紀昀在同意或辯駁前人看法的同時，還能夠更加深入地說出自己的看法，表現自己獨立的思想：

> 劉克莊詩話稱（李）彭博覽強記，獨惜其詩拘攣少變化，今觀是集，克莊之論為允。然邊幅雖狹，而頗有錘鍊磨淬之功。[312]

> 前有龔埔序，以王安石擬之，殊為不類；後有屬鶚跋以黃庭堅、陳師道擬之，亦未盡然。（袁）易詩吐言亮拔，去陳與義為近，與山谷之鎔鑄劓削、後山之深刻瘦硬，門徑固不同也。[313]

紀昀的學識才力，以及不爲他人成說影響的獨立思想，已構成一位良好批評家的條件。接著，再看他實際的批評是否秉持公正的態度：

> （楊）士奇詩文為明代臺閣之祖，末流日敝，至於膚廓庸沓，萬口——音，遂為藝苑口實。然士奇著作自有典型，未可以李斯罪荀卿，李夢陽詩有曰「宣德文體多渾淪，偉哉東里廓廟珍」，即七子亦不薄之矣。[314]

事實上紀昀對臺閣體並沒好感，有「其詩沿臺閣舊派，不免膚廓」[315]之稱，但他仍能對楊士奇的作品說句公道話。又如對公安竟陵的評論雖曾說：

311　〈方是閒居士小稿提要〉，《四庫全書簡明目錄》卷 16，前揭書，頁 688。
312　〈日涉園集提要〉，《四庫全書簡明目錄》卷 15，前揭書，頁 638。
313　〈靜春堂集提要〉，《四庫全書簡明目錄》卷 17，前揭書，頁 730。
314　〈東里全集提要〉，《四庫全書簡明目錄》卷 18，前揭書，頁 778。
315　〈貞翁淨稿提要〉，《四庫全書總目》卷 176，前揭書，頁 2412。

公安變以纖巧，竟陵變以冷峭。[316]

又說：

明之末年，士風佻，偽體作，竟陵、公安以詭俊纖巧
之詞，遞相唱導。[317]

隆、萬以後，公安三袁始攻擊王、李詩派，以清巧為
工，風氣一變。天門鍾惺更標舉尖新幽冷之詞，與（譚）
元春相唱和。評點《詩歸》，流布天下，相率而趨纖
仄，有明一代之詩遂至是而極弊，論者比之詩妖，非
過刻也。[318]

然七子猶根於學問，三袁則惟恃聰明。學七子者不過
膚古，學三袁者，乃至矜其小慧，破律而壞度，名為
救七子之弊，而弊又甚焉。[319]

言下之意，顯然很不屑竟陵、公安派，但是紀昀畢竟還
是能承認竟陵、公安派的優點，足見其評論不以意氣，而能
持公正之論：

蓋竟陵公安之文，雖無當於古作者，而小品點綴，則
其所宜，寸有所長，不容沒也。[320]

又如對嚴嵩這一干奸惡之徒，雖然痛恨其為人，但也還
是承認他們創作的成就，由此不難看出紀昀所持的態度為
何。以下之例，亦可見紀昀公平之持論：

二馮乃以國初風氣矯太倉、歷城之習，競尚宋詩，遂

316　紀昀：〈冶亭詩介序〉，前揭書第一冊，頁 190。
317　紀昀：〈刪正帝京景物略序〉，前揭書第一冊，頁 164。
318　〈嶽歸堂集提要〉，《四庫全書總目》卷 180，前揭書，頁 2507。
319　〈袁中郎集提要〉，《四庫全書總目》卷 179，前揭書，頁 2493。
320　紀昀：〈刪正帝京景物略序〉，前揭書第一冊，頁 164。

借以排斥江西，尊崇崑體，黃、陳、溫、李斷斷為門
戶之爭。不知學江西者其弊易流於粗獷，學崑體者其
弊亦易流於纖穠，除一弊而生一弊，楚固失之，齊亦
未為得也。[321]

晉安詩派以閩中十子為祖，（林）鴻又為十子之冠。
其詩力仿唐音，李東陽《懷麓堂詩話》已病其摹擬。
周亮工《書影》至以閩人動為七律，如出一手，歸咎
于鴻。然鴻詩自有清韻，未可以後來流弊，遂並廢鴻
所作也。[322]

　　正因為紀昀能實踐他批評家必需有公正態度的理論，所
以他對各派別不致有所好惡，也難怪他會以如何對各派別酌
其中、救其弊為命題來取士：

《擊壤》流為《濂洛風雅》，是不入詩格者也，然據
理而談，亦無以難之；《昌谷集》流為《鐵崖樂府》，
是破壞詩律者也，然嗜奇者眾，亦不廢之。何以救其
弊歟？北地、信陽以摹擬漢唐，流為膚濫，然因此禁
學漢、唐，是盡偭古人之規矩也；公安、竟陵以「芟
甲新意」，流為纖佻，然因此惡生新意，是錮天下之
性靈也，又何以酌其中歟？[323]

---

321 〈二馮評點才調集提要〉，《四庫全書總目》卷191，前揭書，頁2670。
322 〈鳴盛集提要〉，《四庫全書簡明目錄》卷18，前揭書，頁766。
323 紀昀：〈嘉慶丙辰會試策問〉，前揭書第一冊，頁271。

（四）對各種文體的看法

　　紀昀對各類文體的一些見解已分述於前，茲不重複，在此僅就其對詩、詞曲、詩文評、小說的意見，作一概述：

1.對詩的看法

　　有關紀昀對詩學的意見，除了展現在《四庫全書總目》外，紀昀也有大量的詩歌評點，清人朱庭珍在《筱園詩話》卷一中曾有過這樣的評價：

> 紀文達公最精於論詩，所批評如杜詩、蘇詩、李義山、陳後山、黃山谷五家詩集，及《才調集》、《瀛奎律髓》諸選本，剖晰毫芒，洞鑒古人得失，精語名論，觸筆紛披，大有功於詩教。尤大有益於初學。有志學詩者，案頭日置一編，反復玩味，可啟發聰明，銷除客氣，自無迷途之患。蓋公論詩最細，自古大才槃槃，未有不由細入而能得力者。但須看公批點全本，觀其圈點之佳作以爲法，觀其抹勒之不佳作以為戒，方易獲益。[324]

　　紀昀遵從傳統的觀念，視詩三百爲經，不容後人以「總集僭續其後」：

> 夫三百篇列為六經，豈容以後人總集僭續其後？王逸、蕭統已病不倫，乃更益以李攀龍，不亦異乎！[325]

　　但紀昀一方面卻又能夠體認到《詩經》的文學性，紀昀

論及後代詩人「分支於三百篇者爲兩漢遺音」，認爲是後世文學分別源自於《詩經》和《楚辭》，所以紀昀的詩論，深深地受到《詩經》的影響：

> 而流別所自，正變遞乘，分支於三百篇者為兩漢遺音；沿波於屈宋者為六朝綺語。上下二千餘年刻骨鏤心，千彙萬狀，大約皆此兩派之變相耳。末流所至，一則標新領異，盡態於江西，一則抽秘騁妍，弊極於玉臺香奩諸集，左右齗齗，更相笑也。[326]

紀昀對詩的要求，忌諱以論爲詩，這也是濂洛風雅一派的缺點：

> 然詠史詩肇於班固，厥後詞人間作，往往一唱三嘆，託意於言語之外，至周曇、胡曾，詞旨淺近，古法遂微。（宋）无詩頗可觀，而此集亦不免以論為詩之病。[327]

而他對詩境的要求，還頗爲欣賞嚴羽妙悟之說：

> 會心言莫喻，極目意何長。錦琴深情托，藍田舊迹荒。鏡花涵幻影，妙悟付滄浪。[328]

> 至嚴羽《滄浪詩話》始獨標妙悟為正宗，所謂「如空中音，如相中色，如鏡中花，如水中月，如羚角無迹可尋」。即司空圖所謂「不著一字，盡得風流」也。沿及有明，惟徐昌穀、高叔嗣傳其衣鉢。王敬美謂「數百年後，李、何或有廢興，高、徐必無絕響」，斯言當矣。虞山二馮顧詆滄浪為囈語，雖防微杜漸，欲戒

326　紀昀：〈雲林詩鈔序〉，前揭書第一冊，頁198。
327　〈嘺嗒集提要〉，《四庫全書總目》卷174，前揭書，頁2380。
328　紀昀：《我法集‧賦得良玉生煙得光字》，前揭書第一冊，頁653。

> 浮聲，未免排之過當。[329]

但卻不以此為極則：

> 大旨以嚴羽為宗……司空圖所謂「不著一字，盡得風流」者，亦詩家之一派，不可廢也，然以為極則則狹矣。[330]

他心目中的最高詩境是：

> （詩）皆能意入題中，神游句外，惟妙惟肖，不即不離，真此體中最高之境。[331]

「意入題中」和「惟妙惟肖」，指的是寫景抒情都要逼近題旨，作最深入的刻劃，而作者在作品中所流露的心神意態，與文字的架構必須保持一種「神游句外」、「不即不離」的關係，如此若即若離，方能有雋永的餘味，也才能讓讀者馳騁其想像力。此一境界，近於王若虛《滹南詩話》中所提到的妙在形似外而不遺形似，也略似葉燮在《原詩》上篇所提倡的迷離恍惚之境，但更求逼真，可謂兼攝性靈、興趣二說。而他也贊成折衷王士禎的妙悟說和趙執信的格調說：

> （王）漁洋拈「不著一字，盡得風流」之旨，以妙悟醫鈍根。而飴山老人（趙執信）顧執詩中有人之說，以抵瑕而蹈隙。左右佩劍，彼此互譏。論者謂合二家相濟乃適相成，是亦掃除門戶之見也。[332]

這種主張當然是有別於唯心論的妙悟說[333]，自然地，他

---

329 紀昀：〈田侯松巖詩序〉，前揭書第一冊，頁201。
330 〈冷邸小言提要〉，《四庫全書總目》卷197，前揭書，頁2772。
331 紀昀：〈與陳梅坨編修書〉，前揭書第一冊，頁278。
332 紀昀：〈袁清愨公詩集序〉，前揭書第一冊，頁198。
333 上述說法主要參考張健《明清文學批評》紀昀一節及賴芳伶〈淺談

對開纖仄之學的方回會有不滿，認為方回不解妙悟真諦，作詩不夠自然：

> 虛谷乃以生硬為高格，以枯槁為老境，以鄙俚粗率為雅音。名為尊奉工部，而工部之精神麗日迥相左也。……虛谷置其本原而拈其末節，每篇標舉一聯，每句標舉一字，將率天下之人而致力於是，所謂溫柔敦厚之旨，蔑如也；所謂文外曲致，思表纖旨亦茫如也。後來纖仄之學，非虛谷階之屬也耶！[334]

2.對文的看法

紀昀的散文觀是從散文的藝術性和思想性來進行考慮，身為大儒的紀昀，自然有著「宗經」、「明道」等傳統思想的印烙，一如劉勰《文心雕龍‧宗經》所說的「經也者，恆久之至道，不刊之鴻教」，紀昀也認為「經者常也，萬世不變之常道也」[335]、「經秉聖裁，垂型萬世……蓋經者非他，即天下之公理而已」[336]。但在文章的創作上，他明顯地和理學家所主張的不同，其中的差異一是他主張為文不該坐談三代、空談心性，而應該有切於日用的實用性，例如他讚賞朝鮮友人洪良浩為文的「雖暢所欲言，而大旨則主於明道。其言道也，不游談鮮實，索之於先天無極；不創論駭俗，求之於索隱行怪，而惟探本於六經」[337]，和他讚譽范仲淹的「有體有用」，即可看出此一趨向：

紀昀的詩文觀〉二文而成。

334 紀昀：〈瀛奎律髓刊誤序〉，前揭書第一冊，頁 182-183。
335 〈耳溪文集序〉，前揭書第一冊，頁 214。
336 〈經部總敘〉，《四庫全書總目》，前揭書，頁 42。
337 〈耳溪文集序〉，前揭書第一冊，頁 214。

仲淹人品事業，卓絕一時，本不借文章以傳，而貫通
經術，明達政體，凡所論著，一一皆有本之言，固非
虛飾詞藻者所能，亦非高談心性者所及。……蓋行求
無愧於聖賢，學求有濟於天下，古之所謂大儒者有體
有用，不過如此，初不必說太極衍先天，而後謂之能
聞聖道，亦不必講封建，議井田，而後謂之不愧王佐
也。觀仲淹之人與仲淹之文，可以知空實效之分矣。[338]

其二是紀昀主張文章內容的實用性外，仍應重視文章表
現形式的優美，但不是光追求文章的雕章繪句，他的目標是
在內容能明道外，也能有完美藝術形式的表現，達到所謂的
「彬彬乎質有其文，是非雕章繪句者所能，亦非南宋以來方
言俚語皆可入文者所能也」[339]文質彬彬的境界。所以他對理
學家的文論屢表不滿，主要還是認為理學家忽視了文學創作
中藝術表達的重要性，因此除了不滿理學家的詩論而說出「以
濂洛之理責李、杜，李、杜不能爭，天下亦不敢代為李杜爭，
然而天下學為詩者，終宗李杜，不宗濂洛也。此其故可深長
思矣。」[340]的話外，他在〈明皋文集序〉中也認為文章不應
如理學家為文般輕忽了文學藝術性的表達方式：

夫事必有理，推闡其理。融合貫通，分析別白，使是
非得失犛然具見其端緒，是謂之文。文而不根於理，
雖鯨鏗春麗，終為浮詞；理而不宣以文，雖詞嚴義正，

---

338 〈文正集提要〉，《四庫全書總目》卷 152，前揭書，頁 2772。
339 〈明皋文集序〉，前揭書第一冊，頁 216。
340 〈濂洛風雅提要〉，《四庫全書總目》卷 191，（北京：中華書局，1997），
    頁 2672。

亦終病其不雅馴。譬諸禮樂，禮主於敬，理也，然袒
裼而拜君父，則不足以為敬；樂主於和，理也，然喧
呶歌舞，快然肆意，則不足以為和。唐以前，文論事
者多，論理者少，固已。宋以後，講學之家發明聖道，
其理不為不精，而置諸詞苑，究如《王氏中說》、《太
公家訓》，為李習之所不滿，其故不可深長思乎？[341]

這說明了紀昀能注重文學創作中藝術性的重要，這也是
紀昀身具學者兼作家的身分，因此讓他特別重視兼顧學者說
理與詩人慧心兩者間的平衡。而「其故可深長思矣」、「其故
不可深長思乎」也說明了紀昀致力於糾正理學家文論的偏
頗，一般總認為紀昀反對理學，其實就紀昀的批評來看，主
要還是要糾正理學家重質不重文的偏頗，否則也不會有對蔡
世遠的讚譽如此的認同：

今觀其文，淵源於六經，闡發周、程、張、朱之理，
而運以韓、柳、歐、蘇之法度。所謂蘊之為德行，行
之為事業，發之為文章者……實亦千古之定論矣。[342]

紀昀推崇蔡世遠的文章能以六經為本，又能以韓歐的為
文法度來闡明理學，而且又有事功，真正達到紀昀文（運以
韓柳歐蘇之法度）質（闡發周程張朱之理）彬彬的標準。至
於紀昀對散文的評價，是以文必己出，反對剽竊古作的「真」，
和文無定法，文成法隨的「自然」為標準，這一類的評語，《四
庫全書總目》中比比皆是，前文也多有論及，於此就不贅言
了。而紀昀本身的創作的成就，就以董雅蘭所云作為總結：

341　〈明皋文集序〉，前揭書第一冊，頁 215。
342　〈二希堂提要〉，《四庫全書總目》卷 173，前揭書，頁 2351。

就紀昀文之藝術表現而言，已臻「古之至文，自然而然」之境。紀昀胸有爐錘，器識朗拔，為文先操其本，或隱微宛曲，或果敢陳詞，在謀篇立意方面，頗具波瀾層疊，生面別開之妙。又透過情境的高度融合，或議敘層遞，或瞬間捕捉，或比類相取，使其人物刻劃，形神並借，深極骨髓，洋溢鮮明生動的光采。此外，由硯銘的修辭技巧觀之，或記述來歷，或託物起興，或抒發洶意，無意求工而機趣環生，充分顯示其成竹在胸，揮灑自如的大家手筆。身為乾嘉時代的文壇領袖，紀昀不僅對文與時變的現象觀察入微，也懂得借鑒各種文學體裁的藝術表現手法，調融文章的實用功能與藝術要求，創作駢中有散、散中有駢的自然佳篇。所謂「風行水上，自成文章」，正是紀昀體物披文、不襲時俗，經由藝術新變的洗禮，所呈現出來的文章風格。[343]

3.對詞曲的看法

　　傳統上士大夫以詞曲為文學之閏餘，不甚重視，紀昀也囿於時代成見，而未能自拔，但紀昀仍能有欣賞詞曲的眼光，對詞曲的評價頗能勇於給予肯定。不過，礙於皇帝的好惡，在《四庫全書總目》中，紀昀也只好板起面孔說教一番。但紀昀倒也能寓褒於貶中，除了趁機在《四庫全書總目》凡例中稍稍一吐苦水外，在提要中也不吝對詞曲大家加以肯定，表達出不同於乾隆皇帝喜惡的意見：

---

343 見氏著《紀昀文初探》，東吳大學碩士論文，1998，頁 224-225。

文章流別，曆代增新。古來有是一家，即應立是一類，作者有是一體，即應備是一格，斯協於全書之名，故釋道外教，詞曲末技，咸登簡牘，不廢搜羅。然二氏之書，必擇其可資考證者，其經懺章咒，並凜遵諭旨，一字不收。宋人朱表青詞，亦概從刪削。其倚聲填調之作，如石孝友之《金谷遺音》、張可久之《小山小令》，臣等初以相傳舊本姑為錄存，並蒙皇上指示，命從屏斥，……是以編輯雖富，而謹持繩墨，去取不敢不嚴。[344]

　　紀昀一方面很技巧地在凡例中說明了元曲見斥不被著錄的原因，是由於乾隆皇帝的旨意而非館臣等的主張，一方面也在各篇提要中加以肯定，以為「未可全斥為俳優也」、「闡揚風化，開導愚蒙……豈徒斤斤於紅牙翠管之間哉」，對作家的作品仍不吝給予好評「然亦不能謂之不工」、「要為倚聲家一作手」：

　　詞、曲二體，在文章、技藝之間，厥品頗卑，作者弗貴，特才華之士，以綺語相高耳。然三百篇變而為古詩，古詩變而為近體，近體變而詞，詞變而曲，層累而降，莫知其然。究厥淵源，實亦樂府之餘音，風人之末派，其於文苑，同屬附庸，未可全斥為俳優也。[345]

　　（蘇）軾以歌行縱橫之筆，盤屈而為詞，跌岩排奡，一變唐五代之舊格，遂為辛棄疾一派開山，尋溯源

---

344 〈四庫全書凡例〉，《四庫全書總目》，前揭書，頁 33。
345 〈詞曲類敘〉，《四庫全書總目》，前揭書，頁 2779。

流，不能不謂之別調，然亦不能謂之不工。[346]

（秦）觀詩格不及蘇、黃，而詞則情韻兼勝，在蘇、黃之上，流傳雖少，要為倚聲家一作手。[347]

大聖人闡揚風化，開導愚蒙，委曲周詳，無往不隨事立教者，此亦一端矣。豈徒斤斤於紅牙翠管之間哉？[348]

詞的地位還較曲來得高，畢竟還能加以著錄，而曲則遵奉所謂的聖裁，一概不錄「南北曲非文章之正軌，故不錄其詞，惟存其論曲之語，與曲譜、曲韵」[349]，紀昀雖能欣賞，但也只能在提要中一方面稱許他們的文學成就「亦不能盡廢」，一方面又加以斥責「敝精神於無用」：

自五代至宋，詩降而為詞；自宋至元，詞降而為曲，文人學士往往以是擅長。如關漢卿、馬致遠、鄭德輝、宮大用之類，皆藉以知名於世，可謂敝精神於無用。然其抒情寫景，亦時能得樂府之遺，小道可觀，遂亦不能盡廢。[350]

（王）九思酷好音律，嘗傾貲購樂工，學琵琶，得其神解……九思獨敘事抒情宛轉妥協，不失元人遺意……可謂聲音文字兼擅其勝。然以士大夫而殫力於此，與伶官歌妓較短長，雖窮極窈眇，是亦不可以已乎？[351]

---

346 〈東坡詞提要〉，《四庫全書簡明目錄》卷 20，前揭書，頁 888。
347 〈淮海詞提要〉，《四庫全書總目》卷 198，前揭書，頁 2782-2783。
348 〈欽定曲譜提要〉，《四庫全書總目》卷 199，前揭書，頁 2811。
349 〈詞曲類案語〉，《四庫全書簡明目錄》卷 20，前揭書，頁 906。
350 〈張小山小令提要〉，《四庫全書總目》卷 200，前揭書，頁 2823。
351 〈碧山樂府提要〉，《四庫全書總目》卷 200，前揭書，頁 2823。

　　此外紀昀對詞韵的看法，分析得相當合情合理，足見紀
昀於音韵之造詣：

> 考填詞莫盛於宋，而二百餘載作者雲興，但有製調之
> 文，絕無撰韵之事。核其所作，或竟用詩韵，或各雜
> 方言，亦絕無一定之律，不應一名流都忘此事，留待
> 數百年後始補闕拾遺。蓋當日所講，在於聲律抑揚抗
> 墜，剖析微芒。至其詞則雅俗通歌，惟求諧耳，所謂
> 有井水喫處，都唱柳詞是也，又安能以《禮部韵略》
> 頒行諸酒壚茶肆哉？作者不拘，蓋由于此，非其智有
> 所遺也……大抵作詞之韵，愈考愈岐，萬不得已，則
> 於古韵相通之中，擇其讀之順吻者用之……故今於諸
> 韵書外，惟錄曲韵而詞韵則概存目焉。[352]

　　而紀昀在《四庫全書總目》中也提出詩與詞曲彼此間的
不同與特色，進而分辨出詞曲特有的語言風格以及審美特徵：

> 要之，詩人之言，終為近雅，與詞人之冶蕩有殊。其
> 短其長，故具在是也。[353]

> 考三百篇以至詩餘，大都抒寫性靈，緣情綺靡。惟南、
> 北曲則依附故實，描摹情狀，連篇累牘，其體例稍殊。[354]

　　楊有山整理了《四庫全書總目》中〈蘆川詞提要〉、〈沈
氏樂府指迷提要〉等篇提要，對《四庫全書總目》中論述詞
曲的語言風格以及審美特徵，有以下的結論，今引述如下：

> 《總目》認為詩詞的語言風格不同。詞的語言風格應

352　〈詞韵提要〉，《四庫全書總目》卷 200，前揭書，頁 2822。
353　〈放翁詞要〉，《四庫全書總目》卷 198，前揭書，頁 2795。
354　〈欽定曲譜提要〉，《四庫全書總目》卷 199，前揭書，頁 2810。

「本色」，應貼近世俗人情；詩的語言風格應莊重典雅。由於把握住了詩詞體性風格的不同，因而《總目》對詩詞語言風格的不同也提出了精闢的見解……《總目》，抓住了詞曲是音樂文學，其聲情主要訴諸於人的聽覺的特點，強調在用語上力求本色，用通俗自然、清新流暢的語言曲盡人情，使人產生直接的情感共鳴，而反對用「新僻」、「典重」之字，反對用「代字」以影響聽覺的美感效果。[355]

4.對詩文評的看法

　　雖然四庫全書仍然按照以往四部分類，而集部所包含的內容並非全為純文學的作品，但分部已較細密，尤其是詩文評一項的獨立，紀昀可說是獨具隻眼，今將幾種重要書目集部分類，列一簡表，和四庫總目做比較[356]：

---

355 楊有山：〈論《四庫全書總目》的文體研究〉，《南陽師範學院學報》，
　　2002：3，頁 46。
356 錄自姚名達《中國目錄學史》，（台北：盤庚出版社，1979），頁 102。

七略	七錄	隋書經籍志	古今書錄	新唐書藝文志	崇文總目	郡齋讀書志
IV（詩賦略）5.歌詩	IV（文集錄）	IV（集部）	IV（丁部集錄）	IV（丁部集錄）	IV（集部）	IV（集部）
1.賦（屈原等）	1.楚辭部	1.楚辭	1.楚辭	1.楚辭	1.楚詞類	1.楚辭
2.賦（陸賈等）						
3.賦（孫卿等）						
4.雜賦						
	2.別集部	2.別集	2.別集	2.別集	2.別集類（一二三四五六七）	2.別集
	3.總集部	3.總集	3.總集	3.總集類	1.總集類（上下）	3.總集
	4.雜文部				3.文史類	

遂初堂書目	直齋書錄解題	文獻通考經籍考	宋史藝文志	明史藝文志	四庫全書總目
5.樂曲類	5.歌詞類：2.詞　3.曲　1.樂府	4.歌詞			5.詞曲類：1.詞集　2.詞選　3.詞話　4.詞譜　5.詞韻　6.南北曲
IV（集部）	IV（集部）	IV（集部）	IV（集部）	IV（集部）	IV（集部）
	1.楚辭類	1.賦詩	1.楚辭類		1.楚辭類
1.別集類	5.詩集類（上下）3.別集類（詩文集　詩集　文集）	5.詩集類（上下　詩文集　文集）2.別集	2.別集類	1.別集類	2.別集類
3.總集類	2.總集類	6.總集	3.總集類	2.總集類	3.總集類
4.文史類	7.文史類（上中下）	7.文史	4.文史類	3.文史類	4.詩文評類

　　從上表可以看出四庫分類中。雖然沿襲傳統的四分法，把小說列入子部，但詞曲類已較前人有更精細的分類。此外，前人雖然有文史類，但是使得集史混亂，四庫能將詩文評獨立出來，除了表示詩文評這類作品已經日趨成熟豐富外，不免要歸功於紀昀的卓見了，也因此杜友定對詩文評的獨立很是讚賞：

> 《隋志》混於總集，不明體例；《宋志》有文史之目而不成類；明焦竑撰《國史經籍志》，始立文史評一門，然集史混亂，學者病之；四庫別立詩文評一門，為得體矣。[357]

　　詩文評的獨立也代表著中國文學批評史學科的獨立，紀昀對於歷代批評家和詩文評著作內容的介紹，以及對其學術觀點、源流和地位的介紹和評價，也往往表現出高度的鑒識水準，因此能言簡意賅地切中得失利弊，或是其價值之所在，為後代的批評史研究，提供了重要的借鑒。如他提出「文章莫盛於兩漢，渾渾灝灝，文成法立，無格律之可拘。建安、黃初，體裁漸備，故論文之說出焉，《典論》其首也」[358]，不僅較章學誠《文史通義·詩教上》「至戰國而文章之變盡，至戰國而著述之事專，至戰國而後世之文體備」的說法更為精準，而且也成為日本學者鈴木虎雄和魯迅先生關於中國文學自覺於魏晉時期說法的前導。又如他指出一些唐宋眾人傳頌的詩詞名句，像林逋的「疏影橫斜水清淺，暗香浮動月黃昏」、王之渙的〈鸛雀樓〉等等，都是因為司馬光「品第諸詩，乃

---

357 杜友定：《校讎新義》卷六，（台北：盤庚出版社，1979），頁58。
358 《四庫全書總目·詩文評類序》卷195，前揭書，頁2736。

極精密」，所以諸家之作「相沿傳誦，皆自光始表出之」，[359]原來爲人所忽視，司馬光《續詩話》的價值，經此始被拈出。

5.對小說的看法

紀昀除了在提要中談到他對小說的意見外，他本身也有小說的創作，所以在此除了討論他的理論之外，尙可檢視他小說創作是否能實踐理論。

（1）小說理論[360]

小說的涵義，古今不同。從班固將小說家列入《漢書藝文志‧諸子略》中：「諸子十家……崇其所善，以此馳說，取合諸侯」，就有小說家以立論爲宗的意味，《文心雕龍》和《隋書》都遵循了這一規範，將小說列入子部。然而小說的敘事意味在魏晉南北朝時期增強了許多，像《世說》、《語林》被原本被列入子部，但敘事意味濃厚的著作增多，劉知幾《史通》於是將小說視爲「史氏流別」，是正史的補充，加上《搜神記》、《幽明錄》、《異苑》一類的「雜記」，將之歸入史部。雖然小說的範圍擴大了，但卻引出小說中「虛辭」和史家求真的精神不符的衝突，所以歐陽脩在《新唐書‧藝文志》中，一方面因爲小說中的敘事性質而說出：「傳記、小說……皆出於史官之流也」的話，但也顧慮到小說的虛構性，將大批唐代傳奇的作品著錄於子部小說家類。於是小說帶著虛構性、故事性抒發個人理念的特性就造成學者在歸類上麻煩的問題，所以鄭樵才說：「古今編書所不能分者五……三曰小

---

359 〈續詩話提要〉，《四庫全書總目》卷 195，前揭書，頁 2740。
360 本段之說一部份參考前野直彬著‧吳璧雍譯：《論明清兩種對立的小說理論》──〈金聖嘆與紀昀〉一文，《中外文學》14：3。

說……凡此五類書,足相紊亂。」[361]、胡應麟也稱:「小說,
子書流也,然談說理道或近於經,又有類注疏者;紀述事迹
或通於史,又有類志傳者……不知最易混淆者小說也,必備
見簡編,窮究底裏,庶幾得之」[362],小說難以歸類,是紀昀
無法迴避的問題。

　　紀昀對傳統的四部法加以改造,力圖將小說類與史部、
子部雜家類區分,改變了以往正史中小說著錄的混亂,最終
將小說脫離史部而歸入子部,陳文新認為有三點作用[363]:一
是把筆記小說劃歸子部,劉知幾《史通・雜述》中所論列的
「偏記」、「小錄」、「郡書」、「家史」、「別傳」「地理書」、「都
邑簿」等就不再有理由躋身於筆記小說的隊伍,這對於清理
筆記小說,保持其純潔性是必要的。二是把筆記小說劃歸子
部,是對筆記小說虛構的內容有一定程度的認同,在《閱微
草堂筆記》中多處可見此類意見:只要是寓有健康的人生感
慨或訓誡、生活中合情合理可能發生之事、有限度的失真等
都是可以接受的,至於危害世道人心的內容、不合情理的虛
構則是堅決反對的。三是把筆記小說劃歸子部,這表明,它
負有「議」即指導生活的責任。

　　至於紀昀在《四庫全書總目》中對小說的看法,就要嚴
肅得多了,頗有史家求真的精神:

　　　　跡其流別,凡有三派:其一敘雜事;其一記錄異聞;

361　馬端臨:《文獻通考》卷 195 引,(台北:新興書局,1965),頁 1648。
362　《少室山房筆叢・九流緒論》,(上海:上海書店,2001),頁 283。
363　陳文新:《文言小說審美發展史》,(湖北:武漢大學出版社,2002),
　　　頁 611-613。

其一綴輯瑣語也。唐宋而後，作者彌繁，中間誣謾失
真、妖妄熒聽者，固為不少，然寓勸戒、廣見聞、資
考證者，亦錯出其中。班固稱「小說家流，蓋出於稗
官」，如淳注謂：「王者欲知閭巷風俗，故立稗官，便
稱說之」。然則博採旁蒐，是亦古制，固不必以冗雜
廢矣。今甄錄其近雅馴者，以廣見聞。惟猥鄙荒誕，
徒亂耳目者，則黜不載焉。[364]

由上面這段文字看來，小說的基本性質是「博採旁蒐」，
因此不論是「敘述雜事」，或是「記錄異聞」，還是「綴輯瑣
語」，只要不是「誣謾失真，妖妄熒聽」，雖然是冗雜了些，
還是承認它的存在價值。換言之，失真、妖妄對小說來說，
都是致命傷，所以雜事、異聞、瑣語三者皆須以述真為前提。
不失真，則博採旁蒐才有價值，在不失真的情況下，才能不
妖妄熒聽，也才能「以廣見聞」，廣見聞才能「資考證」，因
此小說當在求真上去追求。他這種論調，正是代表著傳統士
大夫階層的看法，畢竟在私家著述中，可以有較大的自由意
見表達空間。

而把小說列入子部更表明了小說負有傳統子書中闡發某
種學說或主張的功能，也就是紀昀所說的：「稍存勸懲之旨」，
這種論點，正清楚地表現出紀昀寫作的態度和精神是相當嚴
肅的。盛時彥在〈姑妄聽之跋〉中就曾提出：

時彥嘗謂先生諸書，雖托諸小說，而義存勸戒，無一
非典型之言，此天下之所知也。至於辨析名理，妙極

364 〈子部小說家類敘〉，《四庫全書總目》，前揭書，頁1834。

精微；引據古義，具有根柢，則學問見焉。敘述剪裁，
貫穿映帶，如雲容水態，迴出天機，則文章亦見焉。
讀者或未必盡知也，第曰「先生出其餘技，以筆墨游
戲耳」。然則視先生之書，去小說幾何哉？夫著書必
取熔經義，而後宗旨正；必參酌史裁，而後條理明；
必博涉諸子百家，而後變化盡。譬大匠之造宮室，千
楹廣廈，與數椽小築，其結構一也。故不明著書之理
者，雖詰經評史，不雜則陋；明著書之理者，雖稗官
脞記，亦具有體例。[365]

又如同紀昀八十大壽時，他的門生汪德鉞所說的「（《閱
微草堂筆記》）無非寓懲勸以發人深省者」：

平生講學，不空持心性之談，人以為異於宋儒，不知
其牖民於善，防民於淫，拳拳救世之心，實導源洙泗。
即偶為筆記也，以為中人以下，不可與莊語，於是以
厄言之出，代木鐸之聲。乍視之，若言奇言怪；細核
之，無非寓懲勸以發人深省者。柳子厚云：「即末以
操其本，可十七八」，此與濂洛關閩拯人心沉溺者，
意旨不若合符節歟？[366]

雖然紀昀自云其書為「灤陽消夏錄」、「姑妄聽之」、「如
是我聞」等名，語近詼諧，又稱「晝長無事，追錄見聞，憶
及即書，都無體例」[367]、「今老矣，無復當年之意興，惟時拈

365　盛時彥：〈姑妄聽之跋〉，前揭書第二冊，前揭書，頁 492。

366　汪德鉞：〈紀曉嵐師八十序〉，《四一居士文抄》卷四，（《稀見清人別
　　　集叢刊》第 12 冊，廣西師範大學出版社，2007 年），頁 332-333。

367　紀昀：〈灤陽消夏錄序〉，前揭書第二冊，頁 1。

紙墨，追錄舊聞，姑以消遣歲月而已」[368]、「景薄桑榆，精神日減，無復著書之志，惟時作雜志，聊以消閒，《灤陽消夏錄》等四種，皆弄筆遣日者也」[369]，這只可視爲自謙之詞，因爲在景薄桑榆、精神日減、垂垂老矣的暮年，願意耗費近十年的歲月創作此書，不會僅僅是爲了弄筆遣日而已。若其立著的宗旨，除盛時彥所云「雖托諸小說，而義存勸戒」外，紀昀自己也說「或有益於勸懲」[370]、「大旨期不乖於風教」[371]、「儒者著書，當存風化，雖齊諧志怪，亦不當收悖理之言」[372]、「惟不失忠厚之意，稍存勸懲之旨」[373]，勸懲的用意十分明顯，在《閱微草堂筆記》中，紀昀也會透露出一些端倪：

> 小說稗官，知無關於著述；街談巷議，或有益於勸戒。儒者著書，當存風化。雖齊諧志怪，亦不當收悖理之言。余性酖孤寂，而不能自閒，卷軸筆硯，自束髮至今，無數十日相離也。三十以前講考證之學，所望之處，典籍環繞如獺祭。三十以後，以文章與天下相馳驟，抽黃對白，恆終夜構思。五十以後，領修秘籍，復折而講考證……復有此集……然大旨期不乖於風教，若懷挾恩怨、顛倒是非，如魏泰陳善之所為，則自信無是矣。唯不失忠厚之意，稍存勸懲之旨，不顛倒是非如碧雲騢；不挾私怨如周秦行紀；不描摹才子

---

368 紀昀：〈姑妄聽之序〉，前揭書第二冊，頁 375。
369 紀昀：〈灤陽續錄序〉，前揭書第二冊，頁 494。
370 紀昀，〈灤陽消夏錄序〉，前揭書，頁 1。
371 紀昀：〈姑妄聽之序〉，前揭書第二冊，頁 375。
372 紀昀，《灤陽消夏錄》卷六，前揭書第二冊，頁 120。
373 紀昀，《灤陽續錄》卷六，前揭書第二冊，頁 583。

佳人如會真記；不繪畫橫陳如秘辛，冀不見擯於君子
云爾。[374]

所以梁恭辰才在《北東園筆錄初編》卷一中說：

> 或疑文達公博覽淹貫何以不著書？余曰：「公一生精
> 力具見於《四庫全書提要》，又何必更著書」。或又言：
> 「既不著書，何以又撰小說？」余曰：「此公之深心
> 也。蓋考據論辨之書，至於今而大備，其書非留心學
> 問者多不寓目。而稗官小說，搜神志怪，談狐說鬼之
> 書，則無人不樂觀之。故公即於此寓勸戒之意，托之
> 於小說，而其書易行，出之以諧談，而其言易入。然
> 則，〈如是我聞〉、〈槐西雜志〉諸書，其覺夢之清鐘，
> 迷津之寶筏乎？按近今小說家有關勸戒諸書，莫善於
> 《閱微草堂筆記》。」[375]

因此魯迅也才會說「則《閱微》又過偏於論議。蓋不安
於僅為小說，更欲有益人心」[376]。

紀昀既標舉出對小說的看法是「富勸戒、廣見聞、資考
證」，不合於這個標準的，自然不予收入《四庫全書》中，《水
滸傳》、《西遊記》這些小說未被收入《四庫全書》的情形來
看，多少可知其主張。紀昀生逢清代考據學鼎盛的時期，他
三十歲之前，五十歲之後又專講考據之學，考據旨在求真，
廣見聞則在資考據，這種治學態度表現在他的創作上則是「取

---

374 紀昀，〈灤陽消夏錄序〉，前揭書第二冊，頁 1。
375 收入《筆記小說大觀》第 29 冊，（江蘇：廣陵古籍出版社，1983），
　　頁 227。
376 魯迅，《中國小說史略》第 22 章，（上海：上海古籍出版社，2006），
　　頁 138。

熔經義」,「參酌史裁」,「博涉諸子百家」,故他對小說的看法亦是趨於務是求真,以及有益於世道人心方面。

在他所標舉的「廣見聞、資考證」的小說理論,無疑的是他治學態度的延續,至於「寓勸戒」,雖然也是他實用治學精神的表現,更是中國傳統士大夫觀的表現。從詩有美刺之說開始,文學的功用就是爲著所謂的道統來服務,「文以載道」的主張,是數百年來絕大多數文人所秉持的信念,文學的價值依附於道德的理論,使得衛道之士,視《水滸傳》、《金瓶梅》等書爲毒蛇猛獸,甚至造出一些毀謗的故事來恐嚇讀者,如說王實甫寫《西廂記》,在寫到「北雁南飛」一句時,便仆倒於地,咬舌而死;施耐庵作《水滸傳》,子孫三代瘖啞;曹雪芹作《紅樓夢》而終身貧窮,後代被族誅;高鶚續《紅樓》,理應老窮而歿;而金聖嘆批《西廂》、刪《水滸》,落得腰斬的下場,凡此種種,都說明了小說特有的文學價值,在當時並未受到肯定。紀昀雖非如此狹隘的道德主義者,但他卻也認爲小說是應「寓勸戒」,而且是首要條件,他的創作亦是以此爲主。然而我們卻不必以此來深責紀昀,畢竟古往今來又有幾人能不受傳統的影響而超越於時代之前呢?就連晚明傾向性靈派的李贄、三袁、馮夢龍這派文人,他們雖主張寫詩文是自我的表現,不必附帶任何實用或道德的意義,然而這些人一論及小說,卻也不免有道貌,如李贄評點水滸傳,必以「忠義」冠其首,似乎水滸傳的價值只在於「忠義」而已。[377]

水滸、金瓶梅這類被視爲淫詞小說,雖得不到紀昀等傳

---

377 本段之說一部份參考前野直彬著・吳璧雍譯:《論明清兩種對立的小說理論》──〈金聖嘆與紀昀〉一文,《中外文學》14:3。

統仕人的認同，但卻不表示紀昀就否定小說，反而是紀昀能認清小說能感人捷且深的功用，因此以紀昀之博學通儒，不事於經典之作，而專務於筆記小說，實是紀昀欲寓勸戒於小說中，紀昀的心態，張維屏的《聽松廬文鈔》中說得最明白：

> 或又言：文達不著書，何以喜撰小說？余曰：「此文
> 達之深心也，蓋考據辨論諸書，至於今已大備，且其
> 書非留心學問者，多不寓目，而稗官小說、搜神誌怪、
> 談狐說鬼之書，則無人不樂觀之。故文達即於此寓勸
> 戒之方、含箴規之意，託之於小說，而其書易行出之，
> 以詼諧而其言易入。然則《閱微草堂筆記》數種，其覺
> 夢之清鐘、迷津之寶筏乎！觀者慎無以小說忽之。」[378]

「寓勸戒之方、含箴規之意」正說出紀昀著作的旨趣，所以使人「驟聞其語近詼諧，過而思之，乃名言也」。其實不待後人言之，盛時彥早在《閱微草堂筆記》的序中，已說得清清楚楚：

> 文以載道，儒者無不能言之。夫道豈深隱莫測，秘密
> 不傳……哉？萬事當然之理，是即道矣……文，其中
> 之一端也。……再降而稗官小說……其近於正者，於
> 人心世道，亦未嘗無所裨歟！河間先生以學問文章負
> 天下重望，而天性孤直，不喜以心性空談，標榜門戶；
> 亦不喜才人放誕詩社、酒社，夸名士風流。是以退食
> 之餘，惟耽懷典籍，老而懶於考索，乃采摭異聞，時
> 作筆記，以寄所欲言。《灤陽消夏錄》等五書……而

---

378 李桓：《國朝耆獻類徵初編》宰輔卷 31 引，（江蘇：廣陵古籍出版社，1985），頁 22。

> 大旨要歸於醇正，欲使人知所勸懲。故誨淫導慾之
> 書，以佳人才子相矜者，雖紙貴一時，終漸歸湮沒。
> 而先生之書，則梨棗屢鐫，久而不厭，是則華實不同
> 之明驗矣。[379]

雖說紀昀以小說具有載道的觀念，仍無法使小說獲得真正獨
立的文學價值，但總是把小說和六經都稱有載道之用，也算
是對小說青睞有加了。高仲華先生即稱：

> 夫昀以學問文章，負天下重望；乃竟寄意於小說，俶
> 詭奇譎，無所不載，洸洋恣肆，無所不言，使天下人
> 皆知小說之為文學，不在鴻篇麗製之下。其見不可謂
> 不卓，其功亦不可謂不偉矣。惟其著述大旨，悉歸勸
> 懲，猶有是非不謬於聖人之意，與今之所謂純文學者
> 稍異其趣，蓋時代限之也。[380]

今人大多以四庫未收宋元以來之白話小說為病，我想最
大的原因還是統治者的因素，從《大清聖祖仁皇帝實錄》卷
一百九十二、恭阿拉等《學政全書》卷十四、俞正燮《癸巳
存稿》等書中都記載著「朕見樂觀小說者，多不成材，是不
惟無益而且有害」、「康熙四十八年六月，議准淫詞小說，及
各種秘藥，地方官府嚴禁。五十三年四月，九卿議定坊肆小
說淫詞，嚴查禁絕，板與書盡銷毀，違者治罪，印者讀者流
徒。」、「（同治八年江蘇巡撫丁日昌奏禁）淫詞小說，向干例
禁，乃近來書賈射利，往往鏤板流傳，揚波扇焰，《水滸》、《西

---

379 前揭書第二冊，頁 1。
380 高明：〈紀昀傳〉，收入《高明文集》下冊，（台北：黎明圖書公司，
　　1978），頁 608。

廂》書等，幾于家置一編，人懷一篋。原其著造之始，大率
少年浮薄，以綺膩爲風流，鄉曲武豪，借放縱爲任俠，而愚
民鮮識，遂以犯上作亂之事，視爲尋常。地方官漠不經心，
方以爲盜案奸情，紛歧疊出，殊不知忠孝廉節之事，千百人
教之然未見爲功，奸盜詐僞之書，一二人導之而立萌其禍。
風俗與人心相爲表裡，近來兵戈浩劫，未嘗非此等逾閑蕩檢
之說，既釀其殃。若不嚴行禁毀，流毒伊於胡底？」這些清
帝與大吏鄙視小說的記載[381]，我想這並非紀昀鄙視小說，否
則他又何必從事小說的寫作，以期「或有益於勸懲」、「大旨
期不乖於風教」、「儒者著書，當存風化，雖齊諧志怪，亦不
當收悖理之言」、「惟不失忠厚之意，稍存勸懲之旨」呢？不
過他不認同《聊齋誌異》的寫作筆法倒是真的，這個觀念還
是源自於他史學家的小說觀，認爲蒲氏是「才子之筆」，跟傳
統的小說寫法不同，在他的學生盛時彥所寫的〈姑妄聽之〉
跋中，引及紀昀此種和蒲松齡對小說敘事觀點不同的論調：

> 先生嘗曰：《聊齋志異》盛極一時，然才子之筆，非
> 著書者之筆也。虞初以下，干寶以上，古書多佚矣。
> 其可見完帙者，劉敬叔《異苑》，陶潛《續搜神記》，
> 小說類也。《飛燕外傳》、《會真記》，傳記類也。《太
> 平廣記》事以類聚，故可並收。今一書而兼二體，所
> 未解也。小說既述見聞，即屬敘事，不比劇場關目，
> 隨意裝點。伶玄之傳，得諸樊嬺，故猥瑣具詳；元稹
> 之記，出於自述，故約略梗概。楊升庵僞撰《秘辛》，

381　引自阿英：《阿英說小說‧關於清代的查禁小說》，（上海：上海古籍
出版社，2000），頁 70-71。

尚知此意，升庵多見古書故也。今燕昵之詞，媟狎之
態，細微曲折，摹繪如生，使出自言，似無此理；使出
作者代言，則何從而聞見之？又所未解也。留仙之
才，余誠莫逮其萬一，唯此二事，則夏蟲不免疑冰。[382]

　　紀昀對蒲松齡「燕昵之詞，媟狎之態，細微曲折，摹繪
如生，使出自言，似無此理；使出作者代言，則何從而聞見
之」，這樣以全知觀點的小說寫法並不認同，甚至在《灤陽續
錄》後附錄其亡兒紀汝佶六則遺作時，不像門人盛時彥所引
述的，說得那樣婉轉，而是直抒痛心之言，這也就不難看出
紀昀是如何不認同蒲松齡的小說觀點了：

亡兒汝佶……後依朱子穎於泰安，見《聊齋志異》抄
本（時是書尚未刻）又誤墮其窠臼，竟沈淪不返，以
訖於亡……惟所作雜記，尚未成書，其間瑣事，時或
可采。因為簡擇數條，附此錄之末，以不沒其篝燈呵
凍之勞。又惜其一歸彼法，百事無成，徒以此無關著
述之詞，存其名字也。[383]

（2）理論的實踐

　　《閱微草堂筆記》五種廿四卷，包含了《灤陽消夏錄》
六卷 290 則、《如是我聞》四卷 248 則、《槐西雜志》四卷 277
則、《姑妄聽之》四卷 210 則和《灤陽續錄》六卷 147 則等五
種，共 1172 則[384]。內容依盧錦堂先生的劃分，有命數、占算、

---

382 前揭書第二冊，頁 492。
383 前揭書第二冊，頁 583。
384 筆者以嘉慶五年刊本為例，目錄所載的則數統計為 1281 則，實際點
　　數的則數是 1172 則。

輪迴、扶乩、果報、復甦、入冥、鬼魂、狐怪、妖魅、感夢、神靈、異人、道術、博物、天文輿地、醫方、其他異聞、獄訟、淫佚、遺事、瑣語等二十二類，可謂之廣博也。至於敘述的方式，多數在故事開始，便說明時間和地點，書中故事幾乎都記有其所發生的地域，大致可分為：獻縣及其鄰縣（如滄州、交河、青縣、饒陽、武強、肅寧、河間）、京師、烏魯木齊、福建、熱河、紀昀之前輩、親友與朋友之鄉里或仕宦所在[385]；並且以他的長輩、親戚、僚友和門生、下屬、僕人做故事的敘述者，紀昀本身的經歷比較少。這些故事的交代者，其中不少當時的名人，如余蕭客、戴震、蔣士銓、陸錫熊等人，如此一來，更增加了故事的真實性與權威性，他以這種方式取得讀者的信任後，再來討論故事的意義。

　　從《閱微草堂筆記》中，我們不難發現草堂筆記的創作，事實上是紀昀小說理論的實踐。如務求真實，不妖妄熒聽，則言「裘文達公言」、「康熙十四年」、「河域西村民」標明人物、時間、地點，以示非誣謾失真。紀書雖以寓勸戒說理為主，然亦有可廣見聞、資考證者：

> 　　閩有方竹，燕山之柿形微方，此各一種也。山東益都有方柏，蓋一株偶見，他柏樹則不方。余八、九歲時，見外祖家介祉堂中，有菊四盆，開花皆正方，瓣瓣整齊如裁剪，云得之天津查氏，名黃金印。先姚安公乞其根歸，次歲花漸圓，再一歲則全圓矣。或曰花原常菊，特種者別有法，如靛浸蓮子，則花青；墨揉玉簪

385　詳見盧錦堂：《紀昀生平及其閱微草堂筆記》，政治大學 1974 碩士論文，頁 100。

之根，則花黑也，是或一說歟。[386]

余嘗惜西域漢畫毀於烟煤，而稍疑一二千年筆迹，何以能在？從姪虞惇曰：「朱墨著石，苟風雨所不及，苔蘚所不至，則歷久能存。易州、滿城接壤處，有村曰神星……其峰上陟下斂，如雲朵之出地，險峻無路。好事者，攀踏出孔穴，可至山腰，多有舊人題名，最古者有北魏人、五代人，皆手跡宛然可辨。然則洞中漢畫之存於今，不為怪矣。」[387]

戴遂堂先生諱亨，姚安公癸巳同年也。罷齊河令歸，嘗館余家。……言少時見先人造一鳥銃，形若琵琶，凡火藥鉛丸皆貯於銃脊，以機輪開閉。其機有二，相銜如牝牡，扳一機則火藥鉛丸自落筒中，第二機隨之並動，石激火出而銃發矣。計二十八發，火藥鉛丸乃盡，始需重貯。擬獻於軍營，夜夢一人訶責曰：「上帝好生，汝如獻此器使流布人間，汝子孫無噍類矣。」乃懼而不獻。說此事時，顧其姪秉瑛（乾隆乙丑進士，官甘肅高臺知縣）曰：「今尚在汝家乎？可取來一觀。」其姪曰：「在戶部學習時，五弟之子竊以質錢，已莫可究詰矣。」其為實已亡失，或愛惜不出，蓋不可知。然此器亦奇矣。[388]

　　草堂筆記中，記載最多的，算是張皇鬼神、稱靈道異的鬼狐故事了，紀昀往往藉事而發揮，加以說理勸戒：

386　〈如是我聞〉卷二，前揭書第二冊，頁 170-171。
387　〈槐西雜志〉卷四，前揭書第二冊，頁 344。
388　〈灤陽續錄〉卷一，前揭書第二冊，頁 499。

從弟東白宅在村西井畔後，前未為宅時，繚以周垣，
環築土屋。其中有屋數間，夜中輒有叩門聲，雖無他
故，而居者恆病不安。一日門旁牆圯，出一木人，作
張手扣門狀，上有符籙，乃知工匠有嗛於主人，作是
鎮魘也。故小人不可與輕作緣，亦不可與輕作難。[389]

　　然而並非每一次都以自己的身份發言，有時是藉著第三
者的口吻來說理：

宋子剛言：「一老儒訓蒙鄉塾，塾側有積柴，狐所居
也，鄉人莫敢犯，而學徒頑劣，乃時穢污之。一日，
老儒往會葬，約明日返。諸兒因景几為檯，塗朱墨演
劇。老儒突返，各撻之流血，恨恨復去。眾以為諸兒
大者十一二，小者七八歲耳，皆怪師太嚴。次日老儒
返，云昨實未歸，乃知狐報怨也。有欲訟諸土神者，
有議除積柴者，有欲往詬詈者。中一人曰：「諸兒實
無禮，撻不為過，但太毒耳。吾聞勝妖當以德，以力
相角，冤冤相報，吾慮禍不止此也」。眾乃止。此人
可謂平心，亦可謂遠慮矣。[390]

有時亦藉鬼狐自申其理：

里人范鴻禧，與一狐友暱。狐善飲，范亦善飲，約為
兄弟，恆相對醉眠。忽久不至。一日，遇於秫田中，
問何忽見棄？狐掉頭曰；親兄弟尚相殘，何有於義兄
弟耶？不顧而去。蓋范方與弟訟也。[391]

---

389 〈槐西雜志〉卷四，前揭書第二冊，頁 353。
390 〈槐西雜志〉卷三，前揭書第二冊，頁 312-313。
391 〈如是我聞〉卷四，前揭書第二冊，頁 237-238。

　　紀昀以志怪來寓勸戒，常出以嘲弄的筆法，在詼諧中含著說教的成份，他雖然不能破除迷信，但卻往往藉著迷信來使人向善。他所要說教的，就是所謂忠孝節義：一方面表彰忠孝節義，一方面也暗示著不守此道德倫常，會招致酷罰。在《閱微草堂筆記》中紀昀對三綱五常、忠孝節義等倫理道德，仍是不餘遺力地提倡與遵守，這類的例子很多，全書中忠臣、孝子、節婦獲得鬼神欽敬、呵護的例子比比皆是[392]，皆是紀昀欲藉鬼神幽明世界，建立起一個法律與道德倫常的制度，以勸人向善。雖然他是藉鬼神的力量來勸人向善，但他還是依情度理加以剖析，使人能心服口服，此非一般迷信

---

[392]　忠臣之例如〈灤陽消夏錄〉卷三「有廝養曰巴拉，從征時遇賊，每力戰，後流矢貫左頰，鏃出於右耳之後，猶奮刀砍一賊，與之俱仆。後因事至孤穆第（在烏魯木齊、特納格爾之間），夢巴拉拜謁，衣冠修整，頗不類賤役。夢中忘其已死，問向在何處？今將何往？對曰：「因差遣過此，偶遇主人，一展積戀耳。」問何以得官？曰：「忠孝節義，上帝所重，凡為國捐生者，雖下至僕隸，生前苟無過惡，幽冥必與一職事；原有過惡者，亦消除前罪，向人道轉生。奴今為博克達山神部將，秩如驍騎校也」（前揭書，頁 47），孝子之例如〈灤陽消夏錄〉卷三「去余家十餘里，有瞽者姓衛，戊午除夕，偏詣常呼彈唱家辭歲，各與以食物，自負以歸。半途失足，墮枯井中。既在曠野僻徑，又家家守歲，路無行人，　呼號嗌乾，無應者。幸井底氣溫，又有餅餌可食，渴甚則咀水果，竟數日不死。會屠者王以勝驅豕歸，距井有半里許，忽繩斷，豕逸狂奔野田中，亦失足墮井，持鉤出豕，乃見瞽者，已氣息僅屬矣。井不當屠者所行路，殆若或使之也。先兄晴湖問以井中情狀，瞽者曰：「是時萬念皆空，心已如死。惟念老母臥病，待瞽子以養。今並瞽子亦不得，計此時恐已餓莩，覺酸徹肝脾，不可忍耳。」先兄曰：非此一念，王以勝所驅豕必不斷繩」（前揭書，頁 55），節婦之例如〈灤陽消夏錄〉卷二記「一日，喧傳節婦至，冥王改容，皆振衣佇迓。見一老婦裊然來，其行步步漸高，如躡階級，比到，竟從殿脊上過，莫知所適。冥王憮然曰：『此已升天，不在吾鬼籙中矣。』」（前揭書，頁 35）。

所能及。因此，紀昀重視神道設教的用意，雖然在鬼神之說
上和宋儒相左，但最終連一向服膺理學「一宗宋儒」的曾國
藩也接受，曾國藩就曾爲徐琦節錄《閱微草堂筆記》中鬼神
因果故事而成的《紀氏嘉言》作序說：

> 浮屠警世之功與吾儒相同，亦未厚貶而概以不然屏之
> 者……世風日漓，無欲而爲善，無畏而不爲不善者，
> 不可得已。苟有術焉，可以驅民於淳樸而稍遏其無等
> 之欲，豈非士大夫有世教之責者事哉？[393]

雖然紀昀在閱微草堂筆記中實踐了他的小說理論，但後
人以文學論文學的眼光來看，自不免認爲「但過偏於議論，
且其目的爲求有益人心，已失去了文學的意義」[394]，說穿了
這是紀昀說教心切使然，雖然如此，但現代著名女作家張愛
玲在〈談看書〉一文中曾說過：

> 譬如小時候愛看《聊齋》，連學它的《夜雨秋燈錄》
> 等都看過好幾遍，包括《閱微草堂筆記》，盡管《閱
> 微草堂》的冬烘頭腦令人髮指。多年不見之後，《聊
> 齋》覺得比較纖巧單薄，不想再看，純粹記錄見聞的
> 閱微草堂卻看出許多好處來。[395]

然而書中有時亦表現出一派詩人墨客的風采，完全沒有
「天地君親師」嚴肅的面孔[396]，如〈灤陽消夏錄〉卷一：

---

393 〈紀氏嘉言序〉，曾國藩：《曾國藩全集》第 14 冊，（湖南：岳麓書
社，1986），頁 172。
394 譚正璧：《中國文學史》，（台北：莊嚴出版社，1982），頁 361。
395 文刊於中國時報，1974.4.25，十二版。
396 語見賴芳伶：〈閱微草堂筆記在文學史上的地位〉一文，《中外文學》
5：2，頁 159。

永春邱孝廉二田，偶憩息九鯉湖道中。有童子騎牛
來，行甚駛，至邱前朗吟曰：「來衝風雨來，去踏煙
霞去。斜照萬峰青，是我還山路」。怪村豎那得作此
語，凝思欲問，則笠影出沒杉檜間，已距半里許矣。
不知神仙游戲，抑鄉塾小兒聞人誦而偶記也。[397]

　　即洋溢著詩情畫意，頗具有不著一字，盡得風流的禪意。
因此我們若是說《閱微草堂筆記》純文學的意味不濃，這該
是持平的看法，若專以二十一世紀的文學觀來評責十八世紀
的作品，就未免失之嚴苛了。綜合上述所言，《閱微草堂筆記》
確實能符合紀昀本身的小說的理論，更由於紀昀學識的淵博
（博覽《四庫全書》)、生活經歷的豐富（曾遠赴新疆），加上
他文筆高妙，才能寫成一部內容豐富、故事性強、趣味盎然
的傳世巨著，從清代即獲得甚多美譽，連俞樾也模仿創作了
《右台仙館筆記》。而摘錄閱微草堂筆記部分勸懲篇章成書，
在清朝即有《紀氏嘉言》，至今台灣地區也還有視為善書的《紀
文達公筆記摘要》在刊行，台灣地區撰寫有關《閱微草堂筆
記》的論文數量不少，在大陸的研究者也能突破文革的禁忌，
正視紀昀的成就，研究成果也相當可觀，在在都證明《閱微
草堂筆記》的價值與影響。

（五）文學流變史觀

　　綜合上述所言，則不難發現紀昀對於各種理論，有時看
似矛盾，但細究之後，知其仍不失圓融，筆者認為這是因為

---

397 前揭書第二冊，頁 12。

紀昀博覽古今，深具史的觀念！朱東潤謂紀昀對文學批評最大的貢獻在於他獨具有「史的概念」[398]，因此上下千古，纍纍如貫珠。我們從四庫著錄取捨的標準，就不難看出紀昀欲藉時間的淘汰來取捨的目的：

> 然隋、唐《志》所著錄，《宋志》十不存一，《宋志》所著錄，今又十不存一。新刻日增，舊編日減，豈數有乘除歟？文章公論，歷久乃明，天地英華所聚，卓然不可磨滅者，一代不過數十人，其餘可傳可不傳者，則繫乎有幸與不幸，存佚靡恆，不足異也。今於元代以前，凡論定諸編，多加甄錄；有明以後，篇章彌富，則刪薙彌嚴，非曰沿襲恆情，貴遠賤近，蓋閱時未久，珠礫並存，去取之間，尤不敢不慎云爾。[399]

因為舊編的日漸稀少，所以元代以前著作多加甄錄；而明以後作品因歷時未久而嚴為去取。不過這樣的標準使得有評語不佳的作品也加以著錄，如：

> 惟其學初從禪入，往往語雜偈頌，於詩格頗乖。[400]

而評語不錯的，大概尚需閱時久些，所以才列入存目，雖然標準寬嚴不一，但紀昀終究對作品的好壞，還是會給予公允之評：

> （黃）宗羲序稱其「皆胸中流出，無比擬皮毛之習」，

---

398 朱東潤：《中國文學批評大綱》稱讚他為「自古論者對於批評用力之勤，蓋無過於紀氏者。曉嵐對於文學批評之貢獻最大者，在其對於此科，獨具史的概念，故上下千古，纍纍如貫珠」（台灣開明書局，1979），354 頁。

399 〈別集類敘〉，《四庫全書總目》，前揭書，頁 1981。

400 〈屏山集提要〉，《四庫全書簡明目錄》卷 16，前揭書，頁 653。

蓋破除王、李、鍾、譚之窠臼而毅然自為者也。[401]

紀昀因為具有文學史觀的概念，所以他認為文學的演變是隨著時代演變而不斷地在變化，而每一次的變化會慢慢地產生流弊，這些流弊又激起文學再度產生變化，於是遂有相激而相救的現象：

> 夫文章格律，與世俱變者也，有一變必有一弊，弊極而變又生焉，互相激互相救也。唐以前毋論矣。唐末，詩猥瑣，宋、楊、劉變而典麗，其弊也靡；歐、梅再變而平暢，其弊也率；蘇、黃三變而恣逸，其弊也肆；范、陸四變而工穩，其弊也襲；四靈五變，理賈島、姚合之緒緒，刻畫纖微；至江湖末派流為鄙野，而弊極焉。元人變為幽豔，昌谷、飛卿遂為一代之圭臬，詩如詞矣。鐵崖矯枉過直，變為奇詭，無復中聲。明林子羽輩倡唐音，高青丘輩講古調，彬彬然始歸於正。三楊以後，臺閣體興，沿及正嘉，善學者為李茶陵，不善學者遂千篇一律，塵飯土羹。北地、信陽挺然崛起，倡為復古之說，文必宗秦漢，詩必宗漢、魏、盛唐，踔屬縱橫，鏗鏘震耀，風氣為之一變，未始非一代文章之盛也。久而至於後七子，剿襲摹擬，漸成窠臼。其間橫軼而出者，公安變以纖巧，竟陵變以冷峭，雲間變以繁縟，如涂涂附，無以相勝也。國初，變而學北宋，漸趨板實。故漁洋以清空縹渺之音，變易天下之耳目，其實亦仍從七子舊派神明運化而出

---

401 〈杲堂文抄提要〉，《四庫全書總目》卷 182，前揭書，頁 2546。

之。趙秋谷掊擊百端，漁洋不怒；吳修齡目以清秀，
李于鱗則銜之終身，以一言中其隱微也。故七子之
詩，雖不免浮聲，而終為正軌。吐其糟粕，咀其精英，
可由是而盛唐，而漢魏。惟襲其面貌，學步邯鄲，乃
至如馬首之絡，篇篇可移；如土偶之衣冠，雖繪畫而
無生氣耳。[402]

　　從上段文字的敘述，足見紀昀能對文學流變的情形上下
千古，纍纍如貫珠，完全了然於心。紀昀不僅說明了文學相
激相救的情形，同時也是一篇絕佳的文學流變史的介紹，並
能將各家各派的所長與所短，一語中的地點了出來，非博學
於文而有得者，不能也。廖宏昌指出：「他（紀昀）的變弊之
道要在『逆挽其弊以止其衰』、『節取其長以盡其變』，此即謂
其相激相救的理論模式，就在循環之中挽弊取長，節節上升」
[403]。這種文學相激相救的概念，實際運用在批評上的例子屢
屢可見，今試舉數例於後，這正也顯見紀昀的文學批評，常
帶著流變的史觀。若從目錄學的角度看來，紀昀於章學誠所
標舉的「辨章學術，考鏡源流」[404]，也可謂當之無愧矣：

宋代詩派凡數變：西崑傷於雕琢，一變而為元祐之樸
雅；元祐傷於平易，一變而為江西之生新；南渡以後，
江西宗派盛極而衰，江湖諸人欲變之而力不勝，於是
仄徑旁行，相率而為瑣屑寒陋，宋詩於是掃地矣。（楊）

402　紀昀：〈冶亭詩介序〉，前揭書第一冊，頁190。
403　廖宏昌：〈《文心雕龍》紀評的折中思維與接受〉，《文與哲》第6期，
　　　2005，頁179。
404　章學誠：《校讎通義・敘》，收入《章氏遺書》，（北京：文物出版社，
　　　1985），頁95。

載生於詩道弊壞之後，窮極而變，乃復其始，風規雅瞻，雍雍有元祐之遺音。[405]

陳、隋雕華，漸成餖飣，其極也反而雄渾。盛唐雄渾，漸成膚廓，其極也一變而新美，再變而平易，三變而恢奇幽僻，四變而綺靡。皆不得不然之勢，而亦各有其佳處，故皆能自傳。元人但逐晚唐，是為不識其本，故降而愈靡。明人高語盛唐，是為不知其變，故襲而為套。學者知雄渾為正宗，而復知專尚雄渾之流弊，則庶幾矣。[406]

明之詩派，始終三變。洪武開國之初，人心渾朴，一洗元季之綺靡，作者各抒所長，無門戶異同之見。永樂以迄弘治，沿三楊臺閣之體，務以舂容和雅，歌詠太平，其弊也冗沓膚廓，萬喙一音，形模徒具，興象不存。是以正德、嘉靖、隆慶之間，李夢陽、何景明等崛起於前，李攀龍、王世貞等奮發於後，以復古之說，遞相唱和，導天下無讀唐以後書。天下嚮應，文體一新，七子之名，遂竟奪長沙之壇坫。漸久而摹擬剽竊，百弊俱生，厭故趨新，別開蹊徑。萬曆以後，公安倡纖詭之音，竟陵標幽冷之趣，么弦側調，嘈囋爭鳴。佻巧蕩乎人心，哀思關乎國運，而明社亦於是乎屋矣。[407]

---

405 〈楊仲弘集提要〉，《四庫全書總目》卷 167，前揭書，頁 2228。

406 《瀛奎律髓》紀昀刊誤，卷 24〈送魏大從軍〉紀批語，（安徽：黃山出版社，1994），頁 613。

407 〈明詩綜提要〉，《四庫全書總目》卷 190，前揭書，頁 2662。

厥後其法日密，其體日變，其弊亦遂日生。有明二百
餘年，自洪、永以迄化、治，風氣初開，文多簡樸。
逮於正、嘉號為極盛。隆、萬以機法為貴，漸趨佻巧。
至於啟、禎，警闢奇傑之氣日勝，而駁雜不醇、猖狂自
恣者，亦遂錯出於其間。于是啟橫議之風，長傾詖之
習，文體戾而士習彌壞，士習壞而國運亦隨之矣。[408]
自李夢陽、何景明崛起，宏、正之間倡復古學，於是
文必秦漢、詩必盛唐，其才學足以籠罩一世，天下亦
響然從之。茶陵之光焰幾燼，逮北地、信陽之派，轉
相摹擬，流弊漸深，論者乃稍稍復理東陽之傳，以相
撐拄。蓋明洪、永以後，文以平正典雅為宗，其究漸
流於庸膚，庸膚之極，不得不變而求新。正、嘉以後，
文以沉博偉麗為宗，其究漸流於虛憍，虛憍之極，不
得不返而務實。二百餘年，兩派互相勝負，蓋皆理勢
之必然。[409]

紀昀對文學流變的情形，從文學流變史觀的角度下，更
指出文學流變中氣運、風尚的概念：

三古以來，文章日變，其間有氣運焉，有風尚焉。史
莫善於班、馬，而班、馬不能為《尚書》、《春秋》；
詩莫善於李、杜，而李、杜不能為《三百篇》，此關
乎氣運者也。至風尚所趨，則人心為之矣。其間異同
得失，縷數難窮。[410]

---

408 〈欽定四書文提要〉，《四庫全書總目》卷 190，前揭書，頁 2660。
409 〈懷麓堂集提要〉，《四庫全書總目》卷 170，前揭書，頁 2299。
410 紀昀：〈愛鼎堂遺集序〉，前揭書第一冊，頁 188。

此種論調，顧炎武導之於前[411]，王國維繼之於後[412]。正因為時代的氣運直接影響到作品，所以紀昀能清楚地意識到各時代的差異，且在批評時能給予合理的定位與評價：

> 然一朝之詩，各有體裁，一家之詩，各有面目。江淹所謂「楚謠漢風，既非一骨；魏製晉造，固已二體。蛾眉詎同貌而俱動於魂；芳草甯共氣而皆悅於魄」者也。必以唐法律宋、金、元，而宋、金、元之本真隱矣。即如唐人之詩，又豈可以漢、魏、六朝繩之？漢、魏、六朝，又豈可以風騷繩之哉？是集之所以隘也。[413]
>
> 其文沿南宋餘習，頗為平衍，在明初未能挺出。[414]
>
> 集為正統丁卯其子收所編，文體修潔而未造深厚，如在嘉、隆以後則為雅音，在元、明之間，則未能與諸家壁壘相當也。[415]

氣運是文學轉變縱的史觀，而風尚則是橫的史觀。紀昀又分風尚為「趨風尚」和「變風尚」二種，他說：

> 大抵趨風尚者三途：其一厭故喜新；其一巧投時好；其一循聲附和，隨波而浮沉。變風尚者二途：其一乘將變之勢，鬥巧爭長；其一則於積壞之餘，挽狂瀾而反之正。若夫不沿頹敝之習，亦不欲黨同伐異，啟門

411 見顧炎武：《日知錄・詩體代降》條，《續修四庫全書》1144 冊，（上海：上海古籍出版社，2002），頁 327。

412 見王國維：《人間詞話・文體盛衰原因》條，（長沙：嶽麓書局，2003），頁 91。

413 〈宋金元詩永提要〉，《四庫全書總目》卷 194，前揭書，頁 2721。

414 〈存軒集提要〉，《四庫全書總目》卷 175，前揭書，頁 2389。

415 〈甘白集提要〉，《四庫全書總目》卷 175，前揭書，頁 2385。

> 戶之爭，孑然獨立，自為一家，以待後人之論定，則
> 又於風尚之外，自為一途焉。[416]

紀昀在此處把文風轉變的原因，分析得精闢異常，這正可表現出紀昀文學觀的造詣。趨風尚大多是在新文風即將形成、壯大之時，也就是這種文風的青壯年時期，正是活力四射，引起天下景從，或是厭故喜新，或是循聲附和，或是巧投時好：

> 蓋風會所趨，併其從游之士，亦爲當代所摹擬矣。[417]
> 蓋明末國初王學漸厭，又折而宗朱，風氣所趨，事事借朱子以爲重，遂不免牽連闌入，取盈卷帙耳。[418]

而變風尚則大多是在這種文風的老年期，或是孕育新的文風，或是迴光返照：

> 其詩音節諧暢而意境不深，蓋宏正之間，風氣初變，漸趨七子之派而未盡離三楊之體也。[419]
> 明末國初時，太倉、歷下之摹古，與公安、竟陵之趨新，久而俱弊，遂相率而爲宋詩。宋詩又弊，而馮舒、馮班之流乃尊崑體以攻江西，而晚唐之體遂盛。《戊籤》二百一卷，所錄皆晚唐之詩，《閏餘》六十四卷，所錄皆南唐、吳越、閩國之詩。風會所趨，故及時先出爾。[420]

紀昀亦知時代風尚對文風的影響，因此「非絕世之姿，

---

416 紀昀：〈愛鼎堂遺集序〉，前揭書第一冊，頁188。
417 〈蘇門六君子文粹提要〉，《四庫全書總目》卷187，前揭書，頁2626。
418 〈朱子論定文鈔提要〉，《四庫全書總目》卷194，前揭書，頁2727。
419 〈靜芳亭摘提要〉，《四庫全書總目》卷176，前揭書，頁2409。
420 〈唐音戊籤提要〉，《四庫全書總目》卷193，前揭書，頁2704。

毅然有志於古者，弗能自拔」，囿於時代風氣的還是多數：

> 其詩不出江湖之派，蓋風氣所趨，非絕世之姿，毅然
> 有志於古者，弗能自拔也。[421]
>
> 其詩多衰颯之音，蓋風會所趨，雖作者亦不自知矣。[422]
>
> 其詩不出膚古之習，蓋萬曆以後之詩，不公安竟陵則
> 仍太倉歷下耳。[423]
>
> 其詩頗囿於風氣，未能自出新裁。[424]
>
> 其所取者，大抵尖新刻畫之詞，蓋一時風氣所趨，四
> 靈如出一手也。[425]

而能不轉移於流俗的，孑然獨立，於風尚之外，自爲一
家者，畢竟還是少數：

> （魏）了翁研思經術，其文根柢醇正而紆餘宕折出以
> 自然，無江湖遊士叫囂狂躁之氣，亦無講學諸儒空疎
> 迂腐之習，在南宋中葉可謂不轉移於流俗矣。[426]

正因爲紀昀具有史的觀念，於文體正變原委知之甚詳，
而於其利弊得失亦能了然於心，所以每能立論公允，得到相
濟相成的圓融之說。我們看看他對文學的體認即可知其造詣
如何：

> 明二百餘年，文體亦數變矣。其初金華一派，蔚爲大
> 宗，由三楊以逮茶陵，未失古格。然日久相沿，羣以

---

421 〈野趣有聲畫提要〉,《四庫全書簡明目錄》卷 17, 前揭書, 頁 716。
422 〈葦航漫游稿提要〉,《四庫全書簡明目錄》卷 16, 前揭書, 頁 702。
423 〈峽雲閣存草提要〉,《四庫全書總目》卷 179, 前揭書, 頁 2498。
424 〈卓光祿集提要〉,《四庫全書總目》卷 179, 前揭書, 頁 2483。
425 〈西巖集提要〉,《四庫全書總目》卷 162, 前揭書, 頁 2156。
426 〈鶴山集提要〉,《四庫全書簡明目錄》卷 16, 前揭書, 頁 685。

庸濫庸廓為臺閣之體，於是乎北地、信陽出焉，太倉、
歷下又出焉，是皆一代之雄才也。及其弊也，以詰屈
聱牙為高古，以抄撮餖飣為博奧，餘波四溢，滄海橫
流，歸太僕斷斷爭之弗勝也。公安、竟陵乘間突起，
么絃側調，偽體日增，而氾濫不可收拾矣！[427]

（趙）執信娶王士禎之甥女，而論至詩與士禎相失，
至作《談龍錄》以攻士禎。迄今述二家之說者，袒分
左右。實則王以神韻縹緲為宗；趙以思路鑱刻為主。
王之規模閣於趙而流弊傷於膚廓；趙之才力銳於王而
末派病於纖仄，兩家並存，其得失適足相救也。[428]

為四六之文者，陳維崧一派以博麗為宗，其弊也膚
廓；吳綺一派以秀潤為宗，其弊也甜熟；章藻功一
派，以工切細巧為宗，其弊也刻鏤纖小；齊燾欲矯三
家之失，故所作以氣格排奡，色澤斑駁為宗。[429]

　　以上所敍述之文學流變的情形，不但條理清晰，更能一
一辨其得失，有此透徹的見解，理論自然更為完備。正因為
紀昀能以宏觀的角度來評騭文學的盛衰演變，才能有比較公
正客觀與一針見血的評論。例如他對臺閣體文章被吹捧太過
固然不以為然，但卻也不贊同「以末流放失，遽病士奇與榮
哉」，認為「平心而論，凡文章之力足以轉移仰一世者，其始
也必能自成一家，其久也亦無不生弊」，所以他強調「不可以
前人之盛，並回護後來之衰；亦不以後來之衰，並掩沒前人

427　紀昀：〈愛鼎堂遺集序〉，前揭書第一冊，頁187-188。
428　〈因園集提要〉，《四庫全書簡明目錄》卷18，前揭書，頁824。
429　〈玉芝堂集提要〉，《四庫全書總目》卷185，前揭書，頁2593。

之盛也」，[430]由於有宏觀的文學流變史觀，因此紀昀才能多有公允之論。雖然紀昀許多主張，都是前有所承，但尚能後出轉精，理論更加圓融周密，有囿於時代的見解，然亦有精思卓見。有些意見由於在敕纂的官書上，當然說得相當道貌岸然，然而仔細尋思起來，倒也有他寓褒於貶的說詞，而最主要的是，他能實踐本身的理論，不只是空加議論。

參、紀昀文論的特色

紀昀文論特色形成的原因，就外緣而論，就是上述的漢宋學之爭、唐宋詩之爭、文化結穴的時代這三項因素。在這樣的氛圍下，加上紀昀本身條件的配合，建立起帶著自己特色的文論。這些內因有：1.總纂《四庫》的際遇，讓他的眼界擴大、學問增長，所以他文論有著能講明文學流變，帶著史的觀念的特色。2.理性思考的態度，讓他的詩論能破除門戶之見，力求公允。3.身兼文人、學者兩種身分[431]，使他努力地在儒家學者的立場（理）和詩家文人的慧心（情）中取得平衡，所以紀昀的文論帶著濃厚調和折衷的色彩，既調和

---

430 以上三段引文俱出自〈楊文敏集提要〉，《四庫全書總目》卷170，前揭書，頁2291。

431 紀昀在姑妄聽之序中一段話可以看出來：「余性耽孤寂，而不能自閑。卷軸筆硯，自束髮至今，無數十日相離也。三十以前，講考證之學，所坐之處，典籍環繞如獺祭。三十以後，以文章與天下相馳驟，抽黃對白，恒徹夜構思。五十以後，領修祕籍，復折而講考證。」（《紀曉嵐文集》第二冊，頁375。）

各家優劣長短，又折衷抒情說理的偏頗。今分述如下：

一、強調調和折衷

　　要做爲一個傑出的文論家，必須要能認清各個時代、流派、作家他們的特色，之後才能深知各類文學的長短優劣，進而提出中肯公允的評論。而紀昀因身爲四庫全書館總纂官，通覽歷代詩歌，深知各代詩歌的好壞優劣，所以並不輕易專門推崇或偏廢一個時代或一個文人的作品，對於各種文論的衝突對立，他強調要「酌其中」。除了評點詩集外，紀昀在一些序文中也多有評論，往往在寥寥數語中，就能將各家各派的長短優劣剖析詳明，如前文所引的例子中，他指出明代臺閣體、公安、竟陵的弊病：「庸濫膚廓」、「詰屈聱牙」、「么絃側調」[432]。又詳言文學中抒情、說理二派創作上的偏頗「一則知止乎禮義，而不必其發乎情，流而爲金仁山濂洛風雅一派，使嚴滄浪輩激而爲不涉理路、不落言詮之論」；「一則知發乎情，而不必其止乎禮義，自陸平原緣情一語，引入歧途，其究乃至於繪畫橫陳，不誠已甚與」，最終的目的如同他所說的「必深知古人之得失而後可以工諸體詩」[433]，是要在明瞭各家所長與所短後要「酌乎其中，知必有道焉」[434]。所以紀昀往往先分析各家各派所與所短後，再提出調和折衷之說，如對江西詩派陳後山的評價分析尤其深入精闢，把陳後山各

432　紀昀：〈愛鼎堂遺集序〉，前揭書第一冊，頁 188。
433　紀昀：〈嘉慶丙辰會試策問〉，前揭書第一冊，頁 271。
434　紀昀：〈雲林詩鈔序〉，前揭書第一冊，頁 198-199。

種詩體風格、優劣，都做了一番分析評價，然後希望能「核其是非長短之實，勿徒以門戶詬爭，哄然佐鬥」，以平息贊成或反對江西詩派者的紛爭：

> 考江西詩派，以山谷、後山、簡齋配享工部，謂之一祖三宗。而左袒西崑者則掊擊抉摘，身無完膚，至今呶呶相詬屬。平心而論，其五言古，饒削堅苦，出入於郊、島之間，意所孤詣，殆不可攀；其生硬杈枒，則不免江西惡習。七言古，多效昌黎，而間雜以涪翁之格。語健而不免粗，氣勁而不免直，喜以拗折為長，而不免少開合變動之妙，篇什特少，亦自知非所長耶？五言律，蒼堅瘦勁，實逼少陵。其間意僻語澀者，亦往往自露本質。然胎息古人，得其神髓，而不自掩其性情，此後山所以善學杜也。七言律，嶔崎磊落，矯矯獨行，惟語太率而意太竭者，是其短。五、七言，絕則純為少陵《遣興》之體，合格者十不一二矣。大抵絕不如古，古不如律，律又七言不如五言。棄短取長，要不失為北宋巨手。向來循聲附和，譽者務掩其所短，毀者並沒其所長，不亦慎耶！……亦欲論後山者，核其是非長短之實，勿徒以門戶詬爭，哄然佐鬥，是則區區之志焉耳。[435]

而於詩家能取長救短，酌中之制，才是他心目中的理想：

> 論詩者不逆挽其弊，則不足以止其衰；不節取其長，則不足以盡其變。詩至五代，駸駸乎入詞曲矣，然必

---

435 紀昀：〈後山集抄序〉，前揭書第一冊，頁 184-185。

> 一切繩以開、寶之格，則由是以上，將執漢、魏以繩
> 開、寶，執詩、騷以繩漢、魏，而三百以下，且無詩
> 矣，豈通論哉？就短取長，而纖靡鄙野之習則去太甚
> 焉，庶幾乎酌中之制耳。[436]

這樣的見解也出現在他會試的命題中，他歷數諸家所長所
短，要考生說明如何從中救其弊、酌其中：

> 又必深知古人之得失而後可以工諸體詩。齊、梁綺
> 靡，去李、杜遠甚，而杜甫以陰鏗比李白，又自稱頗
> 學陰、何，其故何也？蘇、黃為元祐大宗，元好問《論
> 詩絕句》指為「滄海橫流」，其故又何也？王、孟清
> 音，惟求妙悟，於美刺無關，而論者謂之上乘；元、
> 白諷諭，源出變雅，有益勸懲，而論者謂之落言詮涉
> 理路。然歟？否歟？《擊壤》流為《濂洛風雅》，是
> 不入詩格者也，然據理而談，亦無以難之；《昌谷集》
> 流為《鐵崖樂府》，是破壞詩律者也，然嗜奇者眾，
> 亦不廢之。何以救其弊歟？北地、信陽以摹擬漢唐，
> 流為膚濫，然因此禁學漢、唐，是盡佃古人之規矩也；
> 公安、竟陵以「荸甲新意」，流為纖佻，然因此惡生
> 新意，是錮天下之性靈也，又何以酌其中歟？[437]

紀昀甚至還將這個主張，透過《閱微草堂筆記》中的鬼狐
故事，藉著木魅調停趙執信和王漁洋兩家詩說的故事來表達，
故事中除了分析漁洋山人詩的優劣外，也不忘說明一下兩家
詩論產生的背景，而最主要的意見，還是在強調「二家宗派，

---

436 紀昀：〈書韓致堯翰林集後〉，前揭書第一冊，頁 251。
437 紀昀：〈嘉慶丙辰會試策問〉，前揭書第一冊，頁 271。

當調停相濟。合則雙美，離則兩傷」的主張：

> 益都李詞畹言，秋谷先生南遊日，借寓一家園亭中。
> 一夕就枕後，欲制一詩，方沉思間，聞窗外人語曰：
> 「公尚未睡耶？清詞麗句，已心醉十餘年。今幸下榻
> 此室，竊聽緒論，雖已經月，終以不得質疑問難為恨，
> 慮或倉卒別往，不罄所懷，便為平生之歉。故不辭唐
> 突，願隔窗聽揮塵之談，先生能不拒絕乎？」秋谷問：
> 「君為誰？」曰：「別館幽深，重門夜閉，自斷非人
> 跡所到，先生神思夷曠，諒不恐怖，亦不必深求。」
> 問：「何不入室相晤？」曰：「先生襟懷蕭散，僕亦倦
> 於儀文，但得神交，何必定在形骸之內耶？」秋谷因
> 曰與酬對，於六義頗深。如是數夕，偶乘醉戲問曰：
> 「聽君議論，非神非仙，亦非鬼非狐，毋乃山中木客，
> 解吟詩乎？」語訖寂然。穴隙窺之，缺月微明，有影
> 蓬蓬然，掠水亭簷角而去。園中老樹參天，疑其木魅
> 矣。詞畹又云：「秋谷與魅語時，有客竊聽，魅謂：『漁
> 洋山人詩，如名山勝水，奇樹幽花，而無寸土藝五穀；
> 如雕欄曲榭，池館宜人，而無寢室庇風雨；如彝鼎罍
> 洗，斑斕滿几，而無釜甑供炊爨；如纂組錦繡，巧出
> 仙機，而無裘葛禦寒暑；如舞衣歌扇，十二金釵，而
> 無主婦司中饋；如梁園金谷，雅客滿堂，而無良友進
> 規諫。』秋谷極為擊節。又謂：『明季詩，庸音雜奏，
> 故漁洋救之以清新；近人詩，浮響日增，故先生救之
> 以刻露。勢本相因，理無偏勝，竊意二家宗派，當調停

相濟。合則雙美，離則兩傷。』秋谷頗不平之云。」[438]
就因為紀昀強調調和折衷，因此紀昀才會用了極大的精力去
評點一些有爭議的詩集，如方回的《瀛奎律髓》、李商隱的《玉
谿生詩集》，馮舒、馮班批閱的《才調集》等江西、西崑兩派
所推重的詩集，主要還是要在兩派主張之中，取其所長而棄
其所短，矯正這兩派論詩的偏頗，這是對自清初以來至乾隆
中期一百多年間主張「祖唐祧宋」論詩的爭議，進行了一次
清算和糾偏，於是他的文學批評中，自然也有充滿著調和折
衷的特色。

二、態度公正，批評能除門戶之見

所謂「文章千古事，得失寸心知」（杜甫〈偶題〉），批評
家不僅要將這個得失講出來，還要說得合理公允。然而詞場
恩怨，任何時代都有，難免會有偏見的產生，紀昀深深地瞭
解到這種情形，鑑於以往文林間那種門戶之爭的弊端，紀昀
在批評時本著客觀的態度，「若懷挾恩怨，顛倒是非，如魏泰、
陳善之所為，則自信無是矣」[439]。而且由於紀昀能深知各類
文學的長短優劣，還能在批評之餘，提出中肯的理論。

> 顧虛谷左袒江西，二馮又左袒晚唐，冰炭相激，負氣
> 詬爭，遂併其精確之論，無不深文以詆之，矯枉過直，
> 亦未免轉惑後人。因於暇日細為點勘，別白是非，各
> 於句下箋之，命曰《瀛奎律髓刊誤》。雖一知半解，

---

438 〈灤陽消夏錄〉卷三，前揭書第二冊，頁 57。
439 紀昀：〈姑妄聽之序〉，前揭書第二冊，頁 375。

未必遽窺作者之本源，且卷帙浩繁，牴牾亦難自保。
而平心以論，無所愛憎於其間，方氏之僻、馮氏之激，
或庶乎其免耳。[440]

漁洋拈不著一字、盡得風流之旨，以妙悟醫鈍根，而
飴山老人顧執詩中有人之說，以抵瑕而蹈隙，左右佩
劍，彼此互譏。論者謂合二家相濟，乃適相成，是亦
掃除門戶之見也。[441]

飴山老人作《談龍錄》，力主詩中有人之說，固不為
無見，要其冥心妙悟，興象玲瓏，情景交融，有餘不
盡之致，超然於畦封之外者，滄浪所論與風人之旨，
固未嘗相背馳也。[442]

　　清代詩壇除了祖唐祧宋之爭外，王漁洋和趙執信論詩的
意見也針鋒相對，勢同水火，紀昀「無所愛憎於其間」，認為
二家所言「與風人之旨，固未嘗相背馳也」若能「合二家相
濟，乃適相成，是亦掃除門戶之見也」。但是要消彌門戶之爭，
並非易事，紀昀就曾被人誤解過，幸好他持平的評論化解了
誤會：

余初學詩人從《玉溪集》入，後頗涉獵於蘇、黃，於
江西宗派亦略闖涯涘。嘗有場屋為余駁放者，謂余詆
諆江西派，意在煽構，聞者或惑焉；及余所編《四庫
書總目》出，始知所傳為斐語，群疑乃釋。[443]

---

440 紀昀：〈瀛奎律髓刊誤序〉，前揭書第一冊，頁182-183。
441 紀昀：〈袁清愨公詩集序〉，前揭書第一冊，頁198。
442 紀昀：〈挹綠軒詩集序〉，前揭書第一冊，頁204。
443 紀昀：〈二樟詩鈔序〉，前揭書第一冊，頁200。

　　由於文林中種種流派門戶之爭，所產生的文論，往往有相互牴牾的現象，也難怪他會以此命題取士，希望能透過考試，引起學子的深思，只可惜四千多名考生中只有一人能回答：

> 屈宋以前，無以文章名世者。枚、馬以後，詞賦始多；《典論》以後，論文始盛；至唐、宋而門戶分、異同競矣。齊、梁、陳、隋，韓愈以爲眾作等蟬噪；杜甫則云「頗學陰、何苦用心」。李白觸忤權幸，杜甫憂國忠君，而朱子謂李、杜祇是酒人。韓愈〈平淮西碑〉，李商隱推之甚力，而姚鉉撰《唐文粹》乃黜韓而仍錄段文昌作。元稹多繡羅脂粉之詞，固矣；白居易詩如十首《秦吟》，近正聲者原自不乏，杜牧乃一例詆之。蘇、黃為宋代巨擘，而魏泰《東軒筆錄》詆黃爲「當其拾璣羽，往往失鵬鯨」。元好問《論詩絕句》亦曰「只知詩到蘇、黃盡，滄海橫流卻是誰？」凡此作者、論者皆非淺學，其牴牾必有故焉。多士潛心文藝久矣，其持平以對。[444]

　　正因爲紀昀主張批評家需有公正的態度，不可有門戶之爭，所以他實際的批評也是秉持持平的態度。從他對公安、竟陵一派的評論可見一斑：

> 公安、竟陵，乘間突起，麼絃側調，偽體日增，而汎濫不可收拾矣。[445]

444　紀昀：〈嘉慶壬戌會試策問五道〉，前揭書第一冊，頁 274。
445　紀昀：〈愛鼎堂遺集序〉，前揭書第一冊，頁 189。

公安變以纖巧，竟陵變以冷峭。[446]

明之末年，士風佻，偽體作，竟陵公安以詭俊纖巧之詞，遞相唱導。[447]

言下之意，顯露出對公安竟陵派的不滿，但紀昀畢竟也能指出二者之長，給予公平的評論：

蓋竟陵公安之文，雖無當於古作者，而小品點綴，則其所宜，寸有所長，不容沒也。[448]

紀昀甚至也在《閱微草堂筆記》中，借鬼魂之口以譏諷門戶之爭，足見門戶之爭為紀昀深所厭惡，才會藉小說以譏諷一番：

嘉祥曾英華言：一夕秋月澄明，與數友散步場圃外，忽旋風滾滾，自東南來，中有十餘鬼，互相牽曳，且毆且罵，尚能辨其一二語，似爭朱陸異同也。門戶之禍，乃下徹黃泉乎？[449]

正因為紀昀能實踐他身為批評家所必需具有的公正態度，所以他對各個派別不至有黨同伐異的評論，他思索的是如何對各派別，酌其中而救其弊：

平心而論，諸派之中，各有得失，亦各有真偽。崇其真而黜其偽，亦可以酌乎其中。[450]

這一點在前面提到的嘉慶丙辰會試策問五道命題中，已經清楚地顯示出來，這也是他文學批評的另一項特色。因此

---

446 紀昀：〈冶亭詩介序〉，前揭書第一冊，頁 190。
447 紀昀：〈刪正帝京景物略序〉，前揭書第一冊，頁 164。
448 紀昀：〈刪正帝京景物略序〉，前揭書第一冊，頁 164。
449 紀昀：〈槐西雜志〉卷二，前揭書第二冊，頁 277。
450 紀昀：〈壬戌會試錄序〉，前揭書第一冊，頁 150。

徐世昌在《清儒學案》中評論紀昀，除了點出了《四庫全書
總目》「創自古簿錄家所未有」在學術上的成就外，也說出紀
昀「持論屏除門戶，一洗糾紛」、「欲矯宋明末流之弊」的用
心，可謂是了解紀昀學術成就與思想內涵的評語：

> 獻縣（紀昀）以通儒遭際明盛，綜覽四部，考證詳明，
> 創自古簿錄家所未有。其持論屏除門戶，一洗糾紛，
> 而欲矯宋明末流之弊，頗有所抑揚。[451]

　　正因為紀昀能力求公允之論，所以才能贏得周中孚如此
的讚譽「竊謂自漢以後簿錄之書，無論官撰私著，凡卷第之
繁富，門類之允當，考證之精審，議論之公平，莫有過於是
編矣」[452]。

三、紀昀有廣博的學識，具有史的概念，故能講明千古　文學之流變，而給予被批評者公允的評價。

　　博學、能文正是身為一位文學批評理論家所應有的條
件，淹貫古今的博學通才，使他對中國正統文學的發展過程，
分合流變、優劣長短等都胸有全局，也因此發表過許多很好
的見解，把各種文學流變之現象，以文學史的觀點，指出關
鍵之所在，因此朱東潤稱：「曉嵐對於文學批評之貢獻，最大
者在於對於此科，獨具史的概念，故上下千古，累累如貫珠」。
紀昀屢屢在其為人所做的序文中，如同《四庫全書總目》中

451　徐世昌：〈獻縣學案〉，《清儒學案》第 4 冊卷 80，（台北：世界書局，
　　1962），頁 1。
452　周中孚：《鄭堂讀書記》卷 32，（台北：台灣商務印書館，1978），頁
　　587。

的類序一般，能源源本本、條分縷析、提綱契領地將各種文學流變的問題，以深具史觀的說明，將問題交待個清楚明白，除前文「文學流變史觀」論及外，今試略舉數例於後：

> 明二百餘年，文體亦數變矣。其初金華一派，蔚為大宗，由三楊以逮茶陵，未失古格，然日久相沿，群以庸濫膚廓為臺閣之體；於是乎北地、信陽出焉，太倉、歷下又出焉，是皆一代之雄才也，及其弊也，以詰屈聱牙為高古，以抄撮餖飣為博奧，餘波四溢，滄海橫流，歸太僕斷斷爭之弗勝也。公安、竟陵，乘間突起，麼絃側調，偽體日增，而汎濫不可收拾矣。[453]
>
> 唐以前毋論矣。唐末詩猥瑣，宋楊、劉變而典麗，其弊也靡。歐、梅再變而平暢，其弊也率。蘇、黃三變而恣逸，其弊也肆。範、陸四變而工穩，其弊也襲。四靈五變，理賈島、姚合之緒餘，刻畫纖微；至江湖末派流為鄙野，而弊極焉。元人變為幽艷，昌穀、飛卿遂為一代之圭臬。詩如詞矣。鐵崖矯枉過直，變為奇詭，無復中聲。明林子羽輩，倡唐音；高青邱輩，講古調，彬彬然始歸於正。三楊以後，臺閣體興。沿及正嘉，善學者為李茶陵，不善學者遂千篇一律，塵飯土羹。北地、信陽挺然崛起倡為復古之說，文必宗秦漢，詩必宗漢魏盛唐，踔屬縱橫，鏗鏘震耀，風氣為之一變，未始非一代文章之盛也。久而至於後七子，勦襲摹擬，漸成窠臼，其間橫軼而出者，公安變

以纖巧，竟陵變以冷峭，雲間變以繁縟，如塗塗附，無以相勝也。國初變而學北宋。漸趨板實，故漁洋以清空縹渺之音，變易天下之耳目，其實亦仍從七子舊派神明運化而出之。趙秋谷掊擊百端，漁洋不怒；吳修齡目以清秀，李於鱗則銜之終身，以一言中其隱微也。故七子之詩，雖不免浮聲，而終為正軌，吐其糟粕，咀其精英，可由是而盛唐，而漢魏。惟襲其面貌，學步邯鄲，乃至如馬首之絡，篇篇可移，如土偶之衣冠，雖繪畫而無生氣耳。[454]

自前明正德、嘉靖間，李空同諸人始以摹擬秦、漢為倡，於是人人皆秦漢，而人人之秦漢實同一音；茅鹿門諸人以摹擬八家為倡，於是人人皆八家，而人人之八家又同一音；模造面具，其斯之謂歟？久而自厭，漸闢別途，於是鍾伯敬諸人，以冷峭幽渺求神致於一字一句之間，陳臥子諸人，更沿溯六朝。變為富麗，左右佩劍，相笑不休，數百年來，變態百出，實則惟此四派迭為盛衰而已。[455]

分支於三百篇者為兩漢遺音，沿波於屈宋者為六朝綺語，上下二千餘年，刻骨鏤心，千彙萬狀，大約皆此兩派之變相耳。末流所至，一則標新領異，盡態於江西；一則抽祕騁妍，弊極於玉臺香奩諸集，左右斷斷，更相笑也。[456]

---

454 紀昀：〈冶亭詩介序〉，前揭書第一冊，頁 190。
455 紀昀：〈香亭文稿序〉，前揭書第一冊，頁 193。
456 紀昀：〈雲林詩鈔序〉，前揭書第一冊，頁 198。

兩漢之詩，緣事抒情而已，至魏而宴遊之篇作，至晉、宋而遊覽之什盛，故劉彥和謂莊老告退、山水方滋也。然其時門戶未分，但一時自為一風氣，一人自出一機軸耳。鍾嶸詩品陰分三等，各溯根源，是為詩派之濫觴。張為創立主客圖，乃明分畦畛。司空圖分為二十四品，乃辨別蹊徑，判若鴻溝，雖無美不收，而大旨所歸，則在清微妙遠之一派；自陶、謝以下，逮乎王、孟、韋、柳者是也。至嚴羽《滄浪詩話》，始獨標妙悟為正宗。所謂如空中音，如相中色，如鏡中花，如水中月，如羚角無跡可尋，即司空圖所謂不著一字、盡得風流也。沿及有明，惟徐昌穀、高叔嗣傳其衣缽，王敬美謂數百年後，李、何或有廢興，高、徐必無絕響，斯言當矣。虞山二馮顧詆滄浪為囈語，雖防微杜漸，欲戒浮聲，未免排之過當，執肴蒸折俎為古禮，而欲廢籩羹；取朱絃疏越為雅樂，而盡除清笛，不能謂其說無理，然實則究不可行。[457]

古稱「登高能賦，可以為大夫」。然所謂賦者，仍詩耳。荀卿諸賦，其體始變。屈原、宋玉之楚辭，《漢書‧藝文志》並題曰賦，體乃與後世近矣。故班固《兩都賦序》稱，「賦者，古詩之流也。」建安以前，無詠物之詩；凡詠物者，多用賦。如《西京雜記》載枚乘諸人賦，於都京大篇以外，別為一格。沿及魏、晉，作者益繁，詞亦漸趨於排偶。陸機《文賦》稱「賦體

---

457 紀昀：〈田侯松巖詩序〉，前揭書第一冊，頁201。

物而瀏亮」，蓋就一時之體言之，不足以盡賦之長也。
至唐調露中，始以賦試進士，而律體成焉。沿及宋、
元，彌趨工巧，而得失亦遂互呈。至堆職故實、排砌奇
字之賦，則明人作俑知文章之體裁者，斷不為矣。[458]
陳、隋雕華，漸成餖飣，其極也反而雄渾。盛唐雄渾，
漸成膚廓，其極也一變而新美，再變而平易，三變而
恢奇幽僻，四變而綺靡。皆不得不然之勢，而亦各有
其佳處，故皆能自傳。元人但逐晚唐，是為不識其本，
故降而愈靡。明人高語盛唐，是為不知其變，故襲而
為套。學者知雄渾為正宗，而復知專尚雄渾之流弊，
則庶幾矣。[459]

無論是詩、文、賦等文體，或是於歷朝歷代文學的源委流變，
這樣清楚明白的條分縷析，靠的是學問淵博，才能從大量文
學現象中歸納出來。因而，紀昀不僅是一個文學批評理論家
而且是一個文學史家，也贏得後世的讚譽[460]。而紀昀因身為
四庫全書館總纂官，得以通覽歷代詩歌文章，以其廣博的學
識，通曉歷代文學淵源流變，發展出以下兩項他對文學流變
的看法：

---

458 紀昀：〈清艷堂詩序〉，前揭書第一冊，頁 203。
459 《瀛奎律髓》紀昀刊誤，卷 24〈送魏大從軍〉紀批語，（安徽：黃山出版社，1994），頁 613。
460 朱東潤：《中國文學批評大綱》稱讚他為「自古論者對於批評用力之勤，蓋無過於紀氏者。曉嵐對於文學批評之貢獻最大者，在其對於此科，獨具史的概念，故上下千古，纍纍如貫珠」，（台灣開明書局，1979），頁 354。

（一）指出文學變的特性

　　紀昀首先指出文學具有流變的特性：「三古以來，文章日變」、「明二百餘年，文體亦數變矣」[461]，而且又因為變而生出弊來：「夫文章格律，與世俱變者也，有一變必有一弊，弊極而變又生焉，互相激、互相救也」[462]，於是乎有復古的現象產生：「齊梁間風氣綺靡，轉相神聖，文士所作，如出一手。故彦和以通變立論。然求新於俗尚中，則小智師心，轉成纖仄。明之竟陵、公安是其明證。故挽其返而求之古，蓋當代之新聲，既無非濫調，則古人之舊式轉屬新聲，復古而名以通變，蓋以此爾。」[463]。這種流變的現象，紀昀將它歸納成縱向的流變 —— 氣運，和橫向的流變（同時代）—— 風尚：

　　　　其間有氣運焉，有風尚焉。史莫善於班馬，而班馬不
　　　　能為尚書、春秋；詩莫善於李、杜，而李、杜不能為
　　　　三百篇，此關乎氣運者也。至風尚所趨，則人心為之
　　　　矣，其間異同得失，縷數難窮。大抵趨風尚者三途：
　　　　其一，厭故喜新；其一，巧投時好；其一，循聲附和，
　　　　隨波而浮沈。變風尚者二途：其一，乘將變之勢，鬥
　　　　巧爭長；其一，則於積壞之餘，挽狂瀾而反之正。若
　　　　夫不沿頹敝之習，亦不欲黨同伐異、啟門戶之爭，孑
　　　　然獨立，自為一家以待後人之論定，則又於風尚之

461　紀昀：〈愛鼎堂遺集序〉，前揭書第一冊，頁 188。
462　紀昀：〈冶亭詩介序〉，前揭書第一冊，頁 190。
463　《文心雕龍・通變篇》紀氏評語，（江蘇：廣陵古籍刻印社，1998），頁 265。

外，自為一途焉。[464]

然風會所趨質文遞變，如食本療飢，而陸海窮究其滋
味；衣本禦寒，而纂組漸鬥其工巧，於是乎詠物之作。
起於建安；遊覽之篇，沿於典午，至陶謝而標其宗，
至王孟韋柳而參其妙，至蘇黃而極其變，自唐至今，
遂傳為詩學之正脈，不復能全宗三百篇矣。[465]

齊梁之言大抵以塗澤為高，而七言諸作乃長篇頗見風
骨，短詠亦多情韻。蓋五言承積衰之後，尚極而未反，
七言為初變之時，正發而將盛。亦如唐末五代詩格靡
靡而詩餘小令乃為填詞家不祧之祖。風會所趨，雖作
者不知所以然也。[466]

由於氣運和風尚所形成的文學流變，影響到創作上，歸納出
有擬議和變化的不同，除了前文中「擬議與變化」一節中有
提及外，此處再略述之。他歸納文學創作源流正變，不過擬
議、變化兩途：

在心為志，發言為詩，古之風人特自寫其悲愉，旁抒
其美刺而已。心靈百變，物色萬端，逢所感觸，遂生
寄託；寄託既遠，興象彌深，於是緣情之什，漸化為
文章。如食本以養生，而八珍五鼎緣以講滋味；衣本
以禦寒，而纂組錦繡緣以講工巧。相沿而至，莫知其
然，而亦遂相沿不可廢。故體格日新，宗派日別，作

---

464 紀昀：〈愛鼎堂遺集序〉，前揭書第一冊，頁188。
465 紀昀：〈挹綠軒詩集序〉，前揭書第一冊，頁204。
466 《紀校玉臺新詠》卷九梁簡文帝〈雜句從軍行〉評語，烏絲闌舊鈔
本。

者各以其才力學問智角賢爭，詩之變態遂至於隸首不能算。然自漢、魏以至今日，其源流正變、勝負得失，雖相競者非一日，而撮其大概，不過擬議、變化之兩途。從擬議之說最著者無過青丘。仿漢魏似漢魏，仿六朝似六朝，仿唐似唐，仿宋似宋。而問青丘之體裁如何？則莫能舉也。從變化之說最著者無過鐵崖。怪怪奇奇，不能方物，而卒不能解文妖之目，其亦勞而鮮功乎？[467]

深厚的學識使紀昀清楚這兩種創作的方法都有偏頗：

故至嘉隆七子，變無可變，於是轉而言復古，古體必漢、魏，近體必盛唐，非如是不得入宗派。然摹擬形似，可以駭俗目，而不可以炫真識，於是公安、競陵乘機別出，麼絃側調纖詭相矜，風雅遺音迨明季而掃地焉。論者謂王李之派，有擬議而無變化，故塵飯土羹；三袁、鍾、譚之派，有變化而無擬議，故価規破矩。[468]

要紏正這種弊病，紀昀主張「又必深知古人之得失而後可以工諸體詩」[469]，強調在「寢食古人」基礎上能「神明變化」[470]，他認為一味摹古，不過是「雙鉤填廓」[471]、「異乎嘉

---

467 紀昀：〈鶴街詩稿序〉，前揭書第一冊，頁206。
468 紀昀：〈四百三十二峰草堂詩鈔序〉，前揭書第一冊，頁207。
469 紀昀：〈嘉慶丙辰會試策問五道〉，前揭書第一冊，頁271。
470 紀昀：〈唐人試律說序〉，前揭書第一冊，頁182。
471 紀評《蘇文忠公詩集》卷三十五〈和陶飲酒〉紀評，（北京：北京圖書館出版社，2001），頁35-4。

隆七子規規摹杜之形，似宏音亮節，實爲塵飯土羹也」[472]，
又如〈南康望湖亭〉一詩紀評：「但存唐人聲貌，而無味可咀，
此種最害事。而轉相神聖，自命曰高。或訾謷輒哂曰俗，蓋
盛唐之說行，而盛唐之真愈失矣」，又如〈塵外亭〉一詩紀評：
「若泛寫山光樹色，則一首詩可題遍天下名勝矣。盛談王孟
之高渾者，往往似馬首之絡，偶見之似可喜，數見之便有多
少不滿人意處」[473]。他並不排除新變，他稱許朱鶴齡評李商
隱的詩「得子美之深而變出之」一語說：「『變出之』三字爲
千古揭出正法眼藏」[474]；評李商隱〈送王十三校書分司〉云：
「神奇臭腐，轉易何常，故『變而出之』一言，爲善學古人
之金鍼也」[475]，可見紀昀充分肯定了變的重要，但不能只求
摹古而不變化，只求變化而不摹倣學習。

> 大抵始於有法，而終於以無法爲法；始於用巧，而終
> 於以不巧爲巧。此當寢食古人，培養其根柢，陶熔其
> 意境，而後得其神明變化、自在流行之妙。[476]
> 蓋必心靈自運，而後能不立一法，不離一法，所謂神
> 而明之，存乎人也。……如花釀蜜，如黍作酒，得其
> 神不襲其貌，卓然自爲一家[477]

---

472 紀昀：〈二樟詩鈔序〉，前揭書第一冊，200 頁。
473 二詩紀評具見於《蘇詩彙評》，（四川：四川文藝出版社，2000），頁
　　1591、1600。
474 紀昀：《王谿生詩說》卷首之朱鶴齡：〈箋注李義山詩集序〉紀評，
　　收入《叢書集成續編》，（臺北：藝文印書館，1971）。
475 劉學鍇、余恕誠：《李商隱詩歌集解》，（北京：中華書局，2004），
　　頁 2129。
476 紀昀：〈唐人試律說序〉，前揭書第一冊，頁 182。
477 紀昀：〈四百三十二峰草堂詩鈔序〉，前揭書第一冊，頁 207。

夫為文不根柢古人，是倆規矩也；為文而刻畫古人，
是手執規矩，不能自為方圓也。孟子有言：「梓匠輪
輿，能與人規矩，不能使人巧」。是雖非為論文設，
而千古論文之奧，具是言矣。[478]

在寢食古人的基礎上「總須熔經鑄史，以《騷》《選》及
八代、三唐為根柢。根柢既深，識力既確，」[479]，得其神而
不襲其貌，然後神明變化，自成一家：

為詩之道，非惟語不可偷，即偷勢、偷意，亦歸窠臼。
夫悟生於相引，有觸則通；力迫於相持，勢窮則奮。
善為詩者，當先取古人佳處涵詠之，使意境活潑如在
目前。擬議之中，自生變化。如「蕭蕭馬鳴，悠悠旆
旌」，王籍化為「蟬噪林俞靜」；「光風轉蕙，泛崇蘭
歟」，荊公化為「扶輿度陽焰，窈窕一川花」，皆得其
句外意也。水部《詠悔》有「憶枝卻月觀」句，和靖
化為「水邊籬落忽橫枝」；「疏影橫斜水清淺」，東坡
化為「竹外一枝斜更好」，皆得其句中味也。「春水滿
四澤」，變為「野水多於地」，「夏雲多奇峰」變為「山
雜夏雲多」，就一句點化也。「千峰共夕陽」，變為「夕
陽山外山」；「日華州上動」，變為「夕陽明滅亂流中」，
就一字引申也。「到江吳地盡，隔岸越山多」變為「吳
越到江分」，縮之而妙也。「曲徑通幽處，禪房花木
深」，變為「微雨晴復滴，小窗幽且妍。盆山不見日，

478 紀昀：〈香亭文稿序〉，前揭書第一冊，頁 182。
479 《筱園詩話》卷一引《瀛奎律髓刊誤》序，收入《續修四庫全書》
　　1708 冊，（上海：上海古籍出版社），2002，頁 18。

草木自蒼然」，衍之而妙也。如是有得，乃立古人於
前，竭吾之力而與之角。如雙鵠並翔，各極所至；如
兩鼠鬥穴，不勝不止。思路斷絕之處，必有精神坌湧，
忽然遇之者，正不必撏撦玉溪，隨人作計也。[480]

紀昀不厭其煩地舉了許多詩句，來說明他這種從擬議中
生出變化的看法，甚至還以此觀點，在會試中命題：

北地、信陽以摹擬漢、唐流為膚濫，然因此禁學漢、
唐，是盡倕古人之規矩也；公安、竟陵以「莘甲新意」，
流為纖佻，然因此惡生新意，是錮天下之性靈也。又
何以酌其中歟？[481]

摹擬之後生出變化，變化要能自成一家，就是要達到渾成自
然最高的境界，不露出雕琢的痕跡，紀昀在許多地方，不斷
地提出「妙造自然」、「自然而然」、「自然以為宗」、「純任自
然」、「自然成文」、「自然成響」這樣的看法，指出他對創作
的途徑，由摹擬之後生出變化，而變化要達到自然天成的境
界：

細意刻畫，妙造自然，凡摹形寫照之題，固以工巧為
尚，然巧而纖，巧而不穩，巧而有雕琢之痕，皆非其
至者也。[482]

龍無定形，雲無定態。形態萬變，雲龍不改。文無定
法，是即法在。無騁爾才，橫流滄海。[483]

---

480 《唐人試律說‧海上生明月》紀評，《紀曉嵐文集》第三冊，前揭書，
　　頁 21-22。
481 紀昀：〈嘉慶丙辰會試策問五道〉，前揭書第一冊，頁 271。
482 紀昀：〈庚辰集‧清露點荷珠〉紀評，前揭書第二冊，頁 194。
483 紀昀：〈雲龍硯銘〉，前揭書第一冊，頁 283。

荷盤承露，滴滴皆圓。可譬文心，妙造自然。[484]

蟲之蛀葉，非方非圓。古之至文，自然而然。[485]

譬彼文章，渾成者勝於湊合。[486]

文章詞掩意，徒侈腹多書。譬作新漁具，還施舊釣車。……珍重操觚士，無勞獺祭魚。[487]

齊梁文藻，日競雕華，標自然以為宗，是彥和吃緊為人處。[488]

純任自然，彥和之宗旨，即千古之定論。[489]

故善為詩者，其思濬發於性靈，其意陶鎔於學問，凡物色之感於外，與喜怒哀樂之動於中者，兩相薄而發為歌詠，如風水相遭，自然成文；如泉石相舂，自然成響。劉勰所謂情往似贈，興來如答，蓋即此意。豈步步趨趨、摹擬刻畫、寄人籬下者所可擬哉？[490]

（二）重視個別的特色

　　紀昀的學識涵養，讓他能認清各個時代、流派、作家他們的特色，使他能全面地分析研究一個作家的全部詩文作品，而不是依選家戴上有色眼鏡所選的部分作品來研究。所

---

484 紀昀：〈荷葉硯銘〉，前揭書第一冊，頁 286。
485 紀昀：〈破葉硯銘〉，前揭書第一冊，頁 289。
486 紀昀：〈筆門銘〉，前揭書第一冊，頁 298。
487 紀昀：〈我法集‧賦得翠綸桂餌〉，前揭書第一冊，頁 641。
488 紀昀：《文心雕龍‧原道篇》紀評，（江蘇：廣陵古籍刻印社，1998），頁 22。
489 紀昀：《文心雕龍‧隱秀篇》紀評，（江蘇：廣陵古籍刻印社，1998），頁 334。
490 紀昀：〈清艷堂詩序〉，前揭書第一冊，頁 202。

以能給不同派別、不同藝術風格的作家作品以正確評價，而
不是偏執一見。只有具備了廣博精深的文學素養後，才能「平
理若衡，照辭如鏡」(《文心雕龍・知音篇》)，他之所以能有
較爲正確的文學批評觀點和客觀態度，顯然和他的博學有
關，因此才會有如此周全的文論。

> 詩至五代，駸駸乎入詞曲矣，然必一切繩以開、寶之
> 格，則由是以上，將執漢、魏以繩開、寶，執《詩》、
> 《騷》以繩漢、魏，而三百以下，且無詩矣，豈通論
> 哉？[491]
>
> 謂清歌妙舞不如勝水名山，謂珠玉錦繡不如彝鼎書畫，
> 謂肥馬輕裘不如蒔花養竹，此所謂不解事人矣。然彼
> 一是非，此一是非，士各有志，究亦莫能相強也。[492]
>
> 飴山老人《談龍錄》引吳修齡之言曰：意喻之米，文
> 則炊而爲飯，詩則釀而爲酒；飯不變米形，酒則變盡。
> 其意謂文易而詩難也。余則謂詩文各有體裁，亦各有
> 難易。杜子美之詩才，而散文多詰屈；皇甫湜、李翔
> 之文筆，而詩皆拙鈍，才有偏長，殆不可強。[493]
>
> 同一書也，而晉法與唐法分；同一畫也，而南宋與北宋
> 分，其源一而其流別也。流別既分，則一派之中，自
> 有一派之詣極，不相攝，亦不相勝也。惟詩亦然。[494]
>
> 蘇、李之詩天成，曹、劉之詩閎博，嵇、阮之詩妙遠，

491 紀昀：〈書韓致堯翰林集後〉，前揭書第一冊，頁251。
492 紀昀：〈積靜逸先生經義序〉，前揭書第一冊，頁210。
493 紀昀：〈耳溪文集序〉，前揭書第一冊，頁214。
494 紀昀：〈田侯松巖詩序〉，前揭書第一冊，頁201。

> 陶、謝之前高逸，沈、范之詩工麗，陳、張之詩高秀，
> 沈、宋之詩宏整，李、杜之詩高深，王、孟之詩淡靜，
> 高、岑之詩悲壯，錢、郎之詩婉秀，元、白之詩樸實，
> 溫、李之詩綺縟；千變萬化，不名一體。[495]

　　正因爲紀昀能以宏觀的文學流變史觀來進行文學批評的
工作，能不沒被批評者之所長；也不迴護被批評者之短，能
以較高角度宏觀的歷史觀點，給予被批評者全面且公允之批
評。例如自公安派以下，被攻擊甚烈的後七子領袖王世貞，
紀昀就如此評論道：

> 故其盛也，推尊之者遍天下，及其衰也，攻擊之者亦
> 遍天下。平心而論，自李夢陽之說出，而學者剽竊班、
> 馬、李、杜，自世貞之集出，學者遂剽竊世貞。故艾
> 南英《天傭子集》有曰「後生小子不必讀書，不必作
> 文，但架上有前後《四部稿》，每遇應酬，頃刻裁割，
> 便可成篇，驟讀之無不濃麗鮮華，絢爛奪目，細案之，
> 一腐套耳」云云。其指陳流弊，可謂切矣。然世貞才
> 學富贍，規模終大，譬諸五都列肆，百貨具陳，真偽
> 駢羅，良楛淆雜。而名材瑰寶，亦未嘗不錯出其中。
> 知末流之失，可矣；以末流之失，而盡廢世貞之集，
> 則非通論也。[496]

紀昀對王世貞在文學史上的得失、功過、地位，能糾正後人
以偏概全的誤謬，而給予公平的評論。又如後人對楊億、楊
榮評價的毀譽，紀昀也都是以宏觀的文學史觀點來加以評

495　紀昀：〈清艷堂詩序〉，前揭書第一冊，頁202。
496　〈弇州山人四部稿提要〉，《四庫全書總目》卷172，前揭書，頁2325。

論，給予公平的評論。

結　語

　　在探索紀昀的文集及其評點諸書之後，深感他的文論體現了高度的藝術鑒賞力，這是紀昀以儒家思想爲旨歸，以公允的態度爲理念，以審美批評爲要件，最終匯聚成一種「爲務折衷」中和式的文學批評思想。這樣的文論是紀昀進行全面而系統化的批評後所得到的，無論從作品的內容、作品的表現技巧、作品的作用；作家的學力、人格、才力、創作年歲到對批評家的要求，以及各類文體的探析等等，無不進行著「系統的文學批評」，這樣對於歷代作家、作品、思潮、流派和創作成就、創作風格、文學運動等等，都有全面、系統和具體的分析評價，爲我們勾勒出一部清晰而簡要的文學批評史的鉅作。這樣的文論是紀昀能出新意於舊說之中，更提出圓融周密之說，對各類流派、作家、作品之爭，提出較爲公允而全面的評價，有著糾正時弊的作用。這樣的文論是紀昀以宏觀的文學史論，勾勒出歷代的文學演變的因襲關係、正變反合；剖析不同時期文體、作品、作家的短長優劣而得到的。因此最終博得「批評用力之勤，蓋無過紀昀者」的美譽，無怪乎阮元在《紀文達公遺集》序中，曾用「辨漢宋儒術之是非，析詩文流派之正僞」這兩句話來概括紀昀一生的學術成就，其中「析詩文流派之正僞」就是指出紀昀在文論上的成就。總而言之，紀昀文論考辨精微，評價公允，已構

成古典文學批評學術史的雛形，他以儒家思想爲本，又能重視文學獨特的藝術性，將兩者取得完美的平衡。他的文論既可以說是傳統文論研究的集大成之作，所提供的許多內容、觀點及文獻也爲批評史家所普遍接受和充分利用，後來有不少中國文學批評史研究是以此爲底本和基礎的，所以他的文論也是現代文學批評史學科形成的基礎，這是今天研究中國文學批評學術史者，所不能忽視的紀昀成就。今綜合本文所述，試將其見解歸納爲一簡表：

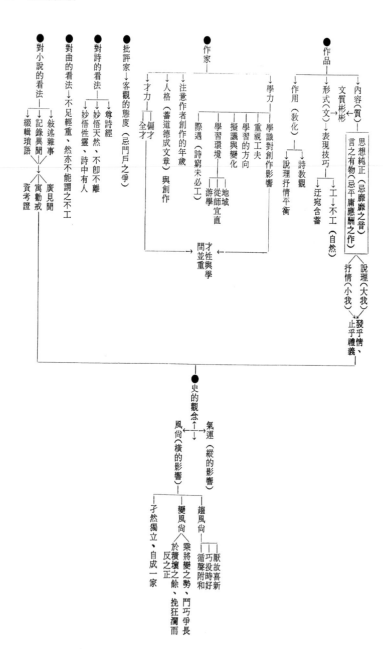

正如高仲華師所稱：

> 尚論有清一代學者：博見洽聞，幾乎無書不讀；抉微
> 發隱，幾乎有論皆高；上能窮百代學術之源流，而集
> 其大成；下以存四庫典籍於久遠，而成其不朽；其名
> 既重於當時，其功又被於後世者——紀昀一人而已。[497]

周積明在《紀昀評傳》中稱紀昀為「一個古典文化穴結時代的代表型人物」[498]，作為這樣的人物，他必須對傳統文化有睿智、深徹的眼力作出涵蓋經、史、子、集各領域規模恢宏的理論總結：

> 他一生重要的業績，乃是立足於古典文化的「穴結」
> 點，以睿智、深徹的眼力掃視中國滾淌千年的學術文
> 化長流，進而作出涵蓋經學、哲學、文學、史學各科
> 領域的規模恢宏的理論總結。[499]

如果單從文學批評理論家的角度來看，紀昀博覽古今、深厚的學識使他能詳明整個文學流變，因而深具史的觀念！正因為紀氏具有史的觀念，所以於文體正變源委知之甚詳，也才能對各類文學作品、各家派別的利弊得失了然於心。加上他有公正的態度，批評能除門戶之見，所以每能立論公允。雖然他許多的主張見解，都是前有所承，是他「穴結」的表現，但在進行總結當中，也能後出轉精，歸納得到相濟相成的圓融之說，因此稱他為文論大家當不為過譽！

---

497 高明：〈紀昀傳〉，《高明文集》下冊，（台北：黎明圖書公司，1978）頁 599。
498 周積明：《紀昀評傳》導論，（南京：南京大學出版社，1994），頁 1。
499 周積明：《紀昀評傳》導論，（南京：南京大學出版社，1994），頁 9-10。

《閱微草堂筆記》中紀昀「托狐鬼以抒己見」的學術見解之例

　　魯迅（1881-1936）曾在《中國小說史略》中稱讚紀昀（1724-1805）的《閱微草堂筆記》說：「惟紀昀本長文筆，多見秘書，又襟懷夷曠，故凡測鬼神之情狀，發人間之幽微，托狐鬼以抒己見者，雋思妙語，時足解頤，間雜考辨，亦有灼見。敘述復雍容淡雅，天趣盎然，故後來無人能奪其席，固非僅借位高望重以傳者矣」[1]，紀昀對於他所贊同或反對的意見，往往藉著鬼狐或是他人之口或抨擊或諷刺或讚揚或勸懲，甚至於紀昀連學術見解，也有以這種寓言式「托狐鬼以抒己見」的方式來表達。所以紀昀的《閱微草堂筆記》已不僅僅於講述奇聞異事而已，其中還有作者藉著談異述奇，特別是講述狐鬼故事來諷刺世相、針砭世風、抒發人生感慨與哲理、為人處世的哲學等種種意圖，乃至表述自己的學術觀點、思想觀點也屢見其中。所以魯迅才又稱「則《閱微》又過偏於論議。蓋不安於僅為小說，更欲有益人心」[2]。今試舉《閱微草堂筆記》中紀昀「托狐鬼以抒己見」的學術見解之

---

1 魯迅：《中國小說史略》第 22 章，上海古籍出版社，2006，頁 138。
2 同前注。

例數則，或許有助於我們去瞭解紀昀內心一些未曾言明的想法，讓我們能更加清楚紀昀看待漢、宋學的態度，並釐清紀昀未曾言明和被人誤解的治學趨向。

一、經香閣之事

在《灤陽消夏錄》卷一中，記載著一則由紀昀在順天鄉試時所取的學生朱子穎，講述一位士子的經香閣奇遇之事。雖然紀昀認為「案此事荒誕，殆尊漢學者之寓言」，但是卻也趁此發表了一番他對漢、宋學的看法：

> 夫漢儒以訓詁專門，宋儒以義理相尚，似漢學粗而宋學精。然不明訓詁，義理何由而知？概用詆諆，視猶土苴，未免既成大輅，追斥椎輪，得濟迷川，遽焚寶筏。於是攻宋儒者，又紛紛而起。故余撰《四庫全書・詩部總序》，有曰：「宋儒之攻漢儒，非為說經起見也，特求勝於漢儒而已。後人之攻宋儒，亦非為說經起見也，特不平宋儒之詆漢儒而已。」……平心而論，《易》自王弼始變舊說，為宋學之萌芽，宋儒不攻；《孝經》詞義明顯，宋儒所爭，只今文古字句，亦無關宏旨，均姑置勿議；至《尚書》、三禮、三傳、《毛詩》、《爾雅》諸注疏，皆根據古義，斷非宋儒所能；《論語》、《孟子》，宋儒積一生精力，字斟句酌，亦斷非漢儒所及。蓋漢儒重師傳，淵源有自；宋儒尚心悟，研索易深。漢儒或執舊文，過於信傳；宋儒或憑臆斷，勇於改經。計其得失，亦復相當。唯漢儒之學，非讀書

稽古，不能下一語；宋儒之學，則人人皆可以空談其
間。蘭艾同生，誠有不盡饜人心者。是嗤點之所自來。
此種虛構之詞，亦非無因而作也。[3]

　　由上述這段意見，透露著紀昀三點學術上的訊息。一是
他對漢學、宋學的長短、得失的評論，可說是實事求是，無
所偏向。所以方濬師評論這段文字說：「此論出，雖起鄭、孔、
程、朱於九泉問之，當亦心折也」[4]。由這段話可以看出紀昀
對漢學之短並不迴護，對宋學之長，也不抹滅，一如他在《四
庫全書總目·經部總敘》所說的「夫漢學具有根柢，講學者
以淺陋輕之，不足服漢儒也；宋學具有精微，讀書者以空疏
薄之，亦不足服宋儒也」同樣有著「消融門戶之見，而各取
所長，則私心祛而公理出，公理出而經義明矣」[5]，是力主消
弭門戶之爭的意見。其實紀昀對平息漢宋學門戶之爭，力求
公允之論的說法多有所見，如他在〈周易義象合纂序〉[6]中稱
「古今說五經者，惟《易》最夥，亦惟《易》最多歧論，甘
者忌辛，是丹者非素，齗齗相爭，各立門戶，垂五六百年於
茲」，對這種《易》學主象，主理、主事三派的門戶之爭，在
紀昀看來實在是「仁智自生妄見」，因此他欣賞的是李東圃於
「漢學、宋學兩無所偏好，亦無所偏惡」這種持平之論，甚
至發出「余向纂《四庫全書》，作經部詩類小序曰：『攻漢學
者，意不盡在於經義，務勝漢儒而已；伸漢學者，意亦不盡

3 紀昀著，孫致中等校點，《紀曉嵐文集》第二冊《閱微草堂筆記》，河
　北教育出版社，1991，頁 10。
4 《蕉軒隨錄》卷七，（北京）中華書局，1997，頁 279。
5 （北京）中華書局，1997，上冊頁 42。
6 《紀曉嵐文集》第一冊，前揭書，頁 153-154。

在於經義，憤宋儒之詆漢儒而已。出爾反爾，勢于何極。」
安得如君者數十輩與校定四庫之籍也」的感慨，他還對戴震、
周永年以水做一個生動的比喻：「譬一水也，農家以為宜灌
溉，舟子以為宜往來，形家以為宜砂穴，兵家以為宜扼拒，
遊覽者以為宜眺賞，品泉者以為宜茶荈，澣濯綖者以為利浣
濯：各得所求，各適其用，而水則一也。譬一都會也，可自
南門入，可自北門入，可自東門入，可自西門入，各從其所
近之途，各以為便，而都會則一也。《易》之理何獨不然……
通此意以解《易》，則《易》無門戶矣」，由此也可以看出紀
昀致力於平息漢宋學門戶之爭，力求公允之論的用心。相同
的意見又見於〈黎君易注序〉[7]，紀昀認為漢宋《易》學象、
數、理三派之爭的由來「一由爭門戶，一由騖新奇，一由一
知半解」，但「漢《易》言數象，不能離存亡進退，非理而何；
宋《易》言理，不能離乘承比應，非象數而何」，因此「言理
則棄象數，言象數即棄理，豈通論哉！」又何必堅持「此彼
法、此我法、此古義、此新義」的門戶之見呢！在此不難看
出紀昀主張的是消融門戶之見，以學術之是非為準，因此阮
元才會說紀昀「考古必衷諸是，持論務得其平……蓋公之學
在於辨漢宋儒術之是非」[8]。可惜的是紀昀這樣摒除門戶之
爭、力求公允之論，並未引起人們太多的注意，以致於大多
人還是認為紀昀治學的態度是揚漢抑宋，仇視宋學。

其次在這段話中，紀昀提到他撰寫了《四庫全書‧詩部
總序》，其實紀昀自己也曾多次提及他和《四庫全書總目》的

---

7 前揭書，頁 155。
8 阮元：〈紀曉嵐遺集序〉，《紀曉嵐文集》第三冊，前揭書，頁 727。

關係，有的是自稱撰寫《四庫全書總目》總序、類序[9]，有的是直言撰寫《四庫全書總目》[10]，有的是自稱校定、勘定《四庫全書總目》之事[11]，有言及《四庫全書總目》編次[12]，有的

9　如這段話的自稱，另外有〈詩序補義序〉「余作《詩類總序》有曰：攻漢學者，意不盡在於經義，務勝漢儒而已。伸漢學者意亦不盡在予經義，憤宋儒之詆漢儒而已。各挾一不相下之心，而又濟以不平之氣，激而過當，亦其勢然與！」（《紀曉嵐文集》第一冊，頁 156-157）、〈周易義象合纂序〉「余向纂《四庫全書》，作經部詩類小序曰：攻漢學者，意不盡在於經義，務勝漢儒而已；伸漢學者，意亦不盡在於經義，憤宋儒之詆漢儒而已。出爾反爾，勢于何極。」（前揭書，頁 154）、〈詩序補義序〉「凡《易》之象數、義理；《書》之今文、古文；《春秋》之主傳、廢傳；《禮》之王、鄭異同，皆別白而定一尊，以諸雜說為之輔。」（前揭書，頁 156）

10　如〈二樟詩鈔序〉「余初學詩從《玉谿集》入，後頗涉獵於蘇、黃，於江西宗派亦略窺涯涘。嘗有場屋為余駁放者，謂余詆諆江西派，意在煽構，聞者或惑焉，及余所編《四庫書總目》出，始知所傳蜚語，群疑乃釋。」（前揭書，頁 200）、〈詩序補義序〉「余於癸巳受詔校秘書，殫十年之力，始勒為《總目》二百卷，進呈乙覽……凡《易》之象數、義理；《書》之今文、古文；《春秋》之主傳、廢傳；《禮》之王、鄭異同，皆別白而定一尊，以諸雜說為之輔。」（前揭書，頁 156）、〈灤陽續錄〉卷一「案相人之法，見於左傳，其書《漢志》亦著錄。惟太素脈、揣骨二家前古未聞。太素脈至北宋，始出其授受，淵源皆支離附會，依託顯然。余於《四庫全書總目》，已詳論之。揣骨亦莫所自起。」（前揭書，頁 494）、《閱微草堂硯譜》「此迦陵先生之故硯，伯恭司成以贈石庵相國。余偶取把玩，相國因以贈余。迦陵四六，頗為後來所嗤點，余撰《四庫全書總目》，力支柱之。」（湖北美術出版社，2002，頁 23）、〈槐西雜志〉卷二「余撰《四庫全書總目》，亦謂虛中推命不用時，尚沿舊說。今附著於此，以志余過」（前揭書，頁 305）

11　如〈濟眾新編序〉「余校錄《四庫全書》，子部凡分十四家。」（前揭書，頁 179）、〈四百三十二峰草堂詩鈔序〉「余校定《四庫》所見不下數千家，其體已無所不備。」（前揭書，頁 207）、〈遜齋易述序〉「余勘定四庫書，頗恨其空言聚訟也。」（前揭書，頁 153）、〈黎君易注序〉「余校定秘書二十餘年，所見經解，惟《易》最多，亦惟《易》最濫。」（前揭書，頁 155）

12　如〈詩序補義序〉「惟《詩》則托始小序，附以辨說，以著爭端所自

是論及撰寫《四庫全書總目》案語之事[13]，這在在都說明了紀昀爲《四庫全書總目》所付出的心血與密切的關係，紀昀的這些自述，從乾、嘉歷道、咸、同、光以來，並未見清代學者出面反駁，足見所言屬實，這正是爲《四庫全書總目》著作權歸屬於紀昀，做了一個有力的例證。

最後，紀昀所說的「唯漢儒之學，非讀書稽古，不能下一語；宋儒之學，則人人皆可以空談其間。蘭艾同生，誠有不盡饜人心者。是噇點之所自來。此種虛構之詞，亦非無因而作也」表達出紀昀認爲漢學治學篤實，宋學則不免「空談其間」，以至於「蘭艾同生」，造成「噇點之所自來」，是以會有這則寓言的產生。因爲認同漢學徵實的治學方法，所以紀昀自稱「三十以前，講考證之學；五十以後，領修祕籍，復折而講考證」[14]，在《閱微草堂筆記》中紀昀記載著老師何

起，終以范薝洲之《詩瀋》、姜白岩之《詩序補義》、顧古湫之《虞東學詩》，非徒以時代先后次序應爾也。」（前揭書，頁 156）、〈姑妄聽之〉卷四「余作《四庫全書總目》，明代集部以練子甯至金川門卒，龔詡八人，列解縉胡廣諸人前。」（前揭書，頁 479）、〈濟衆新編序〉「余校錄《四庫全書》，子部凡分十四家。儒家第一，兵家第二，法家第三，所謂禮樂兵刑國之大柄也。農家、醫家，舊史多退之於末簡，余獨以農家居四，而其五爲醫家。農者民命之所關，醫雖一技，亦民命之所關，故升諸他藝術上也。」（前揭書，頁 179）

13 如〈姑妄聽之〉卷四「余作《四庫全書總目》，明代集部以練子甯至金川門卒，龔詡八人，列解縉胡廣諸人前。併附案語曰：「謹案練子甯以下八人，皆惠宗舊臣也。考其通籍之年，蓋有在解縉等後者。然一則效死於故君；一則邀恩於新主，梟鸞異性，未可同居，故分別編之，使各從其類。至龔詡卒於成化辛醜，更遠在縉等後，今亦升列於前，用以昭名教是非、千秋論定。紆青拖紫之榮，竟不能與荷戈老兵爭此一紙之先後」，黃泉易逝，青史難誣，潘生是言，又安可以佻薄廢乎？」（前揭書，頁 479）

14 〈姑妄言之序〉，前揭書，頁 375。

勵庵（何琇）所講述的狐仙故事，雖然他認爲是「案此殆先生之寓言」，但會將此事加以引述記錄，主要還是認同治學一如老狐求仙，應該步步踏實：

> 吾輩皆修仙者也，凡狐之求仙有二途，其一採精氣拜星斗，漸至通靈變化，然後積修正果，是爲由妖而求仙，然或入邪闢，則干天律，其途捷而危。其一先鍊形爲人，既得人，然後講習內丹。是由人而求仙，雖吐納導引，非旦夕之功，而久久堅持，自然圓滿，其途迂而安。顧形不自變，隨心而變，故先讀聖賢之書，明三綱五常之理，心化則形亦化矣……先生嘗曰：「以講經求科第，支離敷衍，其詞愈美，而經愈荒。以講經立門戶，紛紜辯駁，其說愈詳，而經亦愈荒，語意若合符節」。又嘗曰：「凡巧妙之術，中間必有不穩處，如步步踏實，即小有蹉失。終不至折肱傷足」，與所云修仙二途，亦同一意也。[15]

二、戴震、劉羽沖的鬼故事

雖然紀昀欣賞漢學重考據徵實的治學方法，但是如果只是泥古而食古不化，成爲迂腐的學究，甚至陷入繁瑣的考證弊病當中，紀昀也會毫不客氣地給予辛辣的諷刺。《閱微草堂筆記》中多的是譏諷宋學之弊的故事，但其實也有被人所忽略，紀昀譏諷漢學之弊的故事。其實紀昀早已毫不避諱地指

---

15 〈灤陽消夏錄〉卷三，前揭書，頁53。

出漢學之弊「及其弊也拘」、「及其弊也瑣」[16]，一如批評
漢學最力的姚鼐所說的漢學流弊，其批評漢學「守一家之偏」
[17]、「穿鑿瑣屑」之學[18]。在〈灤陽消夏錄〉卷五中紀昀講述
了一則鬼故事給戴震聽，戴震聽後也說出一則鬼故事來回應：

> 朱青雲言，嘗與高西園散步水次。時春冰初泮，淨綠
> 瀛溶。高曰：「憶晚唐有『魚鱗可憐紫，鴨毛自然碧』
> 句，無一字言春水而晴波滑笏之狀，如在目前。惜不
> 記其姓名矣。」朱沉思未對，聞老柳後有人語曰：「此
> 初唐劉希夷詩，非晚唐也。」趨視無一人，朱悚然曰：
> 「白日見鬼矣！」高微笑曰：「如此鬼，見亦大佳，

---

16 此二句見《四庫全書總目·經部總序》，前揭書，1997。

17 如同紀昀所說的「及其弊也拘」，姚鼐批評道：「當明時，經生惟聞宋
儒之說，舉漢、唐箋注屏棄不觀，其病誠隘。近時乃好言漢學，以是
爲有異於俗。夫守一家之偏，蔽而不通，亦漢之俗學也，其賢也幾何？」
（〈復孔撝約論禘祭文〉，《惜抱軒文集》卷六，《續修四庫全書》第 1453
冊，上海古籍出版社，2002，頁 47）、「孔子沒而大道微，漢儒承秦滅
學之後，始立專門，各抱一經，師弟傳受，儕偶怨怒嫉妒，不相通曉，
其於聖人之道，猶築牆垣而塞門巷也。」（〈贈錢獻之序〉，《惜抱軒文
集》，《續修四庫全書》第 1453 冊，上海古籍出版社，2002，卷七，
頁 56）。

18 如同紀昀所說的「及其弊也瑣」，姚鼐批評道：「近時陽明之焰熄，而
異道又興。學者稍有志於勤學法古之美，則相率而兢於考證訓詁之
塗，自名漢學，穿鑿瑣屑，駁難猥雜。其行曾不能望見象山、陽明之
倫，其識解更卑於永嘉，而輒敢上訾程、朱，豈非今日之患哉！」（〈安
慶府重修儒學記〉，《惜抱軒文集後集》卷十，《續修四庫全書》第 1453
冊，上海古籍出版社，2002，頁 202）、「明末至今日，學者頗厭功令
所載爲習聞，又惡陋儒不考古而蔽於近，於是專求古人名物、制度、
訓詁、書數，以博爲量，以窺隙攻難爲功，其甚者欲盡捨程、朱而宗
漢之士。枝之獵而去其根，細之蒐而遺其鉅，夫寧非蔽歟！」（〈贈錢
獻之序〉，《惜抱軒文集》卷七，《續修四庫全書》第 1453 冊，上海古
籍出版社，2002，頁 56）。

但恐不肯相見耳。」對樹三揖而行。歸檢劉詩，果有此二語。余偶以告戴東原，東原因言有兩生燭下對談，爭春秋周正夏正，往復甚苦，窗外忽太息言曰：「左氏周人，不容不知周正朔，二先生何必費詞也？」出視窗外，惟一小僮方酣睡。觀此二事，儒者日談考證，講曰若稽古，動至十四萬言，安知冥冥之中，無在旁揶揄者乎？[19]

在乾嘉考據學風如日中天的時代，紀昀竟敢透過鬼神之口對大家趨之若鶩的考據之學加以揶揄，如果紀昀果真一昧反對宋學，又怎麼會有譏諷漢學陷入訓詁考證泥淖「儒者日談考證，講曰若稽古，動至十四萬言，安知冥冥之中，無在旁揶揄者乎？」的記述呢？《閱微草堂筆記》中另有一則書生借視狐精之書「皆五經、論語、孝經、孟子之類。但有經文而無註。問經不解釋，何由講貫？老翁曰：『吾輩讀書，但求明理。聖賢言語本不艱深，口相授受，疏通訓詁，即可知其義旨，何以註為？』」[20]，也頗有借狐精之口，表達出對儒者陷於訓詁考證泥淖之中的譏諷。紀昀在《閱微草堂筆記》中還不諱言，記錄其族祖在大兵圍城之際，猶考證古書真偽，因此不及逃生而遇害的故事：

崇禎壬午，厚齋公攜家居河間，避孟村土寇，厚齋公卒後聞大兵將至河間，又擬鄉居，瀕行時，比鄰一叟，顧門神嘆曰：「使今日有一人如尉遲敬德、秦瓊當不至此。」汝兩曾伯祖，一諱景星，一諱景辰，皆名諸

___

19 前揭書，卷五，頁96。
20 〈灤陽消夏錄〉卷三，前揭書，頁53。

生也。方在門外束襆被，聞之，與辯曰：「此神荼鬱
壘像，非尉遲敬德、秦瓊也。」叟不服，檢邱處機《西
遊記》為證。二公謂委巷小說不足據，又入室取東方
朔《神異經》與爭。時已薄暮，檢尋既移時，反覆講
論又移時，城門已闔，遂不能出。次日將行，而大兵
已合圍矣。城破，遂全家遇難。[21]

　　這件因為考證古書記載而喪命的慘事，或許刺激著紀昀
避免成為不通世務讀死書的學究，也對漢學陷於訓詁考證之
弊有所警惕。此外，紀昀高祖紀坤（厚齋公）之友劉羽沖復
古、泥古的記載，未嘗不是針對著「凡古必真，凡漢皆好」[22]
的吳派，以及那些崇古、泥古的漢學家有感而發的描寫呢：

　　劉羽沖，佚其名，滄州人。先高祖厚齋公多與唱和，
　　性孤僻，好講古制，實迂闊不可行。嘗倩董天士作畫，
　　倩厚齋公題。內《秋林讀書》一幅云：「兀坐秋樹根，
　　塊然無與伍。不知讀何書？但見鬚眉古。只愁手所
　　持，或是井田譜。」蓋規之也。偶得古兵書，伏讀經
　　年，自謂可將十萬。會有土寇，自練鄉兵與之角，全
　　隊潰覆，幾為所擒。又得古水利書，伏讀經年，自謂
　　可使千里成沃壤。繪圖列說於州官。州官亦好事，使
　　試於一村。溝洫甫成，水大至，順渠灌入，人幾為魚。

---

21 前揭書，頁 532。
22 梁啟超在《清代學術概論》中認為吳派的宗旨是「凡古必真，凡漢皆
　　好」（水牛出版社，1981，頁 53）。紀昀也曾明白指出吳派泥古的積弊
　　「蓋其長在博，其短亦在於嗜博。其長在古，其短亦在於泥古也。」
　　（惠棟《左傳補注》提要，《四庫全書總目》上冊卷 29，（北京）中華
　　書局，1997，頁 380）。

由是抑鬱不自得，恒獨步庭階，搖首自語曰：「古人
豈欺我哉？」如是日千百遍，惟此六字。不久，發病
死。後風清月白之夕，每見其魂在墓前松柏下，搖首
獨步。傾耳聽之，所誦仍此六字也。或笑之，則歘隱。
次日伺之，復然。泥古者愚，何愚乃至是歟？[23]

所以紀昀還趁著獻縣挖掘出唐代大中七年明經劉伸所撰〈張
君平墓誌〉一事，直言世人泥古謬見之非：

字畫尚可觀，文殊鄙俚。余拓示李廉衣前輩曰：「公
謂古人事事勝今人，此非唐文耶？天下率以名相耀
耳。如核其實，善筆札者必稱晉，其時亦必有極拙之
字，善吟詠者必稱唐，其時亦必有極惡之詩，非晉之
廝役皆羲、獻，唐之屠沽皆李、杜也。西子、東家，
實為一姓；盜跖、柳下，乃是同胞，豈能美則俱美，
賢則俱賢耶？賞鑒家得一宋硯，雖滑不受墨，亦寶若
球圖；得一漢印，雖謬不成文，亦珍逾珠璧，問何所
取？曰：『取其古耳。』東坡詩曰：『嗜好與俗殊酸鹹』
斯之謂歟！」[24]

所以由這些狐鬼的故事可以得知，當明末清初以來，欲
以徵實的考證方法，以回歸經典原義，達到經世致用救世濟
民的思想逐漸被淡忘之後，導致學者因崇古、泥古而沉溺於
故紙堆中，窮年累月於字句的考證，清代漢學的流弊也逐漸
浮現出來，紀昀對此漢學之弊也不諱言並加以譏諷，甚至於

23　〈灤陽消夏錄〉卷三，前揭書，頁 50。
24　〈如是我聞〉卷四，前揭書，頁 234-235。

還在〈丙辰會試錄序〉[25]一文中，他很清楚地提出了「明義理，固當以宋學為宗，而以漢學補苴其所遺」，但也指出了漢學的流弊「以訂正字畫，研尋音義，務旁徵遠引以眩博，而義理不求其盡合……夫古學，美名也；崇獎古學，亦美名也。名所集而利隨焉，故弋獲者有之；利所集而偽生焉，故割剝讖緯，掇拾蒼雅，編為分類之書，以備勦說之用者亦有之」，足見紀昀治學並不排斥宋學、偏頗漢學，也能指出崇獎古學（漢學）所衍生的流弊。

三、紀叔姬、鬼魂談易之事

在魯莊四年「紀侯大去其國」後，紀侯的二夫人紀叔姬還曾到酅地投靠小叔紀季，元儒程端學沿襲宋儒疑經改經臆斷之習，認為紀叔姬當歸於母族魯國而不應歸於夫族酅地，據此而認定紀叔姬失節於紀季。紀昀在《四庫全書總目》中已嚴詞辯駁：

> 如經書紀履緰來逆女伯姬歸于紀，此自直書其事，舊無褒貶。端學必謂履緰非命卿，紀不當使來迎；魯亦不當聽其迎。夫履緰為命卿，固無明文，其非命卿，又有何據乎？紀叔姬之歸酅，舊皆美其不以盛衰易志，歸於夫族。端學必以為當歸魯而不當歸酅，斯已刻矣，乃復誣以失節於紀季，此又何所據乎？[26]

在《閱微草堂筆記》中更藉著已成為神明的紀叔姬之口，

25 紀昀：〈丙辰會試錄序〉，《紀曉嵐文集》第一冊，前揭書，頁149。
26 〈春秋本義提要〉，（北京）中華書局，1997，上冊頁356。

暢《四庫全書總目》中未盡之言，加以辯白程端學「何由知季必悅我（五旬以外斑白之嫠婦）」臆斷的誤謬：

> 偶在五雲多處，（即原心亭）檢校端學《春秋解》，周編修書昌因言：「有士人得此書，珍為鴻寶，一日與友人遊泰山，偶談經義，極稱其論叔姬歸鄫一事，推闡至精。夜夢一古妝女子，儀衛尊嚴，屬色詰之曰：『武王元女，實主東嶽。上帝以我艱難完節，接跡共姜，俾隸太姬為貴神，今二千餘年矣。昨爾述豎儒之說，謂我歸鄫為淫於紀季，虛辭誣詆，實所痛心。我隱公七年歸紀，莊公二十年歸鄫，相距三十四年，已在五旬以外矣。以斑白之嫠婦，何由知季必悅我？越國相從，《春秋》之法，非諸侯夫人不書，亦如非卿不書也。我待年之媵，例不登諸簡策，徒以矢心不二，故仲尼有是特筆。程端學何所憑據而造此曖昧之謗耶？爾再妄傳，當黥爾舌。』命從神以骨朵擊之，狂叫而醒，遂燬其書。」余戲謂書昌曰：「君耽宋學，乃作此言。」書昌曰：「我取其所長，而不敢諱所短也。」是真持平之論矣。[27]

　　紀昀除了抨擊宋儒以臆說解經外，他還屢屢藉著鬼狐或他人之口加以抨擊宋儒《易》學先天無極之說的不滿，如記五公山人（王餘佑）與崔寅鬼魂談《易》之事，藉著崔寅鬼魂之口說出：

> 崔曰：「聖人作易，言人事也，非言天道也，為眾人

言也，非為聖人言也。聖人從心不踰矩，本無疑惑，
何待於占？惟眾人昧於事幾，每兩歧罔決，故聖人以
陰陽之消長，示人事之進退，俾知趨避而已，此儒家
之本旨也。顧萬物萬事，不出陰陽，後人推而廣之，
各明一義。……易道廣大，無所不包，見智見仁，理
原一貫，後人忘其本始，反以旁義為正宗，是聖人作
易，但為一二上智設，非千萬世垂教之書，千萬人共
喻之理矣。經者常也，言常道也，經者徑也，言人所
共由也，曾是六經之首，而詭秘其說，使人不可解
乎？」[28]

相同的意見也出現在《四庫全書總目》卷六案語中：「夫
聖人垂訓，實教人用《易》，非教人作《易》。今不談其所以
用，而但談其所以作，是《易》之一經，非千萬世遵為法戒
之書，而一二人密傳妙悟之書矣」[29]。又如文士鬼魂因和張
子克學術見解不同而絕交之事，張子克偶論太極無極之旨，
鬼魂怫然曰：

「於傳有之：『天道遠，人事邇。』六經所論皆人事，
即易闡陰陽，亦以天道明人事也。捨人事而言天道，已
為虛者，又推及先天之先，空言聚訟，安用此為？」[30]

相同的意見也出現在《四庫全書總目》卷95，子部〈太
極圖分解提要〉中：「顧捨人事而爭天，又捨共睹共聞之天而
爭耳目不及之天，其所爭者毫無與人事之得失，而曰吾以衛

28　〈灤陽消夏錄〉卷六，前揭書頁112。
29　前揭書，頁72。
30　〈槐西雜志〉卷二，前揭書頁281。

道。學問之醇疵、心術人品之邪正、天下國家之治亂，果繫於此二字乎？」[31]紀昀所抨擊的是「捨人事而言天道」、「而詭秘其說，使人不可解」、「先天之說的空言聚訟」等思想，除了在《四庫全書總目》有相同的意見外，此外紀昀還說：

> 故余於漢儒之學，最不信《春秋繁露》、《洪範五行傳論》；於宋儒之學，最不信《河圖洛書》、《皇極經世書》。[32]

> 余校定秘書二十餘年，所見經解，惟《易》最多，亦惟《易》最濫……殊不知《易》之作也，本推天道以明人事，故六十四卦之大象，皆有君子以字，而三百八十四爻，亦皆吉凶悔吝為言，是為百姓日用作，非為一二上智密傳微妙也；是為明是非決疑惑作，非為讖緯禨祥預使前知也[33]

紀昀認為《易經》「推天道以明人事」是為了「明是非決疑惑」，而不是為了「讖緯禨祥預使前知」；是為了「百姓日用作」，而不是為了「一二上智密傳微妙」，這和前面

31　前揭書，頁1240。

32　《槐西雜志》卷一，前揭書，頁251。紀昀雖未詳述因何不信，不過在《灤陽消夏錄》卷四中他引了李又聃的話，倒可以看出紀昀不滿的地方是有形可據的日月星辰運行宋儒都無法精準的預測，何況是無形之中的太極先天？：「宋儒據理談天，自謂窮造化陰陽之本，於日月五星；言之鑿鑿，如指諸掌。然宋曆屢變而愈差，自郭守敬以後，驗以寔測，證以交食，始知濂洛關閩，於此事全然未解，即康節最通數學，亦僅以奇偶方圓，揣摩影響，寔非從推步而知。故持論彌高，彌不免郢書燕說，夫七政運行，有形可據，尚不能臆斷以理，況乎太極先天，求諸無形之中者哉？先聖有言：『君子於其所不知，蓋闕如也。』」，前揭書，頁79-80。所以如同鬼魂所說的「空言聚訟，安用此為」。

33　紀昀：〈黎君易注序〉，前揭書，頁155。

紀昀引鬼魂所說的話，兩相對照，實無二致，都是紀昀在書中每每「托狐鬼以抒己見」的例子，今將諸說列表於下。

批評焦點	鬼魂之言	《四庫全書總目》	紀昀之言
捨人事而言天道	聖人作易，言人事也，非言天道也。	實教人用《易》，非教人作《易》。	《易》之作也，本推天道以明人事。
而詭秘其說，使人不可解	但爲一二上智設，非千萬世垂教之書……而詭秘其說，使人不可解乎？	不談其所以用，而但談其所以作，是《易》之一經，非千萬世遵爲法戒之書，而一二人密傳妙悟之書矣。	是爲百姓日用作，非爲一二上智密傳微妙。爲明是非決疑惑作，非爲讖緯禨祥使前知也。
先天之說的空言聚訟	捨人事而言天道，已爲虛杳，又推及先天之先，空言聚訟，安用此爲？	捨人事而爭天，又捨共睹共聞之天而爭耳目不及之天，其所爭者毫無與人事之得失，而曰吾以衛道。學問之醇疵、心術人品之邪正、天下國家之治亂，果繫於此二字乎？	夫七政運行，有形可據，尚不能臆斷以理，況乎太極先天，求諸無形之中者哉？

　　由上述紀叔姬之例，可知紀昀痛惡的是宋儒臆斷解經之弊，理學家據理談天說性，講求格物窮理，但是紀昀認爲「六合之外，聖人存而不論。然六合之中，實亦有不能論者」[34]、「然則天下之事，但知其一，不知其二者多矣，可據理臆斷歟？」[35]、「天下真有理外事也」[36]、「理所必無者，事或竟有，然究亦理之所有也，執理者自泥古耳」[37]，正因爲天地之大無奇不有，幽明之理世人難測，六合之中有許多無法以

---

34 〈灤陽消夏錄〉卷四，前揭書，頁79。
35 〈姑妄聽之〉卷二，前揭書頁411。
36 〈灤陽續錄〉卷三，前揭書，頁531。
37 〈如是我聞〉卷一，前揭書，頁156。

常理判斷的事，因此紀昀認為不必曲為之詞，也不必力攻其非，「闕所疑可矣」[38]。但是講學家「執其私見，動曰此理之所無」[39]、「天地之大，無所不有，宋儒每於理所無者，即斷其必無，不知無所不有，即理也」[40]、「宋儒於理不可解者，皆臆斷以為無是事」[41]，因此紀昀屢屢抨擊講學家「以理斷天下事，不盡其變」[42]，講學家的臆斷「不亦顛乎？」[43]、「毋乃膠柱鼓瑟乎？」[44]。由鬼魂談《易》之事，可知紀昀痛惡的是空談天道而捨人事，不僅是宋學的先天無極之說，還包含了漢儒的《春秋繁露》、《洪範五行傳論》以陰陽休咎附會到政治、人事禍福之上無關經義之說，都是清楚地表達出紀昀「崇實黜虛」的治學趨向，因而痛惡不切實際的空談之說。所以紀昀在《閱微草堂筆記》書中一再強調「以實心勵實行，以實學求實用」[45]、「讀書以明理，明理以致用也」[46]，在《四庫全書總目》中「通經」、「黜虛」、「用世」等類的評語措辭一再地出現，可以看出崇實的指向[47]，也展現出「實」和「虛」正是紀昀對治學勸懲之所在，換言之，縈繞

38　〈灤陽消夏錄〉卷四，前揭書，頁 67。
39　〈灤陽續錄〉卷一，前揭書，頁 502。
40　〈灤陽消夏錄〉卷六，前揭書，頁 115。
41　〈灤陽消夏錄〉卷四，前揭書，頁 79。
42　〈槐西雜志〉卷二，前揭書頁 276。
43　〈灤陽續錄〉卷一，前揭書，頁 502。
44　〈灤陽消夏錄〉卷四，前揭書，頁 79。
45　〈姑妄聽之〉卷四，前揭書，頁 476。
46　〈姑妄聽之〉卷四，前揭書，頁 488。
47　詳見曾紀剛：《《四庫全書》之纂修與清初崇實思潮之關係研究 —— 以經史二部為主的觀察》一書附錄二，花木蘭文化工作坊，2005，頁 129-148。

在紀昀心中的目標就是如何能通經致用，正如他在〈甲辰會試錄序〉中所說的：

> 設科取士將使分治天下之事也。欲沿天下之事必折衷
> 於理，欲明天下之理必折衷於經，……今之所錄，大
> 抵以明理為主。其逞辨才、騖雜學、流於偽體者不取，
> 貌襲先正而空疏無物、割剝理學之字句而餖釘剽竊、
> 似正體而實偽體者亦不取，期無戾於通經致用之本意
> 而已。[48]

四、黃山二鬼之事

紀昀講求重實效、黜空言的關鍵在於此「理」的可行性，明理之後能致用，才非空言。在《閱微草堂筆記》中，紀昀藉著黃山二鬼的對談，提出了對張載《西銘》和真德秀《大學衍義》、邱濬《大學衍義補》的質疑，主要還是在於紀昀講求的是「謝彼虛談，敦茲實學」、「務求為有用之學」[49]，也難怪相同的意見不只在《四庫全書總目》出現，還要在小說中「托狐鬼以抒己見」重提一番：

> 周化源言有二士遊黃山，留連松石，日暮忘歸。夜色
> 蒼茫，草深苔滑，乃共坐於懸崖之下。仰視峭壁，猿
> 鳥路窮，中間片石斜欹，如雲出岫，缺月微升，見有
> 二人坐其上，知非仙即鬼，屏息靜聽。右一人曰：「頃
> 遊嶽麓，聞此翁又作何語？」左一人曰：「去時方聚

---

48 《紀曉嵐文集》第一冊，前揭書，頁 148。
49 《四庫全書總目》凡例，前揭書，頁 33。

講《西銘》，歸時又講《大學衍義》也。」右一人曰：
「《西銘》論萬物一體，理原如是。然豈徒心知此理，
即道濟天下乎？父母之於子，可云愛之深矣，子有疾
病，何以不能療？子有患難，何以不能救？無術焉而
已。此猶非一身也。人之一身，慮無不深自愛者，己
之疾病，何以不能療？己之患難，何以不能救？亦無
術焉而已。今不講體國經野之政、捍災禦變之方，而
曰吾仁愛之心同於天地之生物，果此心一舉，萬物即
可以生乎？吾不知之矣。至《大學》條目，自格致以
至治平，節節相因，而節節各有其功力。譬如土生苗，
苗成禾，禾成穀，穀成米，米成飯，本節節相因。然
土不耕則不生苗，苗不灌則不得禾，禾不刈則不得
穀，穀不舂則不得米，米不炊則不得飯，亦節節各有
其功力。西山作《大學衍義》，列目至齊家而止，謂
治國平天下可舉而措之。不知虞舜之時，果瞽瞍允
若，而洪水即平、三苗即格乎？抑猶有治法在乎？又
不知周文之世，果太姒徽音而江漢即化、崇侯即服
乎？抑別有政典存乎？今一切棄置，而歸本於齊家，
毋亦如土可生苗，即炊土為飯乎？吾又不知之矣。」
左一人曰：「瓊山所補，治平之道其備乎？」右一人
曰：「真氏過於泥其本，邱氏又過於逐其末。不究古
今之時勢，不揆南北之情形，瑣瑣屑屑，縷陳多法，
且一一疏請施行，是亂天下也。即其海運一議，臚列
歷年漂失之數，謂所省轉運之費，足以相抵。不知一
舟人命，詎止數十；合數十舟即逾千百，又何為抵

乎？亦妄談而已矣。」左一人曰：「是則然矣。諸儒所述封建井田，皆先王之大法，有太平之實驗，究何如乎？」右一人曰：「封建井田，斷不可行，駁者眾矣。然講學家持是說者，意別有在，駁者未得其要領也。夫封建井田不可行，微駁者知之，講學者本自知之。知之而必持是說，其意固欲借一必不行之事，以藏其身也。蓋言理言氣，言性言心，皆恍惚無可質，誰能考未分天地之前，作何形狀；幽微曖昧之中，作何情態乎？至於實事，則有憑矣。試之而不效，則人人見其短長矣。故必持一不可行之說，使人必不能試、必不肯試、必不敢試，而後可號於眾曰：『吾所傳先王之法，吾之法可為萬世致太平，而無如人不用何也！』人莫得而究詰，則亦相率而嘆曰：『先生王佐之才，惜哉不竟其用。』云爾。以棘刺之端為母猴，而要以三月齋戒乃能觀，是即此術。第彼猶有棘刺，猶有母猴，故人得以求其削。此更托之空言，並無削之可求矣。天下之至巧，莫過於是。駁者乃以迂闊議之，烏識其用意哉！」相與太息者久之，劃然長嘯而去。二士竊記其語，頗為人述之。有講學者聞之，曰：「學求聞道而已。所謂道者，曰天曰性曰心而已。忠孝節義，猶為末務；禮樂刑政，更末之末矣。為是說者，其必永嘉之徒也夫！」[50]

在這篇長篇大論中，二鬼首先提出光是「心知此理」是

無法「道濟天下」，還是要有「體國經野之政、捍災禦變之方」的「術」；其次論及《大學》修齊治平「節節相因」，「亦節節各有其功力」，是節節各自有其「有治法在」、「有政典存」，不能「列目至齊家而止」，就說「治國平天下可舉而措之」，邱濬補真德秀未盡之處，「又過於逐其末。不究古今之時勢，不揆南北之情形，瑣瑣屑屑，縷陳多法，且一一疏請施行，是亂天下也」，如果將《四庫全書總目》中〈大學衍義提要〉和〈大學衍義補提要〉所言，和這則故事兩相對照，可以發現兩者實無二致，不僅意思相同，連所舉的例子也一樣：

> 然自古帝王正本澄源之道，實亦不外於此。若夫宰馭百職，綜理萬端，常變經權，因機而應，利弊情偽，隨事而求，其理雖相貫通，而為之有節次，行之有實際，非空談心性，即可坐而致者，故邱濬又續補其闕也。[51]
>
> 又力主舉行海運，平時屢以為言，此書更力申其說。所列從前海運抵京之數，謂省內河挽運之資，即可抵洋面漂亡之粟，似乎言之成理。然一舟覆沒，舟人不下百餘，糧可抵以轉輸之費，人命以何為抵乎？……然治平之道，其理雖具於修、齊，其事則各有制置，此猶土可生禾，禾可生穀，穀可為米，米可為飯。本屬相因，然土不耕則禾不長，禾不穫則穀不登，穀不舂則米不成，米不炊則飯不熟。不能遞溯其本，謂土

51　《四庫全書總目》卷 92，前揭書，上冊頁 1216-1217。

可為飯也。[52]

今將兩者列表對照如下：

	黃山二鬼之言	《四庫全書總目》
認為光是「心知此理」是無法「道濟天下」	譬如土生苗，苗成禾，禾成穀，穀成米，米成飯，本節節相因。然土不耕則不生苗，苗不灌則不得禾，禾不刈則不得穀，穀不舂則不得米，米不炊則不得飯，亦節節各有其功力。	此猶土可生禾，禾可生穀，穀可為米，米可為飯。本屬相因，然土不耕則禾不長，禾不穫則穀不登，穀不舂則米不成，米不炊則飯不熟。不能遞溯其本，謂土可為飯也。
批評邱濬海運之失	即其海運一議，臚列歷年漂失之數，謂所省轉運之費，足以相抵。不知一舟人命，詎止數十；合數十舟即逾千百，又何為抵乎？	所列從前海運抵京之數，謂省內河挽運之資，即可抵洋面漂亡之粟，似乎言之成理。然一舟覆沒，舟人不下百餘，糧可抵以轉輸之費，人命以何為抵乎？

文中的講學者聽了二鬼之言，以為是出自重視事功的永嘉學派之口，但紀昀並非永嘉學派之徒，而是講求「明理」與「致用」之間的可行性，甚至還以此為會試命題：

周公手定《周禮》，聖人非不講事功；孔子問禮、問官，聖人非不講考證，不通天下之事勢而坐談性命，不究前代之成敗而臆斷是非，恐於道亦未有合。「永嘉之學」或可與「新安」相輔歟？[53]

在通經致用的思維下，紀昀轉而重視傳統儒學中「濟世」的學說，在講求「內聖」的理學家眼中，永嘉事功學派總帶著異端的氣味，紀昀卻思索著兩者之間的相輔相成，他首先

52 《四庫全書總目》卷 93，前揭書，上冊頁 1225。
53 紀昀：〈丙辰會試策問〉，《紀曉嵐文集》第一冊，前揭書，頁 270。

分辨事功與功利之別，其次說明聖人之道，有體有用，再加上前面提到了「聖人非不講事功」，看得出頗有為永嘉學派平反之意：

> 永嘉之學，倡自呂祖謙，和以葉適及傅良，遂於南宋諸儒別為一派。朱子頗以涉於事功為疑。然事功主於經世，功利主於自私，二者似一而實二。未可盡斥永嘉為霸術。且聖人之道，有體有用；天下之勢，有緩有急。陳亮上孝宗疏所謂風痹不知痛癢者，未嘗不中薄視事功之病。亦未可盡斥永嘉為俗學也。[54]

在紀昀看來「夫儒者之學，明體達用。道德事業，本無二源」，心性派學者的輕視事功「歧而兩之，殊為偏見」[55]，所以人品事業卓絕一時的范仲淹，就備受紀昀的推崇，正顯現出紀昀「以實心勵實行，以實學求實用」、「讀書以明理，明理以致用也」的治學目標：

> 蓋行求無愧於聖賢，學求有濟於天下，古之所謂大儒者有體有用，不過如此，初不必說太極、衍先天，而後謂之能聞聖道，亦不必講封建、議井田，而後謂之不愧王佐也。觀仲淹之人與仲淹之文，可以知空言、實效之分矣。[56]

54　〈永嘉八面鋒提要〉，《四庫全書總目》卷 135，前揭書，下冊頁 1781。陳亮上孝宗疏所言是「今世之儒士，自謂得正心誠意之學者，皆風痹不知痛癢之人也。舉一世安於君父之仇，而方低頭拱手以談性命，不知何者謂之性命乎。」(〈龍川文集提要〉引陳亮言，前揭書卷 162，下冊頁 2157。)
55　〈宋令懿範提要〉，前揭書卷 61，上冊頁 858。
56　〈文正集提要〉，前揭書卷 152，下冊頁 2041。

結　語

　　就上述紀昀「托狐鬼以抒己見」的例子看來，有以下幾
項值得注意的地方。就學術見解而言，漢、宋學各有紀昀所
欣賞之長，也各有紀昀所批評之短。紀昀欲透過徵實的考據
方法以求明儒家經典之理，由明儒家經典之理以建有益於世
之事功，簡言之，縈繞在其心中的目標就是通經致用，在「通
經致用」的思維下，讓他不再囿限於漢、宋學的藩籬之中。
紀昀對理學家熱衷於談天說理頗有微辭[57]，但他也不滿於漢
學家泥古、瑣碎之弊，故而寫出泥古的劉羽沖，和譏諷漢學
「儒者日談考證，講曰若稽古，動至十四萬言，安知冥冥之
中，無在旁揶揄者乎？」的記述，只不過他的一些消融門戶
之見、力求公允之論的言論，如同他所譏諷的漢學之弊，都
未引起人們的注意。一般還是認為他的治學趨向為「揚漢抑
宋」，透過上述那些托狐鬼故事所抒發的「己見」，是有助於
我們掌握並釐清紀昀未曾言明和被人誤解的治學趨向。

　　就《四庫全書總目》著作權的歸屬而言，紀昀這些「托
狐鬼以抒己見」的意見往往和《四庫全書總目》中所說的意
見是一致的，這除了證明紀昀以狐鬼之口表達自己的見解
外，反過來說，也可作為紀昀撰寫《四庫全書總目》的佐證。

57　早在紀昀 25 歲時，便有〈瓦橋關〉憑臨弔古一詩：「積水通瀛海，雄
　　關記瓦橋。當年爭洛閩，此外付金遼。世暗邊功賤，儒多戰氣銷。北
　　盟誰載筆，猶忍話三朝」表達出對理學家空議論而少事功的不滿。(《紀
　　曉嵐文集》第一冊，前揭書，頁 492)

當然，紀昀「托狐鬼以抒己見」的方法，不光只用在表達學術見解上，例如在文學見解方面，紀昀也是如此。在〈灤陽消夏錄〉卷三中，記載著一則木魅調停趙執信和王漁洋兩家詩說之爭的故事，除了分析漁洋山人詩的優劣外，也不忘說明一下兩家詩論產生的背景，而最主要的意見，還是在表達「二家宗派，當調停相濟。合則雙美，離則兩傷」的見解：

> 秋谷與魅語時，有客竊聽，魅謂：「漁洋山人詩，如名山勝水，奇樹幽花，而無寸土藝五穀；如雕欄曲榭，池館宜人，而無寢室庇風雨；如彝鼎罍洗，斑斕滿几，而無釜甑供炊爨；如纂組錦繡，巧出仙機，而無裘葛禦寒暑；如舞衣歌扇，十二金釵，而無主婦司中饋；如梁園金谷，雅客滿堂，而無良友進規諫。」秋谷極為擊節。又謂：「明季詩，庸音雜奏，故漁洋救之以清新；近人詩，浮響日增，故先生救之以刻露。勢本相因，理無偏勝，竊意二家宗派，當調停相濟。合則雙美，離則兩傷。」秋谷頗不平之云。[58]

如果和《四庫全書總目》中對這兩家的評論相比較，一樣是說明兩家詩論產生的背景，還提出兩家詩論「其論雖非無見」，但是「救弊補偏，各明一義」[59]、「各明一義，遂各倚一偏」，因此「論甘忌辛，是丹非素」[60]、「論甘而忌辛，是丹而非素」遂成相爭，如果「使兩家互救其短，乃可以各

---

58 前揭書，頁57。
59 此二句出自〈唐賢三昧集提要〉，前揭書，下冊頁2662。
60 此二句出自〈御選唐宋詩醇提要〉，前揭書，下冊頁2660。

見所長」[61]，然後「兩說相濟，其理乃全」，最後結論為「殊途同歸，未容偏廢」[62]、「合二家，相濟乃適相成」[63]。對王、趙二人詩論之爭，《四庫全書總目》和紀昀所引狐鬼之言的意見，其實並無二致，都可視為「托狐鬼以抒己見」之例，也可做為紀昀撰寫《四庫全書總目》的佐證。

　　就小說寫作技巧而言，紀昀一方面運用小說寓言的寫作手法來記述故事，一方面卻往往對所記錄的故事直言其為寓言，有時甚至讓講述者尷尬不已[64]，但是紀昀對於認為是虛構的故事卻偏偏要記錄，是因為認同故事的寓意，欲藉此借題發揮一番[65]，足見紀昀認為小說雖有其虛構性，但仍應講求故事的合理性，不能讓紀錄成為荒誕的妄語。因為一旦被視為妄語，他欲藉小說達到勸懲的目的，效果就會大打折扣，因此他才會如此評論門生之作：

> 門人吳鍾僑，嘗作《如願小傳》，寓言滑稽，以文為戲也……此鍾僑弄筆狡獪之文，偶一為之，以資懲勸，亦無所不可；如累牘連篇，動成卷帙，則非著書

61　此二句出自〈困園集提要〉，前揭書，下冊頁 1225。
62　此二句出自〈唐賢三昧集提要〉，前揭書，下冊頁 2662。
63　紀昀：〈袁清慤公詩集序〉，《紀曉嵐文集》第一冊，前揭書，頁 198。
64　紀昀常於故事末了直稱「此公自作寓言」、「余謂此玉典寓言也」、「此殆白岩之寓言」……，有時逼的人難以下台只好言道「先生掀髯曰：『鉏麑槐下之詞、渾良夫夢中之操，誰聞之歟？子乃獨詰老夫也』」（〈槐西雜志〉卷一，前揭書，頁 261）、「書昌微憮曰：『永年百無一長，然一生不能作妄語。先生不信，亦不敢固爭。』」（〈槐西雜志〉卷四，前揭書，頁 345）。
65　如「雖語頗荒誕，似出寓言。然神道設教，使人知畏，亦警世之苦心，未可繩以妄語戒也」（〈灤陽消夏錄〉卷六，前揭書，頁 108-109）、「此當是其寓言，未必真有。然莊生列子，半屬寓言，義足勸懲，固不必刻舟求劍爾」（〈姑妄聽之〉卷四，前揭書，頁 466）。

之體矣。[66]

　　就紀昀的交遊情形而言，被認為是漢學家的紀昀，雖然從遊交往之輩，多是漢學家如王鳴盛、錢大昕、朱筠、盧文弨、王昶、戴震之流[67]，但從前面「托狐鬼以抒己見」之例所提到「君耽宋學」的周永年，紀昀在《閱微草堂筆記》共引述了四次周永年的話，相較於引述六次密友戴震的話，並不遑多讓。可見對於宋學陣營的人，紀昀依然交往，並不排斥。紀昀生於雍正二年，是時宋學正處於獨尊的地位，又為了科舉考試必須熟讀朱註，因此早期所接受的盡是程朱理學的思想教育。他的師友劉統勳、劉墉父子二人，被認為是理學家[68]，但不礙劉統勳推薦紀昀出任四庫全書總纂官，紀昀在仕途上並且還受到其師劉統勳多次的照顧。而統勳之子劉墉，是紀昀一輩子的摯友，紀昀較劉墉晚死兩個月，紀昀在逝世前的九個月，還稱「余與石庵（劉墉）皆好蓄硯，每互相贈送，亦互相攘奪，雖至愛不能割，然彼此均恬不為意也。太平卿相，不以聲色貨利相矜，而惟以此事為笑樂」[69]，兩人至死不渝的交情非比一般。由此看來，紀昀是否如後世所理解的那樣仇視理學，是值得商榷的。

【本文發表於《東海大學圖書館館訊》新 119 期】

66　〈灤陽續錄〉卷四，前揭書，頁 550-551。
67　紀昀和王鳴盛、錢大昕、朱筠、王昶都是乾隆十九年同科進士，又紀昀在〈與余存吾太史書〉一信中提到他和戴震的交情：「東原與昀交二十餘年，主昀家前後幾十年」（《紀曉嵐文集》第一冊，前揭書，頁274），足見二人交情之深厚。
68　昭槤：〈本朝理學大臣〉，《嘯亭雜錄》卷 10，（北京：中華書局，1997），頁 318。
69　紀昀：《閱微草堂硯譜》，（湖北：湖北美術出版社，2002），頁 62。

紀昀《閱微草堂筆記》中的文學見解

　　紀昀（1724-1805）晚年的文學代表作《閱微草堂筆記》中，所記載的內容非常豐富而多樣。該書被視為清代志怪小說的代表作之一，因此歷來學界對該書的研究，多關注於文學創作的表現手法上[1]，對內容的探索大都也以鬼狐為主[2]。

1　如羅玲誼：〈論《閱微草堂筆記》的創作動機 —— 勸世化俗與著書炫才〉，《黃河科技大學學報》，2007.5、郭素媛、付成波：〈中國古代小說勸懲傳統與《閱微草堂筆記》的創作〉，《濟南職業學校學報》，2008：4、周廣玲：〈纂修〈四庫全書〉對〈閱微草堂筆記〉創作的影響〉，南京師範大學 2008 年碩士論文、弓元元：〈《閱微草堂筆記》的創作動機與因果報應〉，《語文學刊》，2009.11、余姍：〈論實用主義與正統成見在《閱微草堂筆記》創作中的牽制和異化作用〉，《江南社會學院學報》，2010.3。
2　如蔣小平：〈雍容 有益人心 儒道佛整合 —— 《閱微草堂筆記》之三層解讀〉，《中國文學研究》，2005：1、鄧代芬：〈《閱微草堂筆記》的陰間界域研究〉，雲林科技大學漢學資料整理研究所 2005 年碩士論文、金志淵：〈《閱微草堂筆記》鬼神故事之研究〉，臺灣大學中國文學研究所 2003 年碩士論文、宋世勇：〈《閱微草堂筆記》鬼神形象芻議〉，華南師範大學 2003 年碩士論文、許韌論：〈《閱微草堂筆記》中儒道佛各教的地位〉，《淮陰工學院學報》，2005.6、韓希明：〈試論《閱微草堂筆記》的宗教觀〉，《南京社會科學》，2003.12、黃東陽：〈「神道設教」預想下的淑世試驗 —— 紀昀《閱微草堂筆記》對清初靈異傳聞之理論組構與評議法式〉，《新世紀宗教研究》，2008.9、牛永惠：〈仙神狐鬼俱為所用　嘻笑怒罵皆成文章 —— 試論紀昀《閱微草堂筆記》的思想內容〉，《時代文學（理論學術版）》，時代文學（理論學術版）、杜真強：〈《閱微草堂筆記》中狐形象特徵考論〉，《哈爾濱學院學報》，2007.7、左紅英：〈試論〈閱微草堂筆記〉狐鬼題材的描寫〉，河北大學 2007 年碩士論文、李永泉：〈《閱微草堂筆記》中的鄰狐描寫〉，《現代語文（文學研究版）》，2009.12、杜真強：〈從狐形象看紀昀的治世思想〉，《黑龍江教育學院學報》，2009.10。

但在一千多則[3]的紀錄中，並非全都是「張皇鬼神，稱道靈異」
之作，在談鬼說狐之外，其中也蘊含著一些文學批評的資料。
紀昀甚至也會藉由鬼狐之口，一抒自己的文學見解，因此透
過探析這些文學批評資料，從中可以一窺紀昀的文學見解，
以作為紀昀研究的一個註腳，今略述如下。

一、文學流變史觀下的文學批評

　　朱東潤謂紀昀對文學批評最大的貢獻在於他獨具有「史
的概念」[4]，因此對文學流變的情形，完全了然於心，因此上
下千古，纍纍如貫珠。這種「史的概念」是由於紀昀博覽古
今，方能以宏觀的角度來審視文學流變。對於文學上的一些
紛爭，紀昀常以文學流變史觀的角度來加以評論，並以寥寥
數語就指出紛爭之由來及雙方之優劣得失，頗能持公允之論
且一語中的。《閱微草堂筆記》中也不乏這樣的例子，如〈槐
西雜志〉卷四紀昀藉周永年的鬼故事來評論明代前後七子的
復古之說：

> 　　周書昌曰：「昔遊鵲華，借宿民舍。窗外老樹森翳，
> 直接岡頂。主人言時聞鬼語，不辨所說何事也。是夜
> 月黑，果隱隱聞之，不甚了了，恐驚之散去，乃啟窗

---

3 據嘉慶五年刊本目錄所載的則數統計為 1281 則，實際點數的則數是
　1172 則。
4 朱東潤：《中國文學批評大綱》稱讚他為「自古論者對於批評用力之勤，
　蓋無過於紀氏者。曉嵐對於文學批評之貢獻最大者，在其對於此科，
　獨具史的概念，故上下千古，纍纍如貫珠」，（台灣開明書局，1979），
　354 頁。

潛出，匍匐草際，漸近竊聽。乃講論韓、柳、歐、蘇文，各標舉其佳處。一人曰：『如此乃是中聲，何前後七子，必排斥不數，而務言秦漢，遂啟門戶之爭？』一人曰：『質文遞變，原不一途。宋末文格猥瑣，元末文格纖穠，故宋景濂諸公力追韓、歐，救以舂容大雅。三楊以後，流為臺閣之體，日就膚廓，故李崆峒諸公，又力追秦漢，救以奇偉博麗。隆、萬以後，流為偽體，故長沙一派又反唇焉。大抵能挺然自為宗派者，其初必各有根柢，是以能傳；其後亦必各有流弊，是以互詆。然董江都、司馬文園文格不同，同時而不相攻也。李、杜、王、孟詩格不同，亦同時而不相攻也。彼所得者深焉耳。後之學者，論甘則忌辛，是丹則非素，所得者淺焉耳。』語未竟，我忽作嗽聲，遂乃寂然，惜不盡聞其說也。」余曰：「此與李詞畹記飴山事，均以平心之論托諸鬼魅，語已盡無庸歇後矣。」書昌微慍曰：「永年百無一長，然一生不能作妄語。先生不信，亦不敢固爭。[5]

　　從上述的故事中，紀昀首先點出了「質文遞變」來解釋文學流變的現象，所以前後七子復古之說產生的背景是由於明初宋濂等人為救「宋末文格猥瑣，元末文格纖穠」之弊而「力追韓、歐，救以舂容大雅」，但卻產生了「三楊以後，流為臺閣之體，日就膚廓」的流弊。李夢陽等人於是「力追秦漢，救以奇偉博麗」，但卻也在「隆、萬以後，流為偽體」，

5　紀昀著，孫致中等校點，《紀曉嵐文集》第二冊《閱微草堂筆記》，河北教育出版社，1991，頁 344-345。

產生了擬古形式主義的弊病。因此明代文壇流派的紛爭，就
是偏重文學內在精神（質）和偏重形式模仿（文）的紛爭，
一語道破了爭執的所在。這種以「質文遞變」來解釋文學流
變的現象，往往也出現在《四庫全書總目》中，如：

> 自李夢陽、何景明崛起，宏、正之間倡復古學，於是
> 文必秦漢、詩必盛唐，其才學足以籠罩一世，天下亦
> 響然從之。茶陵之光焰幾爐，逮北地、信陽之派，轉
> 相摹擬，流弊漸深，論者乃稍稍復理東陽之傳，以相
> 撐拄。蓋明洪、永以後，文以平正典雅爲宗，其究漸
> 流於庸膚，庸膚之極，不得不變而求新。正、嘉以後，
> 文以沉博偉麗爲宗，其究漸流於虛憍，虛憍之極，不
> 得不返而務實。二百餘年，兩派互相勝負，蓋皆理勢
> 之必然。[6]

其次，紀昀又道出了文學的演變是隨著時代演變而不斷
地在變化，而每一次的變化會慢慢地產生流弊，這些流弊又
激起文學再度產生變化，於是遂有「大抵能挺然自爲宗派者，
其初必各有根柢，是以能傳；其後亦必各有流弊，是以互詆」
相激而相救的現象，或許是在此無法藉鬼魂之口暢所欲言，
紀昀在〈冶亭詩介序〉一文中一口氣將唐代至清初詩學流變，
簡潔扼要地一次說清，而流變的原因正是出自於相激而相救：

> 夫文章格律，與世俱變者也，有一變必有一弊，弊極
> 而變又生焉，互相激互相救也。唐以前毋論矣。唐末，
> 詩猥瑣，宋、楊、劉變而典麗，共弊也靡；歐、梅再

6　〈懷麓堂集提要〉，《四庫全書總目》卷170，（北京：中華書局，1997），
　　頁2299。

變而平暢，其弊也率；蘇、黃三變而恣逸，其弊也肆；范、陸四變而工穩，其弊也襲；四靈五變，理賈島、姚合之緒緒，刻畫纖微；至江湖末派流為鄙野，而弊極焉。元人變為幽豔，昌谷、飛卿遂為一代之圭臬，詩如詞矣。鐵崖矯枉過直，變為奇詭，無復中聲。明林子羽輩倡唐音，高青丘輩講古調，彬彬然始歸於正。三楊以後，臺閣體興，沿及正嘉，善學者為李茶陵，不善學者遂千篇一律，塵飯土羹。北地、信陽挺然崛起，倡為復古之說，文必宗秦漢，詩必宗漢、魏、盛唐，踔屬縱橫，鏗鏘震耀，風氣為之一變，未始非一代文章之盛也。久而至於後七子，剿襲摹擬，漸成窠臼。其間橫軼而出者，公安變以纖巧，競陵變以冷峭，雲間變以繁縟，如塗塗附，無以相勝也。國初，變而學北宋，漸趨板實。故漁洋以清空縹渺之音，變易天下之耳目，其實亦仍從七子舊派神明運化而出之。趙秋谷掊擊百端，漁洋不怒；吳修齡目以清秀，李于鱗則銜之終身，以一言中其隱微也。故七子之詩，雖不免浮聲，而終為正軌。吐其糟粕，咀其精英，可由是而盛唐，而漢魏。惟襲其面貌，學步邯鄲，乃至如馬首之絡，篇篇可移；如土偶之衣冠，雖繪畫而無生氣耳。[7]

　　從上段文字的敘述，紀昀不僅說明了文學相激相救的情形，同時也是一篇絕佳的文學流變史的介紹，並能將各家各

---

7 紀昀：〈冶亭詩介序〉，前揭書第一冊，頁190。

派的所長與所短，一語中的地點了出來，非博學於文而有得者，不能也。

再則，紀昀指出「能挺然自爲宗派者，其初必各有根柢，是以能傳；其後亦必各有流弊，是以互詆」，這是認爲各文學宗派必有其所長之處，也有其流弊。有此認知，自能不囿於自己的喜惡，而能以公允的態度來進行文學評論。更由於明白各家之優劣長短之處，才能進一步酌其中以救其弊。這一點可以從他對公安、竟陵一派的評論可見一斑：

> 公安、竟陵，乘間突起，麼絃側調，僞體日增，而汎濫不可收拾矣。[8]
>
> 公安變以纖巧，竟陵變以冷峭。[9]
>
> 明之末年，士風佻，僞體作，竟陵公安以詭俊纖巧之詞，遞相唱導。[10]

言下之意，顯露出對公安、竟陵派的不滿，但紀昀畢竟也能指出二者之所長，給予公平的評論：

> 蓋竟陵公安之文，雖無當於古作者，而小品點綴，則其所宜，寸有所長，不容沒也。[11]

又如紀昀對臺閣體並無好感，對其流派有「三楊以後，流爲臺閣之體，日就膚廓」[12]、「其詩沿臺閣舊派，不免膚廓」

8　紀昀：〈愛鼎堂遺集序〉，前揭書第一冊，頁 189。
9　紀昀：〈冶亭詩介序〉，前揭書第一冊，頁 190。
10　紀昀：〈刪正帝京景物略序〉，前揭書第一冊，頁 164。
11　紀昀：〈刪正帝京景物略序〉，前揭書第一冊，頁 164。
12　〈槐西雜志〉卷四，《紀曉嵐文集》第二冊《閱微草堂筆記》，前揭書，頁 344。

13之稱，但他仍能對楊士奇的作品說句公道話：

> （楊）士奇詩文為明代臺閣之祖，末流日敝，至於膚
> 廓庸沓，萬口一一音，遂為藝苑口實。然士奇著作自
> 有典型，未可以李斯罪荀卿，李夢陽詩有曰「宣德文
> 體多渾淪，偉哉東里廊廟珍」，即七子亦不薄之矣。14

像這樣持公允之論的見解，在《四庫全書總目》中每每
可見：

> 晉安詩派以閩中十子為祖，（林）鴻又為十子之冠。
> 其詩力仿唐音，李東陽《懷麓堂詩話》已病其摹擬。
> 周亮工《書影》至以閩人動為七律，如出一手，歸咎
> 于鴻。然鴻詩自有清韵，未可以後來流弊，遂並廢鴻
> 所作也。15

> 後七子以（李）攀龍為冠……萬歷間，公安袁宏道兄
> 弟始以贗古詆之；天啟中，臨川艾南英排之尤力。今
> 觀其集，古樂府割剝字句，誠不免剽竊之譏；諸體詩
> 亦亮節較多，微情差少；雜文更有意詰屈其詞，塗飾
> 其字，誠不免如諸家所譏。然攀龍資地本高，記誦亦
> 博，其才力富健，淩轢一時，實有不可磨滅者。汰其
> 膚廓，擷其英華，固亦豪傑之士，譽者過情；毀者亦
> 或太甚矣！16

---

13 〈貞翁淨稿提要〉，《四庫全書總目》卷 176，（北京：中華書局，1997），
　　頁 2412。
14 〈東里全集提要〉，《四庫全書簡明目錄》卷 18，（台北：世界書局，
　　1975），頁 778。
15 〈鳴盛集提要〉，《四庫全書簡明目錄》卷 18，前揭書，頁 766。
16 〈滄溟集提要〉，《四庫全書總目》卷 172，前揭書，頁 2324。

（李）東陽依阿劉瑾，人品事業均無足深論，其文章
則究爲明一代大宗。……平心而論，何、李如齊桓、
晉文，功烈震天下而霸氣終存。東陽如衰周弱魯，力
不足禦強橫，而典章文物尚有先王之遺風。殫後來雄
偉奇傑之才，終不能擯而廢之，亦有由矣。[17]

所以，如同他所說的「必深知古人之得失而後可以工諸
體詩」[18]，在明瞭各家所長與所短後，進一步要「酌乎其中，
知必有道焉」[19]。紀昀對各個派別不至有黨同伐異的評論，
他思索的是如何對各派別，酌其中而救其弊：

平心而論，諸派之中，各有得失，亦各有真偽。崇其
真而黜其偽，亦可以酌乎其中。[20]

他希望能做到「核其是非長短之實，勿徒以門戶詬爭，
哄然佐鬥，是則區區之志焉耳」[21]。這樣的見解也出現在他
會試的命題中，他歷數諸家所長所短，要考生說明如何從中
救其弊、酌其中：

又必深知古人之得失而後可以工諸體詩。齊、梁綺
靡，去李、杜遠甚，而杜甫以陰鏗比李白，又自稱頗
學陰、何，其故何也？蘇、黃為元祐大宗，元好問《論
詩絕句》指爲「滄海橫流」，其故又何也？王、孟清
音，惟求妙悟，於美刺無關，而論者謂之上乘；元、
白諷諭，源出變雅，有益勸懲，而論者謂之落言詮涉

---

17 〈懷麓堂集提要〉，《四庫全書總目》卷 170，前揭書，頁 2299。
18 紀昀：〈嘉慶丙辰會試策問〉，前揭書第一冊，頁 271。
19 紀昀：〈雲林詩鈔序〉，前揭書第一冊，頁 198-199。
20 紀昀：〈壬戌會試錄序〉，前揭書第一冊，頁 150。
21 紀昀：〈後山集抄序〉，前揭書第一冊，頁 184-185。

理路。然歟？否歟？《擊壤》流為《濂洛風雅》，是不入詩格者也，然據理而談，亦無以難之；《昌谷集》流為《鐵崖樂府》，是破壞詩律者也，然嗜奇者眾，亦不廢之。何以救其弊歟？北地、信陽以摹擬漢唐，流為膚濫，然因此禁學漢、唐，是盡佢古人之規矩也；公安、竟陵以「芟甲新意」，流為纖佻，然因此惡生新意，是錮天下之性靈也，又何以酌其中歟？[22]

由於文林中種種流派門戶之爭，所產生的文論，往往有相互牴牾的現象，也難怪他會以此命題取士，希望能透過考試，引起學子的深思。其後紀昀又在嘉慶壬戌會試策問中，對爭議性的文論命考生持平以對，只可惜四千多名考生中只有一人能回答：

屈宋以前，無以文章名世者。枚、馬以後，詞賦始多；《典論》以後，論文始盛；至唐、宋而門戶分、異同競矣。齊、梁、陳、隋，韓愈以為眾作等蟬噪；杜甫則云「頗學陰、何苦用心」。李白觸忤權幸，杜甫憂國忠君，而朱子謂李、杜衹是酒人。韓愈〈平淮西碑〉，李商隱推之甚力，而姚鉉撰《唐文粹》乃黜韓而仍錄段文昌作。元稹多繡羅脂粉之詞，固矣；白居易詩如十首《秦吟》，近正聲者原自不乏，杜牧乃一例詆之。蘇、黃為宋代巨擘，而魏泰《東軒筆錄》詆黃為「當其拾璣羽，往往失鵬鯨」。元好問《論詩絕句》亦曰「只知詩到蘇、黃盡，滄海橫流卻是誰？」凡此作者、

***

22 紀昀：〈嘉慶丙辰會試策問〉，前揭書第一冊，頁271。

論者皆非淺學，其抵牾必有故焉。多士潛心文藝久
矣，其持平以對。[23]

　　最後，紀昀認為「所得者深」就能避免文人相輕的惡習，
能「同時而不相攻」，「所得者淺」則會「論甘則忌辛，是丹
則非素」，容易產生門戶之爭、意氣之論。在《四庫全書總目》
中紀昀還以這樣的話來對王漁洋、趙執信二人論詩宗旨的爭
論加以評論：

平心而論王以神韻縹緲為宗，趙以思路劌刻為主。王
之規模闊於趙，而流弊傷於膚廓；趙之才力銳於王，
而末派病於纖小。使兩家互救其短，乃可以各見所
長，正不必論甘而忌辛，是丹而非素也。[24]

然詩三百篇，尼山所定，其論詩一則謂歸於溫柔敦
厚，一則謂可以興觀群怨，原非以品題泉石、摹繪煙
霞。洎乎畸士逸人，各標幽賞，乃別為山水清音。實
詩之一体，不足以盡詩之全也。宋人惟不解溫柔敦厚
之義，故意言並盡，流而為鈍根。士禎又不究興觀羣
怨之原，故光景流連變而為虛響。各明一義，遂各倚
一偏，論甘忌辛，是丹非素，其斯之謂歟！[25]

　　一如前文所言，紀昀進行文學批評時往往思索著如何酌
其中而救其弊，面對著王士禛與趙執信詩學之爭，紀昀也在
〈袁清愨公詩集序〉提及，還是認為要「合二家，相濟乃適
相成」：

---

23 紀昀：〈嘉慶壬戌會試策問五道〉，前揭書第一冊，頁 274。
24 〈因園集提要〉，《四庫全書總目》卷 173，前揭書，頁 2350。
25 〈御選唐宋詩醇提要〉，《四庫全書總目》卷 190，前揭書，頁 2660。

漁洋拈「不著一字，盡得風流」之旨，以妙悟醫鈍根；
而飴山老人顧執「詩中有人」之說，以抵瑕而蹈隙。
左右佩劍，彼此互譏。論者謂合二家，相濟乃適相成，
是亦掃門戶之見也。[26]

同樣的意見，紀昀也在《四庫全書總目》中論及，除了
說明兩家詩論產生的背景外，主要提出兩家詩論「其論雖非
無見」，但是「救弊補偏，各明一義」、「各明一義，遂各倚一
偏」，因此「論甘忌辛，是丹非素」遂成相爭，如果「使兩家
互救其短，乃可以各見所長」，然後「兩說相濟，其理乃全」，
最後結論爲「殊途同歸，未容偏廢」：

> 詩自太倉曆下，以雄渾博麗爲主，其失也膚。公安竟
> 陵以清新幽爲宗，其失也詭。學者兩途並窮，不得不
> 折而入宋，其弊也滯而不靈、直而好盡，語錄史論皆
> 可成篇。於是士禎等重申嚴羽之說，獨主神韻以矯
> 之，蓋亦救弊補偏，各明一義。其後風流相尚，光景
> 流連，趙執信等遂復操二馮舊法起而相爭，所作《談
> 龍錄》排詆是書，不遺餘力。其論雖非無見，然兩說
> 相濟，其理乃全，殊途同歸，未容偏廢。今仍並錄存
> 之，以除門戶之見。[27]

紀昀甚至還在〈灤陽消夏錄〉卷三中，記載一則木魅調
停趙執信和王漁洋兩家詩說的故事，其中除了分析漁洋山人
詩的優劣外，也不忘說明一下兩家詩論產生的背景，而最主
要的意見，還是在強調「二家宗派，當調停相濟。合則雙美，

---

26 紀昀：〈袁清愨公詩集序〉，前揭書第一冊，頁 198。
27 〈唐賢三昧集提要〉，《四庫全書總目》卷 190，前揭書，頁 2662。

離則兩傷」酌其中而救其弊的見解，這則故事也可作爲魯迅
說紀昀往往「托狐鬼以抒己見」[28]之一個例證：

> 益都李詞畹言，秋谷先生南遊日，借寓一家園亭中。
> 一夕就枕後，欲制一詩，方沉思間，聞窗外人語曰：
> 「公尚未睡耶？清詞麗句，已心醉十餘年。今幸下榻
> 此室，竊聽緒論，雖已經月，終以不得質疑問難爲恨，
> 慮或倉卒別往，不罄所懷，便爲平生之歉。故不辭唐
> 突，願隔窗聽揮麈之談，先生能不拒絕乎？」秋谷問：
> 「君爲誰？」曰：「別館幽深，重門夜閉，自斷非人
> 跡所到，先生神思夷曠，諒不恐怖，亦不必深求。」
> 問：「何不入室相晤？」曰：「先生襟懷蕭散，僕亦倦
> 於儀文，但得神交，何必定在形骸之內耶？」秋谷因
> 日與酬對，於六義頗深。如是數夕，偶乘醉戲問曰：
> 「聽君議論，非神非仙，亦非鬼非狐，毋乃山中木客，
> 解吟詩乎？」語訖寂然。穴隙窺之，缺月微明，有影
> 蓬蓬然，掠水亭簷角而去。園中老樹參天，疑其木魅
> 矣。詞畹又云：「秋谷與魅語時，有客竊聽，魅謂：『漁
> 洋山人詩，如名山勝水，奇樹幽花，而無寸土藝五穀；
> 如雕欄曲榭，池館宜人，而無寢室庇風雨；如彝鼎罍
> 洗，斑斕滿几，而無釜甑供炊爨；如纂組錦繡，巧出
> 仙機，而無裘葛禦寒暑；如舞衣歌扇，十二金釵，而
> 無主婦司中饋；如梁園金谷，雅客滿堂，而無良友進
> 規諫。』秋谷極爲擊節。又謂：『明季詩，庸音雜奏，

28　魯迅：《中國小說史略》第 22 章，上海古籍出版社，2006，頁 138。

故漁洋救之以清新；近人詩，浮響日增，故先生救之以刻露。勢本相因，理無偏勝，竊意二家宗派，當調停相濟。合則雙美，離則兩傷。』秋谷頗不平之云。」[29]

總之，紀昀的文學流變史觀，是以其深厚的學識而深知古人之得失，由「核其是非長短之實」，而後可以酌其中而救其弊，達到「工諸體詩」的目標；也可以因「核其是非長短之實」，而後可以持公允之論，達到「勿徒以門戶詬爭，哄然佐鬥」的目標。無怪乎阮元在《紀文達公遺集》序中，曾用「辨漢宋儒術之是非，析詩文流派之正偽」[30]這兩句話來概括紀昀一生的學術活動及學術成就，其中「析詩文流派之正偽」就是指出紀昀在文論上的成就。

二、從「文各有體」到作家「才有偏長」、「功有獨至」，重視作品與作家個別的特性。

文體是指文學的體裁、體制。每種文體在體制結構、語言風格、文體功能，甚或表現對象以及審美特徵等各方面都有自己的特點，進而形成各自的文體特性和規範。正如《墨子‧大取》中所說的「立辭而不明於其類，則必困矣」，作家若不能把握住創作該類文體的特點，恐怕難以寫出本色當行的好作品，而文學批評家唯有把握住文體的特點，才能準確地評價各種文體作品的優劣得失。紀昀對「體」的概念有相當深刻的認知及相當地重視，《閱微草堂筆記》中的一則鬼故事，無疑地就是紀昀透過故事中的「暗中人」在揭櫫「文

29　《紀曉嵐文集》第二冊，前揭書，頁 57。
30　《紀曉嵐文集》第三冊，前揭書，頁 727。

各有體」的觀念：

> 李秋崖與金谷村，嘗秋夜坐濟南歷下亭。時微雨新
> 霽，片月初生，秋崖曰：「韋蘇州『流雲吐華月』句，
> 氣象天然，覺張子野『雲破月來花弄影』句，便多少
> 著力。」谷村未答，忽暗中人語曰：「豈但著力不著
> 力？意境迥殊，一是詩語，一是詞語，格調亦迥殊也。
> 即如《花間集》『細雨濕流光』句，在詞家為妙語，
> 在詩家則靡靡矣。」愕然驚顧，寂無一人。[31]

　　所謂詩莊詞媚，詩詞的文體不同，語言風格也隨之不同，
批評家若不能體認詩詞兩者文體風格的不同，自然無法提出
精闢的見解，因此他甚為重視分辨體例，如他任禮部尚書時，
因夫人馬氏請求表彰一節婦，於例不合而將此婦事蹟記載於
《閱微草堂筆記》中，還特別加以說明「雖書原志怪，未免
為例不純；於表章風教之旨，則未始不一耳」[32]，又如〈如
是我聞〉卷三中對《左傳》記載死而復活之事，還強調「晉
殺秦諜，六日而蘇，或由縊殺杖殺，故能復活。但不識未蘇
以前作何情狀。詁經有體，不能如小說瑣記也」[33]。由於紀
昀善於辨析不同文體的特點，因而對作家作品的品評，往往
獨具慧眼，見解新穎，例如紀昀掌握住詞的音樂性與通俗性：
「詞則雅俗通歌，惟求諧耳」[34]、「要之，詩人之言，終為近
雅，與詞人之冶蕩有殊。其短其長，故具在是也」[35]，所以

31　〈姑妄聽之〉卷三，前揭書，頁 452。
32　〈槐西雜志〉卷四，前揭書，頁 374。
33　〈如是我聞〉卷三，前揭書，頁 209。
34　〈詞韻提要〉，《四庫全書總目》卷 200，前揭書，頁 2822。
35　〈放翁詞提要〉，《四庫全書總目》卷 198，前揭書，頁 2795。

反對詞中用「新僻」、「典重」、「代字」之字，在品評作品時，自然能深入而有見地：

> 毛晉稱其「灑窗間惟稷雪」句，引《毛詩疏》為證，謂用字多有出處。則其說似是而實非。詞曲以本色為最難，不尚新僻之字，亦不尚典重之字「稷雪」二字，拈以入詞，究為別格，未可以之立制也。[36]
>
> 又謂「說桃須用紅雨、劉郎等字，說淚須用玉箸等字，說髮須用綠雲等字，說簟須用湘竹等字，不可直說破」，其意欲避鄙俗，而不知轉成涂飾，亦非確論。[37]

又例如講學家未能掌握詩的抒情特性，作品故而缺乏風人之致，紀昀憑著他對詩作文體的體認，多有精闢的見解：

> 余謂西河卜子，傳詩於尼山者也，大序一篇，確有授受，不比諸篇小序，為經師遞有增加，其中「發乎情，止乎禮義」二語，實探風雅之大原。後人各明一義，漸失其宗，一則知「止乎禮義」而不必其「發乎情」，流而為金仁山濂洛風雅一派，使嚴滄浪輩激而為「不涉理路，不落言筌」之論。一則知「發乎情而不必其止乎禮義」，自陸平原一語引入歧途，其究乃至於繪畫橫陳，不誠已甚歟！[38]
>
> 蓋爭天下之大計，自為一事；抒一時之興會，又自為一事。固不必即景詠懷，皆作理語，而後謂之君子也。[39]

---

36 〈蘆川詞提要〉，《四庫全書總目》卷 198，前揭書，頁 2789-2790。

37 〈沈氏樂府指迷提要〉，《四庫全書總目》卷 199，前揭書，頁 2808。

38 紀昀：〈雲林詩鈔序〉，前揭書第一冊，頁 198-199。

39 〈清獻集提要〉，《四庫全書簡明目錄》卷 15，（台北：世界書局，1975），頁 619。

以濂洛之理責李、杜，李、杜不能爭，天下亦不敢代
為李杜爭，然而天下學為詩者，終宗李杜，不宗濂洛
也。此其故可深長思矣。[40]

顧真西山《文章正宗》黜《逐客書》，斥《橫汾詞》
劉後村以「深衣雅樂」譬之，謂非綺羅箏笛所能比，
而卒不能與《昭明之選》爭後先……宋以後，講學之
家發明聖道，其理不為不精，而置諸詞苑，究如《王
氏中說》、《太公家訓》，為李習所不滿。其故不可深
長思乎？[41]

紀昀從文各有體的觀點，更進一步認為「亦各有難易」，
為此還對趙執信的論點提出修正：

飴山老人《談龍錄》引吳修齡之言曰：意喻之米，文
則炊而為飯，詩則釀而為酒；飯不變米形，酒則變盡。
其意謂文易而詩難也。余則謂詩文各有體裁，亦各有
難易。杜子美之詩才，而散文多詰屈；皇甫湜、李翔
之文筆，而詩皆拙鈍，才有偏長，殆不可強。[42]

因為體認到作家「才有偏長」，故而紀昀在品評時能注意
到並指出作家「功有獨至」特長之所在：

然文不及其詩，詩則諸體不及七言律。蓋性有偏近，
功有獨至也。[43]

其詩法得諸張耒，雖不及耒之才力富健，諸體兼

40　〈濂洛風雅提要〉，《四庫全書總目》卷 191，（北京：中華書局，1997），
　　頁 2672。
41　紀昀：〈明皋文集序〉，前揭書第一冊，頁 215。
42　紀昀：〈耳溪文集序〉，前揭書第一冊，頁 214。
43　〈花溪集提要〉，《四庫全書簡明目錄》卷 17，前揭書，頁 753。

備……五言古體，綽有韋、柳遺音，其格韵乃似在叢
上，殆才有偏長歟！[44]

由「文各有體」到「亦各有難易」，更進而說明作家「才
有偏長，殆不可強」、「功有獨至」的現象，如此才能認清各
個時代、流派、作家他們的特色，所以能給不同派別、不同
藝術風格的作家作品以正確評價，讓品評之間更能精準而得
當。紀昀曾將畫派之分來比擬詩家流派之不同，並認為詩家
「千變萬化，不名一體」，而各時代之詩也各有其不同的特
色，未可一概而論，其中〈書韓致堯翰林集後〉與〈宋金元
詩永提要〉的意見如出一轍，是紀昀意見貫徹於《四庫全書
總目》之又一例：

同一書也，而晉法與唐法分；同一畫也，而南宋與北宋
分，其源一而其流別也。流別既分，則一派之中，自
有一派之詣極，不相攝，亦不相勝也。惟詩亦然。[45]
蘇、李之詩天成，曹、劉之詩閎博，嵇、阮之詩妙遠，
陶、謝之前高逸，沈、范之詩工麗，陳、張之詩高秀，
沈、宋之詩宏整，李、杜之詩高深，王、孟之詩淡靜，
高、岑之詩悲壯，錢、郎之詩婉秀，元、白之詩樸實，
溫、李之詩綺縟；千變萬化，不名一體。[46]
詩至五代，駸駸乎入詞曲矣，然必一切繩以開、寶之
格，則由是以上，將執漢、魏以繩開、寶，執《詩》、
《騷》以繩漢、魏，而三百以下，且無詩矣，豈通論

44 〈山窗餘稿提要〉，《四庫全書簡明目錄》卷 17，前揭書，頁 749。
45 紀昀：〈田侯松巖詩序〉，前揭書第一冊，頁 201。
46 紀昀：〈清艷堂詩序〉，前揭書第一冊，頁 202。

哉？[47]

然一朝之詩，各有體裁，一家之詩，各有面目。江淹所謂「楚謠漢風既非一骨，魏制晉造固已二體。蛾眉詎同貌而俱動於魂，芳草寧共氣而皆悅於魄」者也。必以唐法律宋、金、元，而宋、金、元之本真隱矣。即如唐人之詩，又豈可以漢、魏、六朝繩之，漢、魏、六朝又豈可以風、騷繩之哉！是集之所以隘也。[48]

三、溫柔敦厚的詩教觀

紀昀對文學作品的作用，仍沿襲中國儒家傳統的觀念，認為文學作品在直抒性情之外，還要能有教化人心卻不失溫厚和平的含蓄之美，因此特重溫柔敦厚的詩教觀，以作為其論詩之準則：「孔子論詩，歸本於事父、事君，又稱溫柔敦厚為詩教」[49]。在《閱微草堂筆記》中收錄了一首〈李芳樹刺血詩〉，紀昀之所以特重此詩，除了表達了他對詩中含冤負屈貞婦的同情外，還「愛其纏綿悱惻，無一毫怨怒之意，殆可泣鬼神」，體現了溫柔敦厚的詩教精神：

「去去復去去，淒惻門前路。行行重行行，輾轉猶含情。含情一回首，見我窗前柳；柳北是高樓，珠簾半上鉤。昨為樓上女，簾下調鸚鵡；今為牆外人，紅淚沾羅巾。牆外與樓上，相去無十丈；云何咫尺間，如

---

47 紀昀：〈書韓致堯翰林集後〉，前揭書第一冊，頁 251。
48 〈宋金元詩永提要〉，《四庫全書總目》卷 194，前揭書，頁 2721。
49 紀昀：〈鶴井集序〉，前揭書第一冊，頁 191。

隔千重山？悲哉兩決絕，從此終天別。別鶴空徘徊，
誰念鳴聲哀！徘徊日欲晚，決意投身返。手裂湘裙
裾，泣寄稿砧書。可憐帛一尺，字字血痕赤；一字一
酸吟，舊愛牽人心。君如收覆水，妾罪甘鞭箠；不然
死君前，終勝生棄捐。死亦無別語，願葬君家土；儻
化斷腸花，猶得生君家。」右見《永樂大典》，題曰
《李芳樹刺血詩》。不著朝代，亦不詳芳樹始末。不
知為所自作，如竇玄妻詩；為時人代作，如焦仲卿妻
詩也。世無傳本，余校勘《四庫》偶見之。愛其纏綿
悱惻，無一毫怨怒之意，殆可泣鬼神。令館吏錄出一
紙，久而失去。今於役灤陽，檢點舊帙，忽於小篋內
得之。沈湮數百年，終見於世，豈非貞魂怨魄，精貫
三光，有不可磨滅者乎？陸耳山副憲曰：「此詩次韓
蘄王孫女詩前；彼在宋末，則芳樹必宋人。」以例推
之，想當然也。[50]

正由於紀昀繼承了漢儒說《詩》之大旨，特重溫柔敦厚
的詩教觀，而欲達此一標準，紀昀認為創作應該要「發乎情，
止乎禮義」，發乎情是小我感動之辭的情感抒發，如同「詩言
志」；而止乎禮義則是作品仍須合乎理性的道德規範、倫常教
化，如同「思無邪」：

> 《書》稱「詩言志」，《論語》稱「思無邪」，子夏《詩
> 序》兼括其旨曰「發乎情，止乎禮義」，詩之本旨盡
> 是矣。[51]

---

50 〈槐西雜志〉卷二，前揭書第二冊，頁 277-278。
51 紀昀：〈挹綠軒詩集序〉，前揭書第一冊，頁 204。

　　溫柔敦厚則是作家創作遵循「發乎情，止乎禮義」此一
準則來創作，則讀者閱讀作品所感受和理解到的藝術作用：

　　　是集以不可一世之才，困頓偃蹇，感激豪宕，而不乖
　　　乎溫柔敦厚之正，可謂「發乎情止乎禮義」者矣。[52]

　　紀昀每每據此準則以品評作品，作家若遭逢現實環境的
困阨，其發爲詩文，若是反映時代的黍離麥秀、哀怨之音，
並非不可取，但若是個人的挫折困逆而形諸筆墨，這是紀昀
所不贊同的，於此紀昀還是主張哀而不怨、溫柔敦厚的詩教，
要能夠安命委時、淡泊明志，如：

　　　公詩和平溫厚，無叫囂激烈之語；平正通達，元纖仄
　　　詭俊之意。[53]

　　　其詩沿何、李之派，故擬燒騷、擬樂府不能變化蹊
　　　徑……故憤鬱不平，屢形篇詠，然事殊屈子而怨甚，
　　　行吟未免失之過激，與風人溫厚之旨爲有間矣。[54]

　　　逄源生當明季崎嶇，轉徙於江、漢、淮、海之間，故
　　　幽憂之語多，而和平之韻鮮焉。[55]

　　　（郭）鈺遭逢亂世，詩多成於流離道路、轉側兵戈之
　　　時，故哀怨之音，居其大半。其抱節不仕，但以病廢
　　　爲詞，尤和平溫厚。[56]

　　　過嶺以後，多與胡銓手札往還，溫厚纏綿，無牢騷不

52　紀昀：〈儉重堂詩序〉，前揭書第一冊，頁 186。
53　紀昀：〈袁清愨公詩集序〉，前揭書第一冊，頁 198。
54　〈楊道行集提要〉，《四庫全書總目》卷 179，前揭書，頁 2489。
55　〈積書巖詩選提要〉，《四庫全書總目》卷 182，前揭書，頁 2543。
56　〈靜思集提要〉，《四庫全書簡明目錄》卷 17，前揭書，頁 750。

平之意，尤難能也。[57]

　　從溫柔敦厚的詩教觀看來，紀昀指出方回「其選詩之大弊有三……所謂溫柔敦厚之旨，蔑如也」[58]。也對方回所說的「此能極言閑適之味矣，詩家之所必有而不容無者也」[59]提出反駁，他認為作品的好壞和人生的窮達未必有必然的關係，這也是方回論詩的矯激之弊：

> 人生窮達，繫於所遭，不必山林定高於廊廟；而四始六義之源，溫柔敦厚之旨，亦非專為石隱者設。必以閑適之作為詩家所不可無，然則上薄風雅，下及騷人，皆未知詩歟？亦矯而妄矣。[60]

> 鍾鼎山林，各隨所遇，亦各行所安。巢由之遁，不必定賢於臯夔；沮溺之耕，不必果高於洙泗。論人且爾，況於論詩！乃詞涉富貴，則排斥立加；語類幽棲，則吹噓備至。不問人之賢否，並不論其語之真偽，是直詭語清高，以自掩其穢行耳，又豈論詩之道耶！[61]

　　他也反對歐陽脩「窮而後工」的詩學思想，認為「詩必窮而後工，殆不然乎」，紀昀對此有他自己的看法：

> 詩必窮而後工，殆不然乎。上下二千年間，宏篇鉅製，豈皆出山澤之癯耶？然謂詩窮而後工者，亦自有說。

57　〈莊簡集提要〉，《四庫全書簡明目錄》卷 16，前揭書，頁 646。

58　紀昀：〈瀛奎律髓刊誤序〉，前揭書第一冊，頁 182-183。

59　紀昀：《瀛奎律髓刊誤》，卷 23〈閑適類序〉方回語，（安徽：黃山出版社，1994），頁 556。

60　紀昀：《瀛奎律髓刊誤》，卷 23〈閑適類序〉紀昀批語，前揭書，頁 556。

61　紀昀：〈瀛奎律髓刊誤序〉，前揭書第一冊，頁 183。

夫通聲氣者騖標榜，居富貴者多酬應，其間為文造
情，殆亦不少，自不及閒居恬適，能翛然自抒其胸臆，
亦勢使然矣。惟是文章如面，各肖其人，同一坎坷不
偶，其心狹隘而刺促，則其詞亦幽鬱而憤激……其心
澹泊而寧靜，則其詞脫洒軼俗，自成山水之清音……
斯真窮而後工，又能不累於窮，不以酸側激烈為工
者，溫柔敦厚之教，其是之謂乎！……要當以不涉怨
尤之懷，不傷忠孝之旨為詩之正軌。昌黎〈送孟東野
序〉，稱不得其平則鳴，乃一時有激之言，非篤論也。[62]

　　在這段文字中紀氏指出「宏篇鉅製」並非都出自「山澤
之癯」，但是因為富貴之人相互標榜、應酬這類「為文造情」
的作品太多了，相形之下，自然比不上那些閑居江湖之作。
而且紀昀認為作品工與不工，關鍵在於作者的人格特性而非
作者的窮達遭遇，「文章如面，各肖其人」，如果是「其心狹
隘而刺促」的人，遭遇拂逆困頓，他的作品難免是「幽鬱而
憤激」，自然是不合前面提到紀氏所主張溫柔敦厚的詩教。反
之，作者「其心澹泊而寧靜」，作品方能「脫洒軼俗，自成山
水之清音」，這才是「真窮而後工，又能不累於窮」，合於溫
柔敦厚的詩教。為此，他在〈儉重堂詩序〉中盛讚作者為：

是集以不可一世之才，困頓偃蹇，感激豪宕，而不乖
乎溫柔敦厚之正，可謂「發乎情止乎禮義」者矣。窮
而後工，斯其人哉！[63]

　　溫柔敦厚的詩教除了要不因窮達而心生怨尤外，對作品

---

62 紀昀：〈月山詩集序〉，前揭書第一冊，頁 195-196。
63 紀昀：〈儉重堂詩序〉，前揭書第一冊，頁 186。

的譏諷也認爲要適度，要心平氣和不能過激，如他評蘇軾詩中所說的：「古人雖不廢諷刺，然皆心平氣和，乃不失風人溫厚之旨」[64]、「東坡詩多傷激切，此雖不免兀傲，而尙不甚礙和平之音」[65]。

　　正由於紀昀官居高位，而溫柔敦厚的詩教觀又是有利於統治者，所以有人認爲紀昀此說是討好乾隆之舉，如「紀昀在此的目的明顯不過，就是響應官方的文學爲政治服務的號召」[66]、「紀昀爲大清寵臣，爲維護封建統治，他極力推闡溫柔敦厚之詩教」[67]。事實上紀昀也曾因循私漏言，而革職遠戍新疆烏魯木齊（迪化）近三年，對君主恩威的難測、宦場的險惡與人情的炎涼有極爲真切的體會，並非是不識人間愁苦之輩。而紀昀此一時期的代表著作〈烏魯木齊雜詩〉160首，錢大昕在該組詩的跋中就說道：

> 讀之聲調流美，出入三唐，而敘次風土人物，歷歷可見。無鬱轄愁苦之音，而有春容渾脫之趣。……而又得之目擊，異乎傳聞、影響之談。它日采風謠、志興地者，將於斯乎徵信。夫豈與尋常牽綴土風者同日而道哉！[68]

「無鬱轄愁苦之音，而有春容渾脫之趣」，正是他溫柔敦

64　〈張安道見示近詩〉紀昀批語，曾棗莊主編，《蘇詩彙評》卷 17，（四川：四川文藝出版社，2000），頁 719。
65　紀昀：《瀛奎律髓刊誤》卷 43，〈初到黃州〉紀昀批語，（安徽：黃山書社，1994），頁 951。
66　陳岸峰：〈詩學與政治的張力：論沈德潛詩論的「溫柔敦厚」〉，引自 http://www.cciv.cityu.edu.hk/publication/jiuzhou/txt/17-6-35.txt。
67　王友勝：〈論紀昀的蘇詩評點〉，中國韻文學刊，1999：2，頁 68。
68　《紀曉嵐文集》第一冊，前揭書，頁 610-611。

厚詩教觀的實踐。至於此一觀點是爲統治者服務，我認爲並非是紀昀的本意，只能說是紀昀的觀點正巧與乾隆符合罷了。自從魯迅說過《欽定四庫全書總目》：「但須注意其批評是『欽定』的」[69]這句話後，有些學者總是會懷疑紀昀學術見解的自主性[70]，但就算在《欽定四庫全書總目》中，也有不少明顯與乾隆衝突的觀點，例如乾隆對於香奩體曾加以指斥：「自《玉臺新詠》以後，唐人韓偓輩，務作綺麗之詞，號爲香奩體，漸入浮靡。尤而效之者，詩格更爲卑下」[71]，但紀昀甚爲欣賞《玉臺新詠》及韓偓之作，他不僅在乾隆二十五年（37 歲）時點閱《香奩集》、乾隆三十六年（48 歲）時作《玉臺新詠校正》，又撰有〈書韓致堯翰林集後〉、〈書韓致堯香奩集後〉二文，將韓偓與李商隱、杜牧相提並論[72]，顯然對韓偓其人其詩，多所推崇，除了在私人著作中爲之辯駁外[73]，甚至在《四庫全書總目》評論韓偓爲：

> 其詩雖局於風氣，渾厚不及前人，而忠憤之氣，時時

---

69 魯迅：《魯迅全集》第八卷，（北京：人民文學出版社，2005），頁 497。

70 如楊晉龍：「即使《總目》的思想和紀昀完全合轍，也只能說是紀昀的想法正好符合乾隆帝……筆者也主張《總目》表現的是乾隆帝的思想；或者說表現當代學術共識，而非某一位單獨個人的思想概念，至於紀昀等人所扮演的，就如同現代的『總統府發言人』、『新聞局長』或所謂『文膽』之類的腳色，不過是代筆人而已」，〈論《四庫全書總目》對明代詩經學的評價〉，（濟南）《第四屆詩經國際學術研討會會議論文》，1999，頁 441。

71 《四庫全書總目·卷首》聖諭，前揭書，頁 10。

72 〈書韓致堯翰林集後〉：「當其合處，遂欲上躙玉溪、樊川，而下與江東相倚軋」，《紀曉嵐文集》第一冊，前揭書，頁 251。

73 〈書韓致堯香奩集後〉：「《香奩》之詞，亦云褻矣。然但有悱側眷戀之語，而無一決絕恕懟之言，是亦可以觀心術焉」，《紀曉嵐文集》第一冊，前揭書，頁 252。

> 溢于語外，性情既摯，風骨自道，慷慨激昂，迥異當
> 時靡靡之響。其在晚唐，亦可謂文筆之鳴鳳矣。變風
> 變雅，聖人不廢，又何必定以一格繩之乎？[74]

又例如傳統上士大夫以詞曲爲文學之閏餘，不甚重視，礙於乾隆的好惡，在《四庫全書總目》中，紀昀也只好將元曲「概從刪削」。但紀昀倒也能寓褒於貶中，在提要中也不吝對元曲大家加以肯定，表達出不同於乾隆皇帝喜惡的意見。此外他也趁機在《四庫全書總目》凡例中稍稍一吐苦水「古來有是一家，即應立是一類，作者有是一體，即應備是一格，斯協於全書之名」，但因「皇上指示，命從屏斥」：

> 文章流別，曆代增新。古來有是一家，即應立是一類，
> 作者有是一體，即應備是一格，斯協於全書之名，故
> 釋道外教，詞曲末技，咸登簡牘，不廢搜羅。然二氏
> 之書，必擇其可資考證者，其經懺章咒，並凜遵諭旨，
> 一字不收。宋人朱表青詞，亦概從刪削。其倚聲填調
> 之作，如石孝友之《金谷遺音》、張可久之《小山小
> 令》，臣等初以相傳舊本姑為錄存，並蒙皇上指示，
> 命從屏斥，……是以編輯雖富，而謹持繩墨，去取不
> 敢不嚴。[75]

紀昀一方面很技巧地在凡例中說明了元曲見斥不被著錄的原因，是由於乾隆皇帝的旨意而非館臣等的主張，一方面也在各篇提要中加以肯定，以爲「未可全斥爲俳優也」、「闡揚風化，開導愚蒙……豈徒斤斤於紅牙翠管之間哉」，對作家

74　〈韓內翰別集提要〉，《四庫全書總目》卷 151，前揭書，頁 2028。
75　〈四庫全書凡例〉，《四庫全書總目》，前揭書，頁 33。

的作品仍不吝給予好評「然亦不能謂之不工」、「要爲倚聲家
一作手」：

> 詞、曲二體，在文章、技藝之間，厥品頗卑，作者弗
> 貴，特才華之士，以綺語相高耳。然三百篇變而為古
> 詩，古詩變而為近體，近體變而詞，詞變而曲，層累
> 而降，莫知其然。究厥淵源，實亦樂府之餘音，風人之
> 末派，其於文苑，同屬附庸，未可全斥為俳優也。[76]
>
> （蘇）軾以歌行縱橫之筆，盤屈而為詞，跌宕排奡，
> 一變唐五代之舊格，遂為辛棄疾一派開山，尋溯源
> 流，不能不謂之別調，然亦不能謂之不工。[77]
>
> （秦）觀詩格不及蘇、黃，而詞則情韻兼勝，在蘇、
> 黃之上，流傳雖少，要為倚聲家一作手。[78]
>
> 大聖人闡揚風化，開導愚蒙，委曲周詳，無往不隨事立
> 教者，此亦一端矣。豈徒斤斤於紅牙翠管之間哉？[79]

　　由上述之例所言，足見作爲學者的紀昀，在皇帝面前也
並非一味地卑躬屈膝而毫無己見。再則，紀昀爲何將〈李芳
樹刺血詩〉特別從《永樂大典》中抄錄出來，又於多年之後，
欣喜於失而復得，遂將之收錄於《閱微草堂筆記》之中，這
正說明了紀昀是真心地欣賞此詩，尤其是「愛其纏綿悱側，
無一毫怨怒之意，殆可泣鬼神」，正是體現了紀昀所主張溫柔
敦厚的詩教精神，後人又何必將深受儒家思想薰陶而認同儒

76　〈詞曲類敘〉，《四庫全書總目》，前揭書，頁 2779。
77　〈東坡詞提要〉，《四庫全書簡明目錄》卷 20，前揭書，頁 888。
78　〈淮海詞提要〉，《四庫全書總目》卷 198，前揭書，頁 2782-2783。
79　〈欽定曲譜提要〉，《四庫全書總目》卷 199，前揭書，頁 2811。

家理念的學者之說，定要視之為逢迎之舉？

四、妙出天然的自然觀

　　紀昀自新疆獲恩賜下諭釋還後，在乾隆三十六、三十七這兩年間（48-49 歲）雖然閑居京城無事，卻是他評點詩文集的豐收期，《紀評蘇文忠公詩集》、《紀評文心雕龍》、《瀛奎律髓刊誤》、《玉台新詠校正》諸書都是在這兩年中完成評點。其中紀昀對《文心雕龍》的思想見解，深有所得。他在全書兩百多條評語中，對《文心雕龍》所標舉「以自然為宗」的文學審美理念，頗為欣賞與接納：「齊梁文藻，日競雕華，標自然以為宗，是彥和吃緊為人處」[80]、「純任自然，彥和之宗旨，即千古之定論」[81]。在《閱微草堂筆記》中紀昀透過仙人論詩的故事，表達出他妙出天然的自然觀：

> 王昆霞作《雁宕遊記》一卷，朱導江為余書掛幅，摘其中一條云：「四月十七日，晚出小石門，至北碉。耽玩忘返，坐樹下待月上。倦欲微眠，山風吹衣，慄然忽醒。微聞人語曰：『夜氣澄清，尤為幽絕，勝罨畫圖中看金碧山水。』以為同游者夜至也。俄又曰：『古琴銘云：「山虛水深，萬籟蕭蕭。古無人蹤，惟石嶕嶢。」真妙寫難狀之景。嘗乞洪穀子畫此意，竟

---

80 紀昀：《文心雕龍・原道篇》紀評，（江蘇：廣陵古籍刻印社，1998），頁 22。

81 紀昀：《文心雕龍・隱秀篇》紀評，（江蘇：廣陵古籍刻印社，1998），頁 334。

不能下筆。』竊訝斯是何人，乃見荊浩？起坐聽之。
又曰：『頃東坡為畫竹半壁，分柯布葉，如春雲出岫，
疏疏密密，意態自然，無杈椏怒張之狀。』又一人曰：
『近見其西天目詩，如空江秋淨，煙水渺然，老鶴長
唳，清飇遠引，亦消盡縱橫之氣。緣才子之筆，務殫
心巧；飛仙之筆，妙出天然，境界故不同耳。』知為
仙人，立起仰視。忽撲籟一聲，山花亂落，有二鳥衝
雲去。」其詩有「躡屐頗笑謝康樂，化鶴親見徐佐卿」
句，即記此事也。[82]

顯然「妙出天然」的飛仙之筆境界高於「務殫心巧」的
才子之筆，而「意態自然」、「消盡縱橫之氣」是為其所欣賞
的。自司空圖《二十四詩品》標立自然一品以來，從蘇東坡、
葉夢得到沈德潛、趙翼等人，也都推崇文學作品的自然觀。
紀昀自是十分推崇妙出天然的自然觀，他在許多地方屢屢表
達出這一觀點：

游於象外悟懷中，脫落畦封是化工。庾嶺梅花千萬
樹，原無一樹偶相同。[83]
帝媯有言曰：「詩言志，歌永言」，揚雄有言曰：「言，
心聲也；文，心畫也。」故善為詩者，其思浚發於性
靈，其意陶熔於學問。凡物色之感於外，與喜怒哀樂
之動於中著，兩相薄而發為歌詠，如風水相遭自然成
文，如泉石相春自然成響。劉勰所謂情往似贈，興來
如答，蓋即此意。豈步步趨趨、摹擬刻畫、寄人籬下

82　〈姑妄聽之〉卷四，前揭書第二冊，頁 474-475。
83　〈題陳肖生墨梅冊〉，《紀曉嵐文集》第一冊，前揭書，頁 529-530。

者所可擬哉？[84]

紀昀認為「善為詩者」的創作有如「風水相遭自然成文」、「泉石相舂自然成響」，達到如同「庾嶺梅花千萬樹，原無一樹偶相同」這種「化工」的境界，正是他妙出天然的自然觀。而要達到這種境界，紀昀標舉出擬議與變化的法則：

> 在心為志，發言為詩，古之風人特自寫其悲愉，旁抒其美刺而已。心靈百變，物色萬端，逢所感觸，遂生寄託；寄託既遠，興象彌深，於是緣情之什，漸化為文章。如食本以養生，而八珍五鼎緣以講滋味；衣本以禦寒，而纂組錦繡緣以講工巧。相沿而至，莫知其然，而亦遂相沿不可廢。故體格日新，宗派日別，作者各以其才力學問智角賢爭，詩之變態遂至於隸首不能算。然自漢、魏以至今日，其源流正變、勝負得失，雖相競者非一日，而撮其大概，不過擬議、變化之兩途。從擬議之說最著者無過青丘。仿漢魏似漢魏，仿六朝似六朝，仿唐似唐，仿宋似宋。而問青丘之體裁如何？則莫能舉也。從變化之說最著者無過鐵崖。怪怪奇奇，不能方物，而卒不能解文妖之目，其亦勞而鮮功乎？[85]

紀昀深厚的學識讓他清楚「撮其大概，不過擬議、變化之兩途」這兩種創作的方法都有偏頗：

> 故至嘉隆七子，變無可變，於是轉而言復古，古體必漢、魏，近體必盛唐，非如是不得入宗派。然摹擬形

---

84 紀昀：〈清艷堂詩序〉，前揭書第一冊，頁 202。
85 紀昀：〈鶴街詩稿序〉，前揭書第一冊，頁 206。

似，可以駭俗目，而不可以炫真識，於是公安、競陵
乘機別出，麼絃側調纖詭相矜，風雅遺音迨明季而掃
地焉。論者謂王李之派，有擬議而無變化，故塵飯土
羹；三袁、鍾、譚之派，有變化而無擬議，故偭規破
矩。[86]

要糾正這種弊病，紀昀主張「又必深知古人之得失而後
可以工諸體詩」[87]，強調在「寢食古人」基礎上能「神明變
化」[88]，他認爲一味摹古，不過是「雙鉤塡廓」[89]、「異乎嘉
隆七子規規摹杜之形，似宏音亮節，實爲塵飯土羹也」[90]，
又如〈南康望湖亭〉一詩紀評：「但存唐人聲貌，而無味可咀，
此種最害事。而轉相神聖，自命曰高。或訾謷輒哂曰俗，蓋
盛唐之說行，而盛唐之真愈失矣」，又如〈塵外亭〉一詩紀評：
「若泛寫山光樹色，則一首詩可題遍天下名勝矣。盛談王孟
之高渾者，往往似馬首之絡，偶見之似可喜，數見之便有多
少不滿人意處」[91]。他並不排除新變，他稱許朱鶴齡評李商
隱的詩「得子美之深而變出之」一語說：「『變出之』三字爲
千古揭出正法眼藏」[92]；評李商隱〈送王十三校書分司〉云：

---

86 紀昀：〈四百三十二峰草堂詩鈔序〉，前揭書第一冊，頁 207。
87 紀昀：〈嘉慶丙辰會試策問五道〉，前揭書第一冊，頁 271。
88 紀昀：〈唐人試律說序〉，前揭書第一冊，頁 182。
89 紀評《蘇文忠公詩集》卷三十五〈和陶飲酒〉紀評，（北京：北京圖
書館出版社，2001），頁 35-4。
90 紀昀：〈二樟詩鈔序〉，前揭書第一冊，200 頁。
91 二詩紀評具見於《蘇詩彙評》，（四川：四川文藝出版社，2000），頁
1591、1600。
92 紀昀：《王谿生詩說》卷首之朱鶴齡：〈箋注李義山詩集序〉紀評，收
入《叢書集成續編》，（臺北：藝文印書館，1971）。

「神奇臭腐，轉易何常，故『變而出之』一言，爲善學古人之金鍼也」[93]，可見紀昀充分肯定了變的重要，但不能只求摹古而不變化，只求變化而不摹倣學習。紀昀他還很技巧地在《閱微草堂筆記》中，透過劉羽沖的鬼故事來表達他對文學創作上擬議和變化這兩者爭議的看法：

> 劉羽沖，佚其名，滄州人。先高祖厚齋公多與唱和，性孤僻，好講古制，實迂闊不可行。嘗倩董天士作畫，倩厚齋公題。內《秋林讀書》一幅云：「兀坐秋樹根，塊然無與伍。不知讀何書？但見鬚眉古。只愁手所持，或是井田譜。」蓋規之也。偶得古兵書，伏讀經年，自謂可將十萬。會有土寇，自練鄉兵與之角，全隊潰覆，幾爲所擒。又得古水利書，伏讀經年，自謂可使千里成沃壤。繪圖列說於州官。州官亦好事，使試於一村。溝洫甫成，水大至，順渠灌入，人幾爲魚。由是抑鬱不自得，恒獨步庭階，搖首自語曰：「古人豈欺我哉？」如是日千百遍，惟此六字。不久，發病死。後風清月白之夕，每見其魂在墓前松柏下，搖首獨步。傾耳聽之，所誦仍此六字也。或笑之，則歘隱。次日伺之，復然。泥古者愚，何愚乃至是歟？何文勤公嘗教昀曰：「滿腹皆書能害事，腹中竟無一卷書，亦能害事。國弈不廢舊譜，而不執舊譜；國醫不泥古方，而不離古方。故曰：『神而明之，存乎其人。』

又曰：『能與人規矩，不能使人巧。』」[94]

所謂「國弈不廢舊譜，而不執舊譜；國醫不泥古方，而不離古方」正是說明了擬議和變化兩者之間相互的關聯，相同的意見紀昀屢屢言及：

> 大抵始於有法，而終於以無法為法；始於用巧，而終於以不巧為巧。此當寢食古人，培養其根柢，陶熔其意境，而後得其神明變化、自在流行之妙。[95]
>
> 蓋必心靈自運，而後能不立一法，不離一法，所謂神而明之，存乎人也。……如花釀蜜，如黍作酒，得其神不襲其貌，卓然自為一家[96]
>
> 夫為文不根柢古人，是徜規矩也；為文而刻畫古人，是手執規矩，不能自為方圓也。孟子有言：「梓匠輪輿，能與人規矩，不能使人巧」。是雖非為論文設，而千古論文之奧，具是言矣。[97]
>
> 不離法亦不立法，意之所到無畦封。即一題署一跋識，不求工處天然工。[98]

在寢食古人的基礎上「總須熔經鑄史，以《騷》《選》及八代、三唐為根柢。根柢既深，識力既確，」[99]，得其神而不襲其貌，然後神明變化，自成一家：

---

94 〈灤陽消夏錄〉，前揭書，卷三，頁 50。
95 紀昀：〈唐人試律說序〉，前揭書第一冊，頁 182。
96 紀昀：〈四百三十二峰草堂詩鈔序〉，前揭書第一冊，頁 207。
97 紀昀：〈香亭文稿序〉，前揭書第一冊，頁 182。
98 〈張南華先生夏木清陰圖為伊墨卿題〉《紀曉嵐文集》第一冊，前揭書，頁 537。
99 《筱園詩話》卷一引《瀛奎律髓刊誤》序，收入《續修四庫全書》1708 冊，（上海：上海古籍出版社），2002，頁 18。

爲詩之道，非惟語不可偷，即偷勢、偷意，亦歸竊臼。
夫悟生於相引，有觸則通；力迫於相持，勢窮則奮。
善為詩者，當先取古人佳處涵詠之，使意境活潑如在
目前。擬議之中，自生變化。如「蕭蕭馬鳴，悠悠旗
旌」，王籍化爲「蟬噪林愈靜」；「光風轉蕙，泛崇蘭
歟」，荊公化爲「扶輿度陽焰，窈窕一川花」，皆得其
句外意也。水部《詠悔》有「偬枝卻月觀」句，和靖
化爲「水邊籬落忽橫枝」；「疏影橫斜水清淺」，東坡
化爲「竹外一枝斜更好」，皆得其句中味也。「春水滿
四澤」，變為「野水多於地」，「夏雲多奇峰」變為「山
雜夏雲多」，就一句點化也。「千峰共夕陽」，變爲「夕
陽山外山」；「日華州上動」，變為「夕陽明滅亂流中」，
就一字引申也。「到江吳地盡，隔岸越山多」變爲「吳
越到江分」，縮之而妙也。「曲徑通幽處，禪房花木
深」，變爲「微雨晴復滴，小窗幽且妍。盆山不見日，
草木自蒼然」，衍之而妙也。如是有得，乃立古人於
前，竭吾之力而與之角。如雙鵠並翔，各極所至；如
兩鼠鬥穴，不勝不止。思路斷絕之處，必有精神坌湧，
忽然遇之者，正不必撦撏玉溪，隨人作計也。[100]

　　紀昀不厭其煩地舉了許多詩句，來說明他這種從擬議中
生出變化的看法，甚至還以此觀點，在會試中命題：

北地、信陽以摹擬漢、唐流爲膚濫，然因此禁學漢、
唐，是盡佀古人之規矩也；公安、竟陵以「荓甲新意」，

---

100 《唐人試律說‧海上生明月》紀評，《紀曉嵐文集》第三冊，前揭書，
　　頁 21-22。

流為纖佻，然因此惡生新意，是錮天下之性靈也。又
何以酌其中歟？[101]

摹擬之後生出變化，變化要能自成一家，就是要達到渾
成自然最高的境界，不露出雕琢的痕跡，紀昀在許多地方，
不斷地提出「妙造自然」、「自然而然」、「自然以為宗」、「純
任自然」、「自然成文」、「自然成響」這樣的看法，指出他對
創作的途徑，由摹擬之後生出變化，變化要達到自然天成的
境界，尤其當紀昀暮年時，精力日衰，傳世之作多是寥寥數
語的硯銘，其中仍不忘重申此意，足見紀昀對妙出天然自然
觀的重視：

細意刻畫，妙造自然，凡摹形寫照之題，固以工巧為
尚，然巧而纖，巧而不穩，巧而有雕琢之痕，皆非其
至者也。[102]

文章詞掩意，徒侈腹多書。譬作新漁具，還施舊釣
車。……珍重操觚士，無勞獺祭魚。[103]

紀文達公性好硯，嘗以九十九硯名其齋。硯必有銘。
信手摛辭，皆有深意，因擇錄之。如《赤石硯》云：
「迂士得之，琢雕為樸」《淄石硯》云：「刻鳥鏤花，
彌工彌俗」《螭紋硯》云：「雕鏤盤螭，俗工之式」。[104]
龍無定形，雲無定態。形態萬變，雲龍不改。文無定
法，是即法在。無騁爾才，橫流滄海。[105]

101 紀昀：〈嘉慶丙辰會試策問五道〉，前揭書第一冊，頁 271。
102 紀昀：〈庚辰集・清露點荷珠〉紀評，前揭書第二冊，頁 194。
103 紀昀：〈我法集・賦得翠綸桂餌〉，前揭書第一冊，頁 641。
104 《紀曉嵐文集》第三冊引《清朝野史大觀》卷九言，前揭書，頁 536。
105 紀昀：〈雲龍硯銘〉，前揭書第一冊，頁 283。

荷盤承露，滴滴皆圓。可譬文心，妙造自然。[106]
蟲之蝕葉，非方非圓。古之至文，自然而然。[107]
譬彼文章，渾成者勝於湊合。[108]

結　語

綜觀上述所言，《閱微草堂筆記》中確實蘊含著一些紀昀文學見解的資料，而紀昀也往往很「世故」[109]地藉由鬼狐之口，一抒自己的文學見解。因此透過探析這些文學批評資料，從中可以一窺紀昀的文學見解，而這些意見也和他私人著作以及《四庫全書總目》中的意見是一致的，這除了證明紀昀以狐鬼之口表達自己的見解外，反過來說，也可作為紀昀撰寫《四庫全書總目》的佐證。當然，紀昀「托狐鬼以抒己見」的方法，不光只用在表達文學見解上，例如在學術見解方面也是如此，例如經香閣之事[110]、黃山二鬼之事[111]。

其次，紀昀的文學見解深受儒家思想影響，但在前有所承當中，仍能力求周延圓融，不失自己的見解。例如從文學流變的歷史中觀察到質文遞變的現象，進而主張要文質並

---

106 紀昀：〈荷葉硯銘〉，前揭書第一冊，頁286。
107 紀昀：〈破葉硯銘〉，前揭書第一冊，頁289。
108 紀昀：〈筆門銘〉，前揭書第一冊，頁298。
109 魯迅稱紀昀為「前清的世故老人」，〈集外集拾遺補編・新的世故〉，《魯迅全集》第8卷，北京：人民文學出版社，2005，頁182。因為紀昀對他所贊同或反對的意見，往往「托狐鬼以抒己見」，不直接而明顯地表達自己的主張。
110 〈灤陽消夏錄〉卷一，前揭書第二冊，頁10。
111 〈姑妄聽之〉卷三，前揭書第二冊，頁453-455。

重，但這項主張並非紀昀首創，又豈非老調重彈呢？但紀昀
卻在質文遞變的現象中看到了「大抵能挺然自爲宗派者，其
初必各有根柢，是以能傳；其後亦必各有流弊，是以互詆」
相激而相救的現象。由相激而相救的現象，提出了「論詩者
不逆挽其弊，則不足以止其衰，不節取其長，則不足以盡其
變」[112]，思考著如何酌其中以救其弊。而要酌其中以救其弊
則要「核其是非長短之實，勿徒以門戶詬爭，哄然佐鬥」，不
僅要明白各家之優劣長短之處，並要有公允的態度來進行文
學評論以免引起門戶之爭，這樣才能進一步酌其中以救其
弊。又例如他所主張溫柔敦厚的詩教，已經和子夏《詩·大
序》的「發乎情，止乎禮義」主張產生關連，遵守「發乎情，
止乎禮義」創作的原則，作品才能達到溫柔敦厚的詩教目標。
而他又將《尙書》「詩言志」來解釋「發乎情」，將《論語》
「思無邪」來解釋「止乎禮義」，所以他溫柔敦厚的詩教觀，
已經把儒家思想作一會通整合，達到周全的地步，並非只是
鸚鵡學舌般地人云亦云而已。而他主張的溫柔敦厚詩教觀，
除了進一步對作家的窮達、作品的美刺有所說明外，並能對
歐陽脩「窮而後工」提出不一樣的新解，足見紀昀的文學見
解有後出轉精之功。而他雖然上承劉勰「以自然爲宗」的文
學審美理念，但是又能標舉出擬議與變化這兩項學習與創作
的法則。他強調在「寢食古人」擬議的基礎上，能「變而出
之」，然後神明變化，自成一家，也就是由摹擬學習之後生出
變化，變化要能自成一家，而達到渾成自然最高的境界。這

---

112 〈書韓致堯翰林集後〉，《紀曉嵐文集》第一冊，前揭書，頁 251。

些都是前有所承但更圓融深入的見解，也難怪周積明先生會
稱讚紀昀爲「古典文化穴結時代的代表性人物」[113]，而紀昀
之所以能「以睿智、深徹的眼力掃視中國滾淌千年的學術文
化長流，進而作出涵蓋經學、哲學、文學、史學各科領域的
規模恢宏的理論總結」[114]，筆者以爲除了時代環境的外在因
素外[115]，就是紀昀本身條件的配合，這些內在因素有：1.總
纂《四庫》的際遇，讓他的眼界擴大、學問增長，所以他文
論有著能講明文學流變，帶著史的觀念的特色。2.理性思考
的態度，讓他的文論能破除門戶之見，力求公允。3.身兼文
人、學者兩種身分[116]，使他努力地在儒家學者的立場（理）
和詩家文人的慧心（情）中取得平衡，我們從《閱微草堂筆
記》中紀昀的文學見解之例，正可以爲此說作一註腳。

　　本文發表於《東海大學圖書館館訊》新 120 期

113　周積明，《紀昀評傳》導論，前揭書，頁 1。
114　周積明，《紀昀評傳》導論，南京大學出版社，1994，頁 9-10。
115　詳參拙作〈紀昀詩論的時代背景與特色〉，《東海大學圖書館館訊》，
　　　新 70 期，2007.7，頁 29-35。
116　紀昀在姑妄聽之序中一段話可以看出來：「余性耽孤寂，而不能自
　　　閑。卷軸筆硯，自束髮至今，無數十日相離也。三十以前，講考證
　　　之學，所坐之處，典籍環繞如獺祭。三十以後，以文章與天下相馳
　　　驟，抽黃對白，恒徹夜構思。五十以後，領修秘籍，復折而講考證。」
　　　（《紀曉嵐文集》第二冊，頁 375）。

談鬼說狐之外

──《閱微草堂筆記》中的神兵利器

　　《閱微草堂筆記》是紀昀（1724-1805）的文學代表作，本書記載的內容非常豐富而多樣，在一千多則的紀錄中，包含了許多社會、民俗、文化、金石、考古等等記錄，深具文獻的價值，並非單單只是談鬼說狐的文學作品而已。尤其是紀昀本人曾但任過兵部侍郎（乾隆47、48年）、兵部尚書（乾隆51年、嘉慶元年），對於兵陣之事也多有留意，因此在《閱微草堂筆記》就有記載著特殊的神兵利器，頗引起後人的注意與討論，今介紹《閱微草堂筆記》中所記載之神兵利器如下。

一、北宋之神臂弓

　　北宋神宗熙寧年間，歸順的黨項羌酋李定（亦有作李宏），獻上偏架弩，謂之「神臂弓」，副都知張若水取以進，神宗命於玉津園試射，「射三百四十餘步，入榆木半笴，帝閱而善之，於是神臂始用而他器弗及焉」（《宋史》卷197），神臂弓至此成為宋軍弩手的制式兵器之一。到了南宋紹興五

年，「韓世忠又侈大其制，更名克敵弓，以與金虜戰，大獲勝捷。十二年詞科試日，主司出克敵弓銘爲題」（《容齋三筆》卷十六），「元滅宋，得其式，曾用以取勝，至明乃失傳」（《眉廬叢話》卷一）。此弓弓身長三尺三，弦長二尺五，箭木羽長數寸，「似弓而施幹鐙。以鐙距地而張之，射三百步，能洞重札」（《夢溪筆談》卷十九）。

這樣的神兵利器，之所以能享盛名，受到重視，主要是有三點原因：一是射程遠。無論是《宋史》所說的「射三百四十餘步」、《夢溪筆談》所說的「射三百步」，還是《容齋三筆》說的「射二百四十餘步」、《曲洧舊聞》說的「射二百四十步有畸」，按照宋代的度量衡，1 步等於 5 宋尺，1 宋尺約合 31 釐米，也就是說神臂弓射出 370 多米以上的距離，這在冷兵器時代，實是難能可貴了，尤其是單兵操作的輕兵器，算是登峰造極的神兵利器了。第二是穿透力強。「能洞重札」、「入榆木半筈」，說明了神臂弓能穿透重甲，甚至沒入榆木半根箭桿，如此強大的穿透力，殺傷力十足。相較於日後西方著名的英格蘭長弓，200 碼的距離才入木 2 釐米，威力相差如此之大，難怪現代的軍事技術史學者會質疑神臂弓的威力。第三是準確度。在遠距離外能射中體積並不龐大的榆木、重札，非得要極佳的準確度才能辦到。神臂弓包含這三者性能，因此稱得上是神兵利器，爲歷代所重視。

紀昀在《閱微草堂筆記》中也對神臂弓作了一番介紹：

> 宋代有神臂弓，實巨弩也。立於地而踏其機，可三百步外貫鐵甲。亦曰克敵弓。洪容齋試詞科，有《克敵弓銘》是也。宋軍拒金，多倚此爲利器。軍法不得遺

失一具。或敗不能攜，則寧碎之，防敵得其機輪仿製
也。元世祖滅宋，得其式，曾用以制勝。至明乃不得
其傳，惟《永樂大典》尚全載其圖說。(《灤陽續錄》
卷一)

　　但是紀昀並非只是單純的文獻描述而已，他更致意於神
臂弓的再造。起因是他在任職翰林院時(乾隆 19 年舉進士授
庶吉士到乾隆 27 年受命視學福建)，於誠心齋戒之後，方才
於敬一亭，重新尋獲《永樂大典》。還「數月中，每於值宿之
暇翻閱一過，已記誦大半」(劉權之〈紀文達公遺集序〉)。他
尤其對《永樂大典》中所記載的神臂弓，相當熱衷，甚至還
和後來官至左侍郎，晚他一科的翰林鄒奕孝(1728-1791)，
進行了宋代神兵利器神臂弓的再造計畫，可惜的是《永樂大
典》只有神臂弓的結構圖，而無全圖，以致功敗垂成：

然其機輪一事一圖，但有長短寬窄之度，與其牝牡凸
凹之形，無一全圖。余與鄒念喬侍郎窮數日之力，審
諦逗合，訖無端緒。余欲鉤摹其樣，使西洋人料理之。
先師劉文正公曰：「西洋人用意至深。如算術借根法，
本中法流入西域，故彼國謂之東來法。今從學算，反
秘密不肯盡言。此弩既相傳利器，安知不陰圖以去，
而以不解謝我乎？《永樂大典》貯在翰苑，未必後來
無解者，何必求之於異國？」余與念喬乃止。維此老
成，瞻言百里，信乎所見者大也。(《灤陽續錄》卷一)

　　透過紀昀「機輪一事一圖，但有長短寬窄之度，與其牝
牡凸凹之形」的這番話，可以推測神臂弓外貌雖然簡單無奇，
但是一米長的踏張巨弩，能產生如此巨大的威力，應該是內

部裝有極巧妙的機關，這也是神臂弓極具威力的根本所在。這些極巧妙的機關，才會讓紀昀等傷透了腦筋，卻無法復原成功。雖然紀昀的嘗試失敗，但仍可見紀昀是極富有科學實證的精神。可惜的是，紀昀本想求教於洋人，卻被紀昀的老師劉統勳所勸止，但是如果有一次「使西洋人料理之」的經驗，是愉快而且成功的，富有科學實證精神的紀昀，或許日後會在擔任過兵部侍郎、兵部尚書時，為中國武器的發展做出重大的貢獻也未為可知。

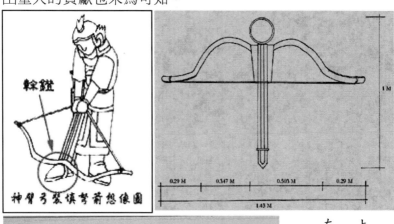

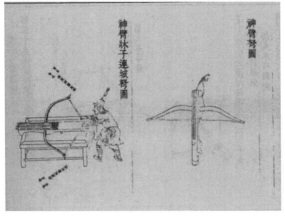

上圖：神臂弓的尺寸圖，來源：中國長城互聯網
左圖：《古今圖書集成》中的神臂弩圖

二、戴梓的連珠火銃

　　《閱微草堂筆記》中，還記載著明末清初火器專家戴梓（1635-1704）所發明類似於近代機關槍的連發式火器。紀昀的這則記錄，讓後世許多人如王錦光、李迪、韋鎮福在他們的著作中，都認爲戴梓的發明是現代機關槍的始祖，遠早於英籍美國人馬克沁（Hiram Srevens Maxim）於1883年發明的機槍。這位武器天才，雖然有諸多驚世的發明：連珠火銃、蟠腸鳥槍（仿造西洋人之貢品）、子母礮（砲彈類似現代的子母彈），但卻未顯赫一生，反倒是流放到關外的遼寧省而歿。紀昀在《灤陽續錄》卷一中說是因爲得罪南懷仁所致「（戴梓）本浙江人，心思巧密，好與西洋人爭勝。在欽天監，與南懷仁忤（懷仁，西洋人，官欽天監正。），遂徙鐵嶺」。《清史稿》列傳292說得更詳細「梓通天文演算法，預纂修律呂正義，與南懷仁及諸西洋人論不合，咸忌之。陳弘勳者，張獻忠養子，投誠得官，向梓索詐，互毆構訟。忌者中以蜚語，褫職，徙關東。後赦還家，留於鐵嶺，遂隸籍」，從「好與西洋人爭勝」而洋人「咸忌之」，可知應該是戴梓佔上風才會招忌；加上不肯逢迎納賄而互毆構訟，才讓人有機可乘，讒言中傷。可見戴梓是一位個性耿直的天才武器專家，才會在人際關係上吃了大虧。

　　戴梓的兒子戴亨，不僅是紀昀父親（紀容舒）的同年，後來還設館於紀家，成了紀昀的老師，所以紀昀有關戴梓發明的記載是相當可靠的：

戴遂堂先生諱亨，姚安公癸巳同年也。罷齊河令歸，嘗館余家。……言少時見先人造一鳥銃，形若琵琶，凡火藥鉛丸皆貯於銃脊，以機輪開閉。其機有二，相銜如牝牡，扳一機則火藥鉛丸自落筒中，第二機隨之並動，石激火出而銃發矣。計二十八發，火藥鉛丸乃盡，始需重貯。擬獻於軍營，夜夢一人訶責曰：「上帝好生，汝如獻此器使流布人間，汝子孫無噍類矣。」乃懼而不獻。說此事時，顧其姪秉瑛（乾隆乙丑進士，官甘肅高臺知縣）曰：「今尚在汝家乎？可取來一觀。」其姪曰：「在戶部學習時，五弟之子竊以質錢，已莫可究詰矣。」其為實已亡失，或愛惜不出，蓋不可知。然此器亦奇矣。（《灤陽續錄》卷一）

從這段描述看來，這種連珠火銃，銃背是彈匣，可貯存28發火藥鉛丸，以機輪控制開畢，所以形狀不像一般槍枝細長，反倒像是琵琶。火藥鉛丸的裝填與擊發，是靠兩組相銜如牝牡的機件來控制，扣板機之後，運行兩個連續動作，先是火藥鉛丸自落筒中，然後石激火出而擊發子彈。照這樣的描述，應該是功能類似左輪手槍的長槍，自動上膛，一次一發，能省去裝填火藥的動作，達到快速射擊的目的，而非能連續自動擊發的機關槍。雖然如此，但是還是解決了舊式火銃用火繩點火、單發裝填火藥鉛丸，容易遭受風雨潮濕影響、無法連續射擊等難題。再來看外國武器的射速，英國在 18世紀所使用的 Brown Bess 前膛燧發火槍，官方訓練手冊的記錄，發射一次需要經過 12 個步驟，1834 年英國陸軍測試使用雷管的前膛槍，記錄顯示即使是技術純熟的士兵每分鐘射

速也不過三發而已，所以戴梓的連珠火銃，已經有後世西方
火器能夠自裝塡彈藥和快速射擊的優點。

　　這樣的神兵利器，戴梓本來「擬獻於軍營」，但卻「夜夢
一人訶責」，對殺人利器的流傳出去，認爲有違上天好生之
德，會有損陰騭而斷子絕孫，戴梓因而作罷。但《清史稿》
卻說「康熙初，耿精忠叛，犯浙江，康親王傑書南征，梓以
布衣從軍，獻連珠火銃法」，不知是別有所據，還是一時誤記？
如果如《清史稿》所言，這種神兵利器應該早已廣爲流傳，
並享有盛名，不會直到紀昀寫《閱微草堂筆記》時才被記錄
下來，而且好像只有一枝，最後還被子孫典當（或私藏）不
見了。其實戴梓獻與不獻連珠火銃本身就是一個兩難的道德
問題，就人道主義而言，當然是不要讓殺人利器流傳的好，
這並非是單純地受到佛教的影響才會如此，傳統的觀念中本
來就有佳兵不祥的反戰思想；但是武器不足以戰勝敵人來保
家衛國，就會淪爲魚肉任人宰割。如果從紀昀的觀點來看，
雖然紀昀對殺人利器還是存著有傷陰騭的觀念，不過從他研
究宋代神臂弓之事來看，他對兵器也不是全然排斥。也許正
如他所說的「然法無邪正，惟人所用，如同一戈矛，用以殺
掠則劫盜，用以征討則王師耳。術無大小，亦惟人所用，如
不龜手之藥，可以洴澼絖，亦可以大敗越師耳」（《姑妄聽之》
卷四）。問題不在於武器本身，而在於使用者的身上。最後，
從戴梓含冤不幸的遭遇來看，縱使英明睿智如康熙者，也會
讓人有壯志難伸、報國無門的悲劇產生，這不僅是戴梓一人
的不幸，也是國家的不幸，讓這樣的天才如此埋沒一生！

三、烏什二銃

　　乾隆三十年（1765）二月，新疆烏什回部發生叛亂，文成公阿桂（1717-1797）與毅勇公明瑞（？-1768）奉命平亂，亂平後虜獲其國寶器之二銃。此銃射程可遠及一里外，比起當時普通的火銃射程僅及三十餘步，算是神兵利器了。阿桂是紀昀的座師，紀昀和阿桂之子阿迪斯相當熟稔，《閱微草堂筆記》中就有多則故事是出自其口，襲封誠謀英勇公的阿迪斯將獲得二銃得經過，告訴了紀昀：

> 征烏什時，文成公與毅勇公明公，犄角為營，距寇壘約里許。每相往來，輒有鉛丸落馬前後，幸不為所中耳。度鳥銃之力，不過三十餘步，必不相及，疑溝中有伏。搜之無見，皆莫明其故。破敵之後，執俘訊之，乃知其國寶器有二銃，力皆可及一里外。搜索得之，

> 試驗不虛。與毅勇公各分其一。毅勇公征緬甸，歿於
> 陣，銃不知所在。文成公所得，今尚藏於家，究不知
> 何術製作也。(《灤陽續錄》卷一)

現代的步槍有效射程一般為 400 米，今年(2010)四月
十一日中央社的一則新聞稿，標題為「台東查獲罕見步槍 射
程 600 公尺」，現代武器 600 米算是遠的，可見在十八世紀中
期的這二銃，子彈射到一里(500 米)外時，已經是勢不能
穿魯縞了，雖然不知道其有效射程為多少，但著實仍不失為
神兵利器。況且從文字敘述中「輒有鉛丸落馬前後」，可見此
銃不僅可以及遠，而且還有準頭，才能讓鉛丸落於目標的附
近。如果照這樣的敘述，這兩枝火銃應該不是滑膛槍而是有
來復線(refile)的線膛槍。因為滑膛槍射程不遠而準確性又
差，1814 年英國陸軍的漢格上校(Col. George Hanger)就提
到如果一個士兵在 150 碼(1 碼=0.9144 米)外被敵人用一枝
尋常的槍瞄準並打傷的話，那麼他算是非常地倒楣；至於想
用一枝尋常的槍射擊 200 碼外的敵人，你不如改射擊月亮
吧，因為兩者打中目標的機會都是一樣的。線膛槍在槍膛內
刻上螺旋形的紋路即來復線，使發射的彈頭能高速旋轉前
進，大大增加了子彈飛行的穩定性、射程和準確度，因此這
兩枝火銃很有可能是屬於線膛槍而非滑膛槍。這兩枝火銃應
該也不是烏什回部所生產的，而是由西方國家所流入的，因
為自己無法生產又得之不易，才會視之為國寶。

可惜的是阿桂和明瑞得到這兩枝火銃後，似乎沒有研究
仿製的衝動，才讓這兩枝火銃，一枝隨著明瑞征緬之役的戰
敗，主人自殺殉國後而下落不明；一枝藏於阿迪斯家中，成

了一件傳家的玩物。讓紀昀心癢難耐地說：「究不知何術製作也」，露出一副很想一探究竟卻又無可奈何的樣子，這倒也顯現出紀昀的求知慾與實證的精神。

　　紀昀在《閱微草堂筆記》中所記載的三樣神兵利器，雖然不能讓清朝免於日後被列強侵略的厄運，但卻也點出了日後國家所遭到侵略厄運的原因：未能得其人！就神臂弓而言，紀昀雖然極富實證的精神，旺盛的求知慾還促使他進行神臂弓的復原計畫，但他未能成功，卻不尋找能人巧匠來復原，這是未能得其人！甚至有人認為鴉片戰爭中如果清軍使用神臂弓來對付英人的 Brown Bess 前膛燧發火槍，前者射程370 米以上，後者最大射程是 300 碼左右，有效殺傷射程約80 碼，英軍的火槍仍然未能完全超越中國 13 世紀所使用的弩箭。何況英軍人少，火槍在實戰時，能夠維持每分鐘發射兩至三發就算不錯了，速度還是不如弩箭快。在萬箭齊發下，英軍是否能取勝就未為可知了。其次，就算戴梓未獻上連珠火銃，但《清史稿》說他曾「奉命造子母礮，母送子出，墜而碎裂，如西洋炸炮，聖祖率諸臣親臨視之，錫名為「威遠將軍」，鐫製者職名於炮後。親征噶爾丹，用以破敵」。他已經造有子母礮而且還有實戰的成效，如果不是流放至死，相信會更精進改良子母礮，日後用來對付鴉片戰爭中英軍火炮所用的葡萄彈（用一個很薄的容器內裝大量的鐵彈丸，發射後容器爆裂，裡面的鐵彈丸將形成大面積的散射），兩者都是現代子母彈的雛形，足以一決雌雄，勝負仍在未定之數。如此利器未能繼續發展以用於保家衛國，其因仍是未能得其人！而烏什二銃如果能尋求技術來源或是進行仿造，對清軍

武器裝備的提升不知有幾何呢，所以這還是未能得其人！難
怪日後在歷經飽經列強侵凌之後，讓左宗棠發出這樣的喟
嘆：「利器之入中國三百餘年矣，使當時有人留心於此，何
至島族縱橫海上，數十年挾此傲我？」走筆至此，心中仍有
小小的疑問：是什麼樣的制度，才會讓偌大的中華，億萬臣
民之中，竟無人「留心於此」？

本文已被《國文天地》接受刊登

紀昀與《永樂大典》

　　《永樂大典》是我國古代最大的一部類書，本書乃明成祖有意紹承「盛世修書」的傳統，於永樂元年（1403）七月敕命解縉等 147 人編纂。明成祖定其編撰之宗旨爲：「凡書契以來經史子集百家之書，至於天文、地誌、陰陽、醫卜、僧道、技藝之言，備輯爲一書，毋厭浩繁！」，隔年首次書成，初名《文獻集成》；明成祖過目後認爲「所纂尙多未備」，不甚滿意。永樂三年（1405 年）再命姚廣孝、鄭賜、劉季箎、解縉等人重修，參與編校、謄寫人手增至 2169 人，至永樂六年（1408）多成書，改爲今名。全書正文共 22287 卷，凡例和目錄計 60 卷，總字數約 3.7 億字左右，裝成 11095 冊，收有歷代重要典籍七八千種，其卷帙之富，囊括百家，統馭萬類，爲千古之未有。

《永樂大典》的主事者解縉像

　　本書以單字爲目，以

《洪武正韻》繫字，採「用韻以統字，用字以繫事」，按韻列單字後，每字下先註明每一字的音義，次錄各韻字的反切與釋義，再列該字的楷、篆、隸、草各書寫體，最後再彙輯各書中與此字有關的天文、地理、人事、名物以及詩詞典故、雜藝等各種資料，乃至於抄錄整本書、整篇內容，全文錄入，一字不改。凡是單字注釋、引文之書名、作者，都以紅字寫出，十分醒目。雖然本書蘊蓄之富，世所罕匹，凡宋元以來的奧籍祕典往往賴是編以存，但真正能利用本書，使其發揮文獻學上的作用，反倒是在本書歷經兵燹、火災之後的清代了。乾隆時修《四庫全書》，就利用了《永樂大典》「元以前佚文祕典，世所不傳者，轉賴其全部、全篇收入，得以排纂校訂復見於世」（《四庫全書總目‧永樂大典》提要語）保存遺文墜簡的特性，輯佚出凡經部 66 種、史部 41 種、子部 103

《永樂大典》書影

種、集部 175 種，共 4926 卷的書籍。對《永樂大典》輯錄佚書，雖然是安徽學政朱筠（1729-1781）首倡，他上奏稱「臣在翰林，常繙閱前明《永樂大典》，其書編次少倫，或分割諸書，以從其類，然古書之全，而世不恆觀者，輒具在焉。臣請敕擇其中古書完者若干部，分別繕寫，各自為書，以備著錄。書亡復存，藝林幸甚！」但

這項輯錄佚書工作實際的運作者，則不能不歸功於《四庫全書》總纂官紀昀（1724-1805）。今將《永樂大典》的一頁滄桑與紀昀之功，略敘如下。

一、《永樂大典》的滄桑書厄

《永樂大典》書成後，明成祖原本打算複寫一部據以版刻，終因工費繁浩而於永樂七年十月停工。永樂 19 年成祖遷都北京，《永樂大典》也隨之移貯於文樓（清之弘義閣），此後歷經仁、宣、英、景、憲、孝、武宗等朝而無所變動遷移。至明世宗甚愛之，凡有所疑，常按韻索覽，嘉靖 36 年（1557）大內遭回祿之災，世宗亟命挪救，夜中傳諭三四次，《永樂大典》方倖免於難。經此事後，世宗有感於孤本的不易保存，乃於嘉靖 41 年（1562），甄選禮部儒士程道南等一百人，重錄正副二本，命高拱、張居正校理，至隆慶元年（1567）重錄方乃告成，於是仍歸永樂年間所抄錄之原本於南京，其重錄之正本貯於文淵閣；副本別貯於皇史宬。至明末易鼎之際，戰火波及，南京原本和文淵閣正本，俱毀於兵燹之中，而副本也有散失，故今日所見，一般都認為是嘉靖年間所抄錄的副本，但《四庫全書總目‧永樂大典》提要稱「明祚既傾，南京原本與皇史宬副本並燬，今貯翰林院庫者即文淵閣正本。」；禮親王昭槤（1776-1833）的《嘯亭續錄‧皇史宬》則稱「余於丁卯（1807）冬奉迎純皇帝實錄曾一至其地，嘗聞徐崑山（徐乾學）述聞李穆堂（李紱）侍郎言，其中藏全分之《永樂大典》，較翰苑所貯者多一千餘本，蓋即姚廣孝、

解縉所修初本，繕寫精工，非隆慶間謄本所能及。惜是日忽忽瞻禮，不得從容番繹」，與今之說法稍異，可能為一時誤記，抑別有所本？

清初，《永樂大典》大概因無人問津而一度下落不明，所以顧炎武《日知錄》以為《永樂大典》已全都亡佚了；朱彝尊在康熙 18 年（1679）舉博學鴻詞科，尋入值南書房，也曾因尋訪不獲而發出感嘆地說《永樂大典》或許已被「李自成襯馬蹄矣」。其後《永樂大典》被尋獲，因此李紱有奏請朝廷設官抄寫之議；徐乾學也有請命儒臣討論刊錄之說，只可惜都未獲採行。雍正年間，《永樂大典》自皇史宬移貯翰林院，全祖望的〈鈔永樂大典記〉文中稱「然終無過而問之者」，只有李紱和全祖望相約「鈔其所欲見而不可得者」，雖然自知「欲卒業於此，非易事也」，但只求盡力而為，「不必問其卒業與否」。只是李紱、全祖望二人之後，《永樂大典》因乏人問津，鮮有知音者，歲深日久，又一度無人知道放置何處。《永樂大典》能重新發現並備受重視，充分發揮文獻學上的價值，要數乾隆時四庫開館後，校輯《永樂大典》遺書的工作了，而紀昀是其中關鍵性的人物，這一階段的工作，容後再詳敘。

《永樂大典》在清嘉慶 15 年（1810），因阮元總閱《全唐文》而移至文穎館，事畢仍歸置翰林院。至咸豐十年（1860）英法聯軍攻陷北京，又再次遭到無情的戰火波及而損失慘重，其後翰林院諸公又監守自盜，至光緒 20 年（1894），翁同龢入翰林院查點，僅餘八九百冊，復經八國聯軍之亂（1900），《永樂大典》幾乎全部遭到焚毀，所餘無幾。宣統元年（1909）京師圖書館籌建，學部所移交之《永樂大典》，

僅 64 冊而已。在幾經戰亂兵燹之後，《永樂大典》經多方徵集，廣爲收羅，劫後餘生的《永樂大典》，據陳紅彥先生的統計，目前《永樂大典》散落在十多個國家三十多個單位約爲380 冊左右，中國國家圖書館收有 161 冊，台北故宮有 60 冊，相較於全書的 11095 冊，倖存的《永樂大典》可謂十不存一，這真是千古的憾事啊！

收藏過《永樂大典》的皇史宬

二、紀昀之功

前文提到朱筠奏請開館校閱《永樂大典》，稱「臣在翰林，常繙閱前明《永樂大典》」，但是自雍正年間李紱、全祖望二人之後，《永樂大典》因乏人問津，歲深日久之後，又一度無人知道典藏於何處。朱筠之能夠翻閱《永樂大典》，和紀昀的

重新尋獲《永樂大典》有關。紀昀的門人劉權之在〈紀文達公遺集序〉中談到了這件事：

> 及在翰林署齋戒，始于敬一亭上得《永樂大典》，朱竹垞尋訪不獲，已云：「李自成襯馬蹄矣！」；不知埋藏灰塵中三百餘年也。數月中每於值宿之暇翻閱一過，已記誦大半。乾隆三十七年，朱笥河學士奏聞高宗純皇帝敕輯《永樂大典》，並搜羅遺書，特命吾師總纂《四庫全書總目》，俱經一手裁定，故所存者惟此獨全。

從劉權之的這一段話，可以知道幾點訊息：一是紀昀曾為了尋獲《永樂大典》而齋戒，並在敬一亭中尋獲，禮親王昭槤《嘯亭雜錄》說紀昀嗜肉如命「日食肉數十斤」，所以這對紀昀來說，是極具誠意的表現。其次劉權之認為《永樂大典》是三百多年來，紀昀首次發現的說法並不正確。陳康祺（1840-？）在《郎潛紀聞二筆》卷六中對劉權之誤解的解釋是「謝山先生嘗與臨川侍郎就翰林院同抄《永樂大典》中秘帙，是物色此書，不始於文達。或秘閣清嚴，陳編繁冗，自二公後無問津者，故文達以為創獲耳」。三是坊間有些關於紀昀尋獲《永樂大典》的故事，把劉權之引述朱彝尊（1629-1709）的感嘆，誤解成朱彝尊對紀昀發出感嘆，事實上兩人並非同一時期的人，如何能晤談？四是紀昀「每於值宿之暇翻閱一過，已記誦大半」的說法，讓後人認為對紀昀纂修《四庫全書總目》幫助不少，如陳康祺就稱「後纂輯四庫書，經文達一手裁定，宜其溯源徹委，抉奧提綱，如駕輕車而就熟道也」，近人李晉華的《明代勅撰書考附引得》也主此說。五是朱笥

和紀昀皆爲乾隆 19 年的同科進士，朱筠之弟朱珪
（1731-1807）也和紀昀爲鄉試同榜，兄弟倆和紀昀的交情非
比一般，朱筠去世時，紀昀還親輓一聯曰「學術各門庭，與
子平生無唱和；交情同骨肉，俾余後死獨傷悲」，所以紀昀任
職翰林院時（乾隆 19 年舉進士授庶吉士到乾隆 27 年受命視
學福建）這段時間重新尋獲《永樂大典》，當然樂於和朱筠分
享此一成果，這也是朱筠所說的「臣在翰林，常繙閱前明《永
樂大典》」的由來，所以朱筠有此奏議，紀昀亦有功焉。六是
朱筠的奏請開館輯錄《永樂大典》佚書，雖然開始爲大學士
劉統勳所反對，認爲是「非政之要而徒爲煩」，但還是得到于
敏中的支持，始得入奏。這項工作卻開了日後成立四庫館的
先導之路，由校輯《永樂大典》之遺書，一變爲《四庫全書》
之編纂，成就了紀昀學術代表作《四庫全書總目》。

紀昀發現《永樂大典》的敬一亭

　　紀昀自從重獲《永樂大典》後，就能從其中進行輯佚的工作，他甚至還和後來官至左侍郎，晚他一科的翰林鄒奕孝（1728-1791），進行了宋代神兵利器神臂弓的再造計畫。晚年時，他在《閱微草堂筆記》敘述了這一件事情：

> 宋代有神臂弓，實巨弩也。立於地而踏其機，可三百
> 步外貫鐵甲。亦曰克敵弓。洪容齋試詞科，有《克敵
> 弓銘》是也。宋軍拒金，多倚此為利器。軍法不得遺
> 失一具。或敗不能攜，則寧碎之，防敵得其機輪仿製
> 也。元世祖滅宋，得其式，曾用以制勝。至明乃不得
> 其傳，惟《永樂大典》尚全載其圖說。然其機輪一事
> 一圖，但有長短寬窄之度，與其牝牡凸凹之形，無一
> 全圖。余與鄒念喬侍郎窮數日之力，審諦逼合，訖無
> 端緒。余欲鉤摹其樣，使西洋人料理之。先師劉文正
> 公曰：「西洋人用意至深。如算術借根法，本中法流
> 入西域，故彼國謂之東來法。今從學算，反秘密不肯
> 盡言。此弩既相傳利器，安知不陰圖以去，而以不解
> 謝我乎？《永樂大典》貯在翰苑，未必後來無解者，
> 何必求之於異國？」余與念喬乃止。維此老成，瞻言
> 百里，信乎所見者大也。（《灤陽續錄》卷一）

　　有關北宋時的神兵利器神臂弓，《夢溪筆談》、《宋會要輯稿》、《文獻通考》、《曲洧舊聞》、《容齋三筆》、《宋史‧兵志》都有記載，這種能在三百步外貫穿鐵甲的巨弩，在冷兵器時代是殺傷力相當驚人的武器，難怪在戰事失利時，寧可玉碎，也不能落入敵手。紀昀雖然從《永樂大典》中得到構造圖，但和鄒奕孝研究了幾天，也無法復原原貌。本想求教於洋人，

卻被紀昀的老師劉統勳所勸止，認為洋人可能「陰圖以去」，
而以「不解」來回覆。由此可見當時雖然尚無列強侵略之外
患，但已經對洋人有所疑慮和防範了；這同時也點出了紀昀
對洋人「製作器物，實巧不可階」（《如是我聞》卷四）的印
象，因此才想求助於洋人。其實紀昀等人無法成功復原，何
不尋找能人巧匠一試，或許不必依賴洋人也能成功。上述的
這段記錄，也讓我們惋惜日後《四庫全書》竟未能將神臂弓
的記載輯錄出來，可見對於《永樂大典》輯佚的工作仍是有
遺珠之憾，未臻完善之處。此外，對洋人有所疑慮和防範似
乎也是多慮，因為這時武器已經進入火器時代，冷兵器的重
要性已漸漸不如以往，發展火器才是當務之急。但是如果有
一次「使西洋人料理之」的經驗，是愉快而且成功的，或許
日後曾擔任過兵部侍郎（乾隆 47、48 年）、兵部尚書（乾隆
51 年、嘉慶元年）的紀昀，會為中國武器的發展，做出重大
的貢獻也未為可知。

　　其後，雖然紀昀成為《四庫全書》的總纂官，但是對於
校輯《永樂大典》，確實有籌定事例與指揮輯佚之功。四庫館
臣鄒炳泰（？-1820）在《午風堂集》中提到了紀昀邀集諸人
籌定校輯《永樂大典》事例之事：

> 編輯《永樂大典》初啟局，紀曉嵐先生邀集綠意軒，
> 籌定事例。同與者劉書臺雲房、葛靈蹊、林香海諸前
> 輩。（《詩集》卷三）

　　劉書臺雲房是劉權之，林香海是林澍蕃，葛靈蹊應該是
指葛正華，大家在紀昀的邀集下，一起在綠意軒商討相關事
例，這說明了紀昀在一開始校輯《永樂大典》時，就參與和

規劃此事。此外，紀昀也曾在聽聞蔡新（1707-1799）用《永樂大典》中所記載的醫方，治癒了孫子誤吞鐵針之病，而交代下屬輯錄出原書：

> 蔡葛山先生曰：「吾校《四庫》書，坐訛字奪俸者數矣，惟一事深得校書力。吾一幼孫，偶吞鐵釘，醫以朴硝等藥攻之，不下，日漸尫弱。後校《蘇沈良方》，見有小兒吞鐵物方，云：『剝新炭皮，研為末，調粥三碗，與小兒食，其鐵自下。』依方試之，果炭屑裹鐵釘而出。乃知雜書亦有用也。」此書世無傳本，惟《永樂大典》收其全部。余領書局時，屬王史亭排纂成帙。蘇沈者，蘇東坡、沈存中也。二公皆好講醫藥，宋人集其所論為此書云。（《槐西雜志》卷二）

由上述所言，從尋獲《永樂大典》、籌定校輯《永樂大典》事例到從中輯錄佚書，紀昀都有功於《永樂大典》矣！況且，輯出之書共 385 種共 4926 卷，就部數而言，達《四庫全書》總數的十分之一；就卷數而言，達《四庫全書》總數的十五分之一，成就不可謂不大。校輯《永樂大典》遺書的風氣一開，自四庫館後，續有據《永樂大典》輯錄或校補者，如法式善、阮元等用以編校《全唐文》；文廷式、繆荃孫、趙萬里、王國維、唐圭璋等人也都據此而取得很好的成績，推本溯源，領事者紀昀也算有先導之功。

本文已被《國文天地》接受刊登

附錄一
紀昀生平際遇對於著述之影響

　　紀昀（1724-1805）有名於世，因此有關他的生平事蹟，不乏專書或專文介紹。[1]筆者透過前賢研究的成果，對紀昀一生的際遇有了更清楚的認知，也瞭解到紀昀的著述和他一生的際遇確實有著密不可分的關連。本文所謂的際遇，不單指的是好的遭遇，還包括了宦海的浮沈、遇到的師長親友的影響、所處大時代的環境氛圍這三方面。而著述則包含了學術著作和文學創作這兩項。不只是大家所熟知的《四庫全書總目》、《閱微草堂筆記》，紀昀其他的文學創作或是學術研究，都脫離不了為官的經歷、從往的親人師友、大時代環境的氛圍這三者的影響。因此不揣鄙陋，在諸家的研究成果上，整理出紀昀生平際遇對於著述的影響，以說明紀昀著述與其際遇兩者之關連，今分述於下。

1　如周積明：《紀昀評傳》，（南京：南京大學出版社，1994）。孫致中等
　校點：《紀曉嵐文集》附錄紀曉嵐年譜，（河北：河北教育出版社，1991）。
　曹月堂：〈紀昀評傳〉，《北京社會科學》，1995：3。高明：〈紀昀評傳〉，
　《大學文選》，1967：5。賴芳伶：〈紀曉嵐（紀昀）這個人〉，《中外文
　學》，1976：12。盧錦堂：〈紀文達公年譜〉，《中國書目季刊》，8：2，
　1974.9。

一、仕宦對紀昀著述之影響

　　影響紀昀一生的著述，最顯著的就是他仕宦的浮沈。今日可見紀昀的詩文，有極多份量是爲了博得帝王歡心所作的賦、雅、頌、御覽詩、恭和詩等詩文，也有爲兒孫輩制藝而做的館課詩以及一些應酬的文章。今就《紀曉嵐文集》所收詩文，統計列表如下[2]：

文 集

卷　　數	體　　　　　裁	篇　　數
一、二	賦	24
三	雅、頌	4
四、五	摺子	41
六	表、露布、詔、疏	6
七	論、記	6
八、九	序	64
十	跋	13
十一	書后	24
十二	策問、書	10
十三	銘	117
十四	碑記、墓表、行狀、逸事	8
十五	傳	10
十六	墓志銘、祭文	27

2　統計數字依據張輝：〈紀昀詩文創作成就淺探〉一文，《中國人民大學學報》，1993：2。

詩　集

卷　數	體　裁	篇　數
一～四	恭和聖制	193
五～八	御覽詩（丙子春帖子、二巡江浙恭紀三十首、西域入朝大閱禮成恭紀三十首、御試土爾扈特歸順詩回部凱歌十二章謹序、三巡江浙恭紀二百韻……）	119
九～十三	三十六亭詩（題詩贈別交游吊古抒情與南行雜咏等作）	339
十四	烏魯木齊雜詩	160
十五～十六	館課存稿	167

　　除了這些為自己、兒孫輩前途所做的作品外，能展露自己真性情、真才情的〈南行雜咏〉諸詩以及一百六十首的〈烏魯木齊雜詩序〉也都是脫離不了因仕宦浮沈而作。此外，代表著他學術成就的《四庫全書總目》，也是由於任四庫館職的機緣。今就其登進士第後之翰林時期、任福建學使、漏言獲罪西戍、任四庫館職等幾個階段，分別論述如下。

　　（一）翰林時期。紀昀在他 31 歲那年（1754，乾隆 19 年）舉進士，是他生中命的一個重要的里程碑，不僅從此開始了他仕宦的生涯，也可以不再將精力放在應試科舉上，自此開始了他「以文章與天下相馳驟」的創作生涯。在此之前雖然人稱紀昀「少工詞賦，燏皇博麗，能為班、馬之文」[3]、「少年間有撰述，今藏於家，是以世無傳者」[4]，但可惜，除

3　徐世昌：《大清畿輔先哲傳》卷 23，（北京：古籍出版社，1993），下冊頁 729。
4　江藩：《漢學師承記》卷 6，（北京：中華書局，1983），頁 93。

了丁母憂時，因居喪多暇，整理舊業，所編纂成《玉谿生詩說》一書可見外，留下的創作不多。自登進士之後，正所謂「春風得意馬蹄疾，一日看盡長安花」，意氣風發之餘不免與天下名流相唱和，紀昀自述這一段春風得意時期的情形：

> 余初授館職，意氣方盛，與天下勝流相馳逐，座客恆滿，文酒之會無虛夕。[5]

> 昀早涉名場，日與海內勝流角逐於詩壇文間，兄則恬退寂寞，杜門與三數同志晨夕講肆而已。[6]

> 三十以後，以文章與天下相馳驟，抽黃對白，恒徹夜構思。[7]

> 余自早歲受書，即學歌詠，中間奮其意氣，與天下勝流相倡和，頗不欲後人。[8]

這一時期仕途的得意，讓紀昀和當時享譽北方詩壇的宋弼、董元度、邊趙珍、戈濤、李基塙等齊名，甚至還博得「紀家詩」之稱[9]，同時也與王昶、王鳴盛、翁方綱、錢大昕等友人，亦多唱和。只可惜這一時期與之前的作品，只少數見存於其孫紀樹馨所補輯的《紀曉嵐遺集》中。原因或許一來是紀昀的習性使然，如同他的朋友門生等人所言「即曉嵐同唱酬者數十年，而其詩不肯自錄成帙，今所刻者，其孫所補輯

---

5 紀昀：〈翰林院恃講寅橋劉公墓志銘〉，孫致中等校點《紀曉嵐文集》第一冊，前揭書，頁348。

6 紀昀：〈怡軒老人傳〉，前揭書，頁325。

7 紀昀：〈姑妄聽之序〉，前揭書第二冊，頁375。

8 紀昀：〈鶴街詩稿序〉，前揭書第一冊，頁206。

9 紀昀：〈題從侄虞惇試帖〉自注「試帖多尙典瞻，余始變爲意格運題，館閣諸公每呼此體爲紀家詩」，前揭書第一冊，頁495。

耳」[10]、「生平未嘗著書，間爲人做序記碑表之屬，亦隨即棄擲，未嘗存稿」[11]、「公著述甚富，不自裒集，故多散佚」[12]、「作古文，稿多散棄」[13]，紀昀對其所做文稿不甚保留之故。二是紀樹馨補輯時取捨的標準，或許如同王昶所言「黼黻升平，甄綜群籍，故其應制之作爲詞苑所宗，而於尋常所著不復珍惜成編」[14]，看重的是應酬皇帝的詩文，所以對這些「尋常所著」就「不復珍惜成編」。在清人筆記「如《冷廬雜識》卷二、《笑笑錄》卷六都說他曾作京官詩數十首，而《遺集》中卻一首未收，又洪亮吉說他曾作《惜春詞》六首，而《遺集》亦不見。由此推之，紀昀詩作之遺失可能數倍於《遺集》所收者。而其散逸之作，似乎較之所存者更有價值。且看清人筆記中所載《小軍機》一首便知……在紀昀筆下的小軍機，在自己家裡，他是「主人如虎僕如狐」，到了軍機處則是「中堂如虎他如狐」了。這是多麼惟妙惟肖的一幅漫畫啊！這樣的詩和他那些頌聖的詩相比，不啻判若兩人所作」[15]、「那些『盈箱累筐』的書信，收在文集中的只有六札，就連法式善極爲欣賞的諸老尺牘，如戴東原、王昶、王鳴盛、錢大昕、翁方綱、朱珪、彭元瑞、劉墉等人的書信，也一札未收。倘

---

10 翁方綱：〈坳堂集序〉，《復初齋文集》卷4，《續修四庫全書》第1455冊，（上海：上海古籍出版社，2002），頁22。
11 陳鶴：《紀文達公遺集》序，《紀曉嵐文集》第三冊，頁729。
12 阮元：《紀文達遺集》序，《紀曉嵐文集》第三冊，頁727。
13 錢林：《文獻徵存錄》卷八，咸豐8年（1858年）有嘉樹軒本，頁76。
14 王昶：《湖海詩傳》卷16，《續修四庫全書》第1626冊，（上海：上海古籍出版社，2002），頁5。
15 孫致中等：〈紀曉嵐年譜〉按語，《紀曉嵐文集》第三冊，前揭書，頁481。

若將這些書札編爲《閱微草堂尺牘集》豈不洋洋大觀！對於研究當時的學術以及紀曉嵐的交游等等，其史料價值是何等重要啊！然而，這盈箱累篋的書札，後人卻未能一睹，不知佚之何處，豈不惜哉！」[16]。孫致中等人在校點《紀曉嵐文集》的前言也指出這些創作的失收，會造成紀昀的形象是不完整、不全面的：

> 收在《遺集》中的詩文，大約十不足一，這由他同時代人的記述，尤其是朋友和門人的回憶中可以得到證實。《遺集》所收，晚年之作居多，而壯年尤其是青年時代的作品卻甚少。這固然是因為後人搜集先人的作品，晚年之作易見而青壯年之作難得，也可能因為紀樹馨以為那些應酬上層人物尤其是應酬皇帝的詩文，乃是自家先人的最高榮寵，故《遺集》收之甚多，而那些戀人思友、抒情喻志、贊花月之美好、抒胸中之忿懣的真情之作，尤其是描寫世態、諷刺社會醜惡的篇章，則收之甚少。譬如，不少的同代人都說他曾作《京官詩》數十首，而只存一首諷刺詩《小軍機》賴清人筆記以存，《遺集》則不一見。由於紀樹馨的去取標準所致，給讀《遺集》的讀者一個印象，似乎紀曉嵐只會寫那些拍皇帝老子馬屁的詩文。公允地說，

---

16 孫致中等：〈紀曉嵐年譜〉按語，《紀曉嵐文集》第三冊，前揭書，頁481。其中「『盈箱累篋』的書信」是法式善在〈閱微草堂收藏諸老尺牘跋〉所說的「香林郎中以閱微草堂收藏尺牘長卷見示，與余意同，且命之跋。嗚呼，是真能不忘其先人者矣！文達公讀書萬卷，歷官清要五十餘年，熟悉朝家掌故，中外請益問字者，日凡有幾，計其往來箋素，蓋盈箱累篋矣」（《存素堂文續集》卷二）。

　　據此描繪紀曉嵐的形象，是不完整、不全面的。[17]

　　除了「以文章與天下相馳驟」外，因科舉方增試律詩，
這一時期的紀昀也專注於《唐人試律說》、《庚辰集》的編纂，
以方便督課子姪輩，尤其對《庚辰集》又評又註，以示兒輩
學試帖者，足見栽培後輩之用心。筆者推測或許因此而引發
紀昀對唐宋詩之爭的關注，他展開了評點唐宋諸詩人之作，
除了編《張爲主客圖》，另有〈書韓致堯翰林集後〉，繼而點
閱《香奩集》，作〈書韓致堯香奩集後〉、〈書八唐人集後〉。
也開始評閱《瀛奎律髓》。又刪正《才調集》，點論李義山、
黃山谷詩集，輯《唐人詩略》八卷。我們看他評點整理過的
書，正是有意圍繞對祖唐祧宋這兩派的評價而開展的，紀昀
欲對唐、宋詩之爭「屛除門戶，一洗糾紛」[18]、「析詩文流派
之正僞」[19]的用心，在這一時期已經悄然地進行了。

　　此期，紀昀人生另一個重要的轉捩點，是在乾隆 21 年
時，因汪由敦、裘曰修二公之薦，與錢大昕纂修《熱河志》，
進而即令扈從熱河。途中紀、錢二人作了大量恭和的御制詩。
紀昀做〈恭和御制秋日奉皇太后幸口外行圍啓蹕之作元韻〉、
〈恭和御制懷柔縣元韻〉、〈恭和御制遙亭行宮對雨三首元
韻〉、〈恭和御制出古北口詠古元韻〉、〈恭和御制至避暑山莊
即事元韻〉、〈恭和御制晚荷元韻〉、〈恭和御制熱河啓蹕之作
元韻〉、〈恭和御制山店元韻〉、〈恭和御制朝嵐元韻〉、〈恭和

17 《紀曉嵐文集》第一冊，前揭書，頁 2。
18 徐世昌：〈獻縣學案〉，《清儒學案》卷 80，（台北：世界書局，1962），
　　頁 1。
19 阮元：《紀曉嵐遺集》序，《紀曉嵐文集》第三冊，前揭書，頁 727。

御制都爾伯特台吉什阿噶什來覲封爲親王詩以紀事元韻〉、
〈恭和御制入崖口元韻〉、〈恭和御制雨獵元韻〉、〈恭和御制
九月朔日元韻〉、〈恭和御制霜元韻、〉、〈恭和御制行圍即事
元韻〉、〈恭和御制九日侍皇太后宴並賜內外王公諸臣食即席
得句元韻〉諸作進呈，二人得「天語嘉獎，由此館中有『南
錢北紀』之目」[20]。在當時紀昀只是一個小小的庶吉士，若
非這一次際遇，而且有這些今日看似無聊的作品，方能在
眾多的臣工中，得到乾隆的青睞，讓乾隆留下「學問素優」[21]、
「文學尙優」[22]的印象。所以這算是一次嶄露頭角的際遇，
讓紀昀得到乾隆的歡心，也對他日後的仕途與事業（編纂《四
庫全書》），有其一定的影響。雖然因此才有出頭的機會，
但加上日後紀昀仍有許多的這類的作品[23]，讓人容易認爲他

---

20 〈錢辛楣先生年譜〉，陳文和主編：《嘉定錢大昕全集》，（南京：江蘇
古籍出版，1997），頁 14。據《大清畿輔先哲傳》卷 23〈紀昀〉所言，
早在乾隆 12 年紀昀於鄉試中即和朱珪因主試官阿克敦、劉統勳「以
得人賀，遂以二人名上聞，昀之受知自此始」。但筆者以爲真要能讓
乾隆留下深刻的印象，一個庶吉士呈上作品要比一個舉人的名字來的
深刻多了。

21 乾隆 33 年（1768），紀昀授貴州都勻府知府，乾隆立即下諭以四品銜，
仍留庶子任。理由就如嘉慶〈御賜碑文〉中所說的「遂荷先帝特達之
知，獨蒙學問素優之譽。一麾出守，劇任恐掩佳才，四品加銜，殊恩
特邀破格」（《紀曉嵐文集》第三冊，前揭書，頁 723），在此可以看出
乾隆對紀昀學問的賞識。

22 紀昀曾向乾隆提出軍國大政的建言時，遭乾隆斥曰「朕以汝文學尙
優，故使領四庫書，實不過以倡優蓄之，汝何敢妄談國事！」（天嘏：
《清代外史》，收入《滿清稗史》上冊，（北京：中國書店，1987），
頁 20。）

23 如乾隆 36 年遇赦由西域歸返，迎鑾於密雲，御試土爾扈特全部歸順
詩，立成五言三十六韻以進，得旨優獎，授翰林院編修。這類作品讓紀
昀能得到君上的賞識，但也讓他陷於逢迎拍馬之人的印象中。

是逢迎拍馬之人，屬於「文學弄臣」之流，或許也讓乾隆認定紀昀所長也僅在文學、學問而已，這也許是紀昀這類舊時代文人的宿命與悲哀吧！

　　（二）任福建學使。乾隆 27 年紀昀受命視學福建，10月出都赴福建學政任。一路由北京南行福建之際，創作出 77題 101 首的〈南行雜咏〉一組詩。全組詩記錄了辭別帝京攜家南行一路之上，在不同時間、不同地點所產生的種種情感，以及描寫不同地域的風景、風物。全作內容包含了「行」中所見與「行」中所思，有懷人思友、抒情寫志、留連風景、弔古傷今等龐雜的內容，故而名曰〈南行雜咏〉。

　　由於出任學使這個際遇，讓紀昀這個一直生活在華北平原的人，才有機會領略、感受、浸潤到江南煙雨不同地域的風貌。這種視覺上的震撼，激發創作的靈感，讓紀昀文思泉湧，透過生花妙筆將這南北不同的沿途風光生動地描繪出來，其中如〈富春至嚴陵山水甚佳〉、〈灘河謠〉、〈阻風野泊〉、〈過嶺〉、〈建溪二十四韻〉等浙江山水詩作，都是寫出足以和吳均的〈與朱元思書〉兩相對照、比美的山水詩作。除了山水詩作外，全作還包含抒情詩、敘事詩、哲理詩、寫景詩、議論詩等詩作，都有極高的藝術價值。簡而言之，全組〈南行雜咏〉的藝術特色有以下三點：一、博采眾長，直抒性靈，妙在理趣。二、意境遼遠，氣勢奮騰，妙照自然。三、語言生動活潑，形式多樣。[24]所幸這一組〈南行雜咏〉被保留下來，讓紀昀除了應制唱和的御覽制詩和無病呻吟的館課詩之

24　劉樹勝：〈紀昀《南行雜詠》的藝術特色〉，《滄州師範專科學校學報》，21：2。

外，得以有真實情感與思想的詩作傳諸後世。這些抒寫性靈，
醞釀深厚的詩作，讓「紀家詩」、「直而不亢，婉而不佻，抒
寫性靈，醞釀深厚，未嘗規模前人，罔不與古相合」[25]、「紀
尚書昀詩，如泛舟苕霅」[26]的說法得到印證，也讓我們能在
紀昀學者的面貌之外，也看到了他為學者盛名所掩詩人的一
面。更何況福建學使這近兩年的一番際遇[27]，也增添了《閱
微草堂筆記》創作的內容，該書 1172 則[28]的記載中，就有三
十多則有關福建人物風俗的記載，不失有社會史料的價值。

　　（三）漏言獲罪西戍。紀昀自乾隆 29 年丁憂北歸，到乾
隆 32 年服闋，主要的學術活動為開始點論《蘇文忠公詩集》。
之後補侍讀學士，充日講起居注官，晉左庶子。主要的學術
活動為刪浦起龍所注《史通》，並奉詔續修鄭樵《通志》。直
至乾隆 33 年 7 月，兩淮鹽運使盧見曾獲罪，旨籍其家。因見
曾孫盧蔭文為紀昀婿，乃循私漏言，事發，革職戍烏魯木齊
（迪化）。這是紀昀仕途中最嚴重的打擊，此番遠謫新疆，直
至乾隆 35 年 12 月，高宗才下旨釋還。

　　此番際遇對紀昀的影響有二：一是心境上的轉折，由早
年入詞館時的意氣風發，以文章與天下相馳驟，一變轉為深
沈落寞。此期的詩作「陽關西出二載餘，歸來再直承明廬。

---

25 阮元：《紀文達遺集》序，《紀曉嵐文集》第三冊，頁 727。
26 洪亮吉：《北江詩話》卷一，（北京：人民文學出版社，1998），頁 4。
27 自乾隆 27 年底至福州，到乾隆 29 年 8 月，紀父辭世，旋丁憂北歸，
　近兩年任期。
28 以嘉慶 5 年刊本為例，目錄所載的則數統計為 1281 則，實際點數的
　則數是 1172 則。

艱難坎坷意氣減，閉門漸與交游疏」[29]、「人生快意果有失，
一蹶萬里隨戎旂……玉門誰料竟生入，鳴珂又許趨仙班。歸
來展卷如再世，羊公重認黃金環。少年意氣已蕭索，傷禽寧
望高飛翻。但思臣罪當廢棄，驂鸞忽躡蓬萊巔。」[30]、「十八
年來閱宦途，此心久似水中鳧」[31]、「枯硯無嫌似鐵頑，相隨
曾出玉門關。龍沙萬里交游少，袛爾多情共往還」[32]、「萬里
從軍鬢欲斑，歸來重復上蓬山。自憐詩思如枯井，猶自崎嶇
一硯間」[33]，在在都透露出遇赦罪人在九死一生後蕭索、落
寞、感慨的心境、心態。這並非短暫的心境轉變，在因罪謫
戍的日子裡，相信紀昀對君主恩威的難測、宦場的險惡與人
情的炎涼有了較為真切的體會，此後紀昀有了和以往不同的
人生觀。直到晚年的紀昀還依然有著君主恩威難測、宦場險
惡的感慨，雖然新疆歸來之後，紀昀仕途再無波折，但其晚
年的自輓詞仍稱「浮沉宦海如鷗鳥，生死書叢似蠹魚」[34]，
足見他心境一如柳宗元所說的「自余為僇人，居是州，恆惴
慄」，時時地戰戰兢兢、憂懼戒慎。他也從早年「座客恆滿，

---

29 紀昀：〈松岩老友遠來省予偶出印譜索題感賦長句〉，《紀曉嵐文集》
　　第一冊，前揭書，頁 498。
30 紀昀：〈己卯秋錢塘沈生寫余照先師董文恪公為補幽篁獨坐圖今四十
　　年矣偶取展觀感懷今昔因題長句〉，《紀曉嵐文集》第一冊，前揭書，
　　頁 499。
31 紀昀：〈有以八仙圖求題者韓何對弈五仙旁觀而李沉睡焉為賦二詩〉，
　　《紀曉嵐文集》第一冊，前揭書，頁 499。
32 紀昀：〈辛卯六月自烏魯木齊歸囊留一硯題二十八字識之〉，《紀曉嵐
　　文集》第一冊，前揭書，頁 497。
33 紀昀：〈辛卯十月再入翰林戲書所用玉井硯背〉，《紀曉嵐文集》第一冊，
　　前揭書，頁 498。
34 紀昀：〈槐西雜志〉卷一，《紀曉嵐文集》第二冊，前揭書，頁 261。

文酒之會無虛夕」，到之後如他門生的描述的「性耽闃寂，不樂與名流相爭逐，公退後，閉門獨坐，沖然自得，平靜也又若此」[35]、「河間先生典校秘書廿餘年，學問文章，名滿天下。而天性孤峭，不甚喜交游。退食之餘，焚香掃地，杜門著述而已」[36]、「河間先生以學問文章負天下重望，而天性孤直，不喜以心性空談，標榜門戶；亦不喜才人放誕，詩社酒社，夸名士風流。是以退食之餘，惟耽懷典籍」[37]，無論是「性耽闃寂」或是「天性孤峭」、「天性孤直」，都和他早年的熱情洋溢，顯然大大地不同，足見這次遠謫新疆對他影響之深遠。

　　此番際遇造成紀昀心境上的轉折，對其著作有著莫大的影響。在他西歸之後 48、49 歲這兩年，可以說是他評點詩文集的豐收期，《紀評蘇文忠公詩集》、《紀評文心雕龍》、《瀛奎律髓刊誤》、《玉台新詠校正》諸書都是在這兩年中完成評點。而這兩年也正是他獲罪謫戍烏魯木齊，遇赦還京後的時候，大約此時交游疏淡、門前冷落，備嘗炎涼世態、寂寞酸苦之味，反而讓他能專注於著述，這未嘗不是失之桑榆，收之東隅呢？

　　此番際遇的另一項影響則是紀昀創作了一組極具社會史料價值的邊塞詩〈烏魯木齊雜詩〉160 首。全作分為風土 23 首、典制 10 首、民俗 38 首、物產 67 首、瀏覽 17 首、神異 5 首等六部分。內容涵蓋了市鎮建築、地形氣侯、農事習俗、

35 汪德鉞：〈紀曉嵐師八十序〉，《四一居士文抄》卷四，《稀見清人別集叢刊》第 12 冊，（廣西：廣西師範大學出版社，2007），頁 332-333。
36 盛時彥：《姑妄聽之》跋，《紀曉嵐文集》第二冊，前揭書，頁 491。
37 盛時彥：《閱微草堂筆記》序，《紀曉嵐文集》第一冊，前揭書，頁 1。

水利灌溉、典章制度、歌舞婚嫁、茶藝飲食、民族相處、瓜
果花卉、礦產冶煉、水產狩獵等西域各方面的生活風貌。一
如〈南行雜咏〉，紀昀面對著新疆事事新奇的異域奇景，激發
他寫作的熱情。但紀昀身爲遣戍廢員，罪廢之餘，故在戍所
夙有戒心，怎敢明言賦閑吟詠，怠於公事，甚至膽敢發洩怨
望不滿而招致詩禍？因此只能詭稱於巴里坤至哈密這三百餘
里間，寫出這 160 首詩，正如「北客若來休問事，西湖雖好
莫吟詩」之意：

> 余謫烏魯木齊凡二載，鞅掌簿書，未遑吟詠。庚寅十
> 二月恩命賜還。辛卯二月，治裝東歸，時雪消泥濘，
> 必夜深地凍而後行。旅館孤居，晝長多暇，乃追述風
> 土，兼述舊游，自巴里坤至哈密，得詩百六十首。意
> 到輒書，無復銓次，因命曰〈烏魯木齊雜詩〉。[38]

這些詩不僅文學價值很高，也具有豐富的史料價值。錢
大昕在該組詩的跋中就說道：

> 讀之聲調流美，出入三唐，而敘次風土人物，歷歷可
> 見。無鬱轖愁苦之音，而有舂容渾脫之趣。……而又
> 得之目擊，異乎傳聞、影響之談。它日采風謠、志輿
> 地者，將於斯乎徵信。夫豈與尋常牽綴土風者同日而
> 道哉！[39]

「讀之聲調流美，出入三唐」、「無鬱轖愁苦之音，而有
舂容渾脫之趣」指出了這組邊塞詩的文學成就和獨特風格，
既有唐代岑參、高適、李頎、王翰等人邊塞詩的神韻，而又

---

38 《紀曉嵐文集》第一冊，前揭書，頁 595。
39 《紀曉嵐文集》第一冊，前揭書，頁 610-611。

與其不同。既有他們的雄渾悲壯,然其中並無思鄉悲怨、觸景生情之作。其中的差別就在於該組詩表現出評定新疆回亂大一統後的「大清氣象」,一如紀昀於序中所稱「今親履邊塞,纂綴見聞,將欲俾寰海外內咸知聖天子威德郅隆。開闢絕徼,龍沙蔥雪,古來聲教不及者,今已爲耕鑿弦頌之鄉,歌舞游冶之地」[40],詩中真實、生動地描寫出新疆的風土民俗和欣欣向榮的景象,抒發了詩人豪邁、深沉的愛國主義激情。又因爲「得之目擊,異乎傳聞、影響之談」,以往詩中孤城、砂磧、沙場、刁斗等意象,都不再是虛構有著隔膜的名詞,這在當時詩壇流派中,無論是思想和藝術上都獨樹一格,取得了不可忽視的成就。該組詩對清代西域詩,特別是流人西域詩產生了重要影響。如洪亮吉的〈伊犁紀事詩〉四十二首,林則徐的〈回疆竹枝詞〉二十四首都可明顯看出效法紀詩之痕迹。

此外「風土人物,歷歷可見……而又得之目擊,異乎傳聞、影響之談。它日采風謠、志輿地者,將於斯乎徵信。夫豈與尋常牽綴土風者同日而道哉」,該組詩所蘊藏的豐富史料價值,「真實而全面地展現了十八世紀中後期西域邊塞地區的生活畫面,是絕妙的邊陲風俗畫卷,甚至可稱之爲我國歷史上第一部以詩歌形式寫就的有關西城風情之微型百科全書」[41]。該組詩本身的記事寫實性就很強,而且每首詩後都加有自注,以說明詩意。是以烏魯木齊爲主,新疆社會的真實寫

---

40 《紀曉嵐文集》第一冊,前揭書,頁 595。
41 黃剛:〈論紀昀的西域邊塞詩〉,《蘭州教育學院學報社會科學版》,1996:1。

照，因此是研究乾隆中期新疆社會的重要資料。其所包含的史料有：戶民的構成、戶民的土地占有情況、市場糧價、商賈的活動、社會文化生活、軍屯法規、遣犯的生活及其逃亡情況、昌吉遣犯起事等方面的史料[42]。而且，紀昀不是光會歌功頌德，也能根據他的觀察，反映新疆當時各項政策的利弊，並提出了有利開發、建設新疆的正確見解。同時，這次際遇也爲《閱微草堂筆記》增添了創作的材料，據王希隆的統計，《閱微草堂筆記》中共有關於新疆的故事 90 條，其中《灤陽消夏錄》27 條，《如是我聞》24 條，《槐西雜志》13條，《故妄聽之》15 條，《灤陽續錄》11 條。……這些故事大體可分爲三類。第一類是以烏魯木齊的舊聞爲素材，在此基礎上予以加工，託鬼神之言行以抒己見，借神異報應以行勸懲。第二類是追錄的奇異聞見，因難以解釋，故錄以備考。第三類是對當時發生的一些事件的記載。[43]

　　紀昀西行與南行的兩次際遇，爲後世留下了〈烏魯木齊雜詩〉、〈南行雜咏〉這兩組邊陲之風情與山水之清音的文學佳作，也讓我們看到紀昀學者形象以外的詩人風貌。此後紀昀仕途一帆風順，聖眷日隆，躋身於臺閣詩人之列，筆下就不復有山水的清音與邊陲之風情了。

　　（四）任四庫館職。紀昀自乾隆 36 年還京後，當了年餘的閒差。到乾隆 38 年開四庫館，始得重用爲四庫館總纂官，

---

42 王希隆：〈紀昀關于新疆的詩作筆記及其識史價值〉，《中國邊疆史地研究》，1995：2。
43 同上注。

開始了他「五十以後，領修秘籍，復折而講考證」[44]的學術生涯。

　　這次擔任四庫館總纂官的際遇，對於紀昀著述的影響有三，其一就是完成了學術巨著武英殿本的《四庫全書總目》。對於《四庫全書總目》的著作權，自清代以來，學者大多傾向歸於總纂官紀昀，而紀昀本人也多次言及此事。但近來有人認為憑紀昀一己之力無法完成此事，再則《四庫全書總目》展現的是清王朝或是乾隆皇的思想，無法展現紀昀的思想意見。面對這樣的質疑，王鵬凱曾為文分析之[45]，今略述於下：一是就文獻分析，《四庫全書總目》中確實有紀昀思想見解展現之例。二是就四庫館工作職掌來看，各纂修官善盡職責地撰寫提要稿，而總纂官也有不同程度的修改，三位總纂官中孫士毅任職時間最為短暫，是三位總纂官中貢獻最少者[46]。至於另一位總纂官陸錫熊，其貢獻應是在於閣本書前提要，而不在於殿本《四庫全書總目》之上。三是《四庫全書總目》早在乾隆四十七年即完成初稿，但是仍不斷地進行修改，遲遲無法刊定，直到乾隆 60 年 11 月 16 日，方纔竣工刷印裝潢

44　〈姑妄聽之序〉，前揭書第二冊，頁 375。
45　〈紀昀撰《四庫全書總目》說之論析〉，《東海大學圖書館館訊》新 97 期，2009.10。
46　袁枚為孫士毅所撰的〈神道碑〉一文中僅稱：「簿錄其家，不名一錢。上嘉公廉，未至軍臺，起用為翰林院編修……旋授山東布政使，巡撫廣西、調廣東」（《百一山房詩集‧神道碑》，《續修四庫全書》第 1433 冊，上海古籍出版社，2002，頁 363），且士毅之孫孫均在《百一山房詩集‧跋》（前揭書頁 516）中也未言及其祖纂修《四庫全書》之功。足見孫士毅於《四庫全書總目》的完成，著力甚微，是以親友也不以為意，故皆未曾言及此事。

47，而此時陸錫熊已早在兩年多前（乾隆 57 年正月），病逝於前往重校文溯閣《四庫全書》的途中，故而完成殿本《四庫全書總目》的任務，就要靠紀昀獨立完成了。況且《四庫全書》成書後，紀昀不僅多次參加覆校工作，改正不少脫誤之處。甚至直到嘉慶 8 年（1803），紀昀以八十之高齡，還奉命主持參與《四庫全書》最後一部分官修書籍的補遺工作[48]，爲《四庫全書》的修成及完善作出巨大貢獻，因此「始終其事而總其成者」非紀昀莫屬，以《資治通鑑》作者掛名爲例，劉攽、劉恕、范祖禹、司馬康等人皆有分任撰寫之功，然而後人論及此書，皆歸功於司馬光，紀昀於《四庫全書總目》既然有親力爲之、始終參與、決定去取之功，因此殿本《四庫全書總目》的完成，榮耀歸之於紀昀豈曰不宜！

　　其次，他有幸參與《四庫全書》的編纂，對他學問的增

---

47 曹文埴：〈原戶部尚書曹文埴奏刊刻《四庫全書總目》竣工刷印裝潢呈覽摺〉稱「竊臣於乾隆五十一年奏請刊刻《四庫全書總目》，仰蒙俞允，並繕寫式樣，呈覽在案。續因紀昀等奉旨查辦四閣之書，其中提要有須更改之處，是以停工未刻。今經紀昀將底本校勘完竣，隨加緊刊刻畢工。謹刷印裝潢……現交武英殿收貯。」（中國第一歷史檔案館編：《纂修四庫全書檔案》，上海古籍出版社，1997，頁 2374）另據《高宗實錄》卷 1493 乾隆六十年十二月甲午條records：「予告尚書曹文埴奏，《四庫全書總目》刻竣。謹進陳設二十部，備賞八十部。餘將板片交武英殿收藏外，並另刷四部，請發裝潢，分貯四閣。至是書最易繙閱，應照向辦官書，刷印發坊領售。報聞。」（清代實錄館纂修，北京：中華書局，1986，頁 977）則知曹文埴早在於乾隆 51 年即奏請刊刻《四庫全書總目》，但因提要有須更改之處，是以停工未刻。後經紀昀將底本校勘完竣，至乾隆 60 年 11 月才刊刻畢工，隨經乾隆乾隆批准刊印方式。這些紀錄除了說明了殿本《四庫全書總目》完成的日期外，還指出了紀昀對殿本《四庫全書總目》的勘訂之功。

48 中國第一歷史檔案館編：《纂修四庫全書檔案》，（上海：上海古籍出版社，1997），頁 2375-2380。

長絕對是有莫大的幫助。現代人透過電腦資料庫，彈指之間億萬言唾手可得，比較難體會書籍的得之不易。我們看到紀昀曾向其座師錢茶山（錢維城）借閱《後山集》，然後才能刪定《後山集》[49]，就可以知道參與《四庫全書》的編纂，能夠大量閱讀到私人無法聚集到的各種秘籍罕本，對學問的增長、視野的開拓，是多麼有幫助啊！所以紀昀自稱「自校理秘書，縱觀古今著作」[50]、「余校定《四庫》所見不下數千家」[51]，他也在〈自題校勘《四庫全書》硯〉一詩中吟哦道：

> 檢校牙籤十萬餘，濡毫滴渴玉蟾蜍。汗青頭白休相笑，曾讀人間未見書。[52]

正因爲這番歷練，爲他搏得博學的聲譽「北方之士，罕以博雅見稱於世者，惟曉嵐宗伯無書不讀，博覽一時」[53]、「我師河間紀文達以學問文章著聲公卿間四十餘年」[54]、「紀文達公昀學問浩博」、「紀文達公昀爲昭代大儒，學問淵雅」[55]、「公貫徹儒籍，旁通百家」[56]，又被譽爲「一代文宗」、「不愧一代之宗工」[57]，這些讚語都說明紀昀的學問受到推崇。「凡操

---

49 紀昀：〈後山集鈔序〉，《紀曉嵐文集》第一冊，前揭書，頁 184。
50 陳鶴：《紀文達公遺集》序，《紀曉嵐文集》第三冊，前揭書，頁 729。
51 紀昀：〈四百三十二峰草堂詩鈔序〉，前揭書，頁 207。
52 紀昀：〈自題校勘《四庫全書》硯〉，前揭書，頁 509。
53 昭槤：《嘯亭雜錄》卷十，（北京：中華書局，1997），頁 353。
54 陳鶴：《紀文達公遺集》序，《紀曉嵐文集》第三冊，前揭書，頁 729。
55 此二言前出自劉聲木：〈論紀昀撰述〉，《萇楚齋隨筆》卷三；後出自〈四庫提要推重程朱〉，《萇楚齋續筆》卷一，（北京：中華書局，1998），頁 65 及頁 232。
56 李元度：〈紀文達公事略〉，《國朝先正事略》，（台北：文海書局，1967），頁 992。
57 前語出自劉權之：〈紀文達公遺集序〉中，後語出自李祖陶：《國朝文錄自序》。

千曲而後曉聲，觀千劍而後識器」[58]，淹貫古今的博學通才，使他對中國學術的發展過程，分合流變、優劣長短等都了然於胸，也因此他對當時漢、宋學之爭；唐、宋詩之爭，能言公允持平之論，此點容詳述於後。

　　第三點是讓紀昀有不願從事學術著作與保留文稿的心態。紀昀自稱：

> 今年將八十，轉瑟縮不敢著一語，平生吟稿亦不敢自存，蓋閱歷漸深，檢點得意之作，大抵古人所已道；其馳騁自喜，又往往皆古人所撝呵，撚鬚擁被，徒自苦耳。[59]

他的學生陳鶴也認為如此：

> （紀昀）自校理秘書，縱觀古今著作，知作者固已大備，後之人竭盡其心思才力，不出古人之範圍；其自謂過之者，皆不知量之甚者也。故生平未嘗著書，間為人作序、記、碑、表之屬，亦隨即棄擲，未嘗存稿。[60]

　　也有認為是精力盡瘁於編纂《四庫全書》上，因此不復著述：「說者謂公才學絕倫，而著書無多，蓋其生平精力，已畢瘁於此書（《四庫全書總目》）矣」[61]。這兩種情形都是合乎情理的，也可看出編纂《四庫全書》這次際遇，對紀昀的影響。筆者推想是否也因紀昀認為舊體已難出新意，故遁而作他體，故晚年才致力於《閱微草堂筆記》的創作上[62]。

---

58 劉勰：《文心雕龍・知音》，（台北：天龍出版社，1981），頁 655。
59 紀昀：〈鶴街詩稿序〉，《紀曉嵐文集》第一冊，前揭書，頁 206。
60 陳鶴：《紀文達公遺集》序，《紀曉嵐文集》第三冊，前揭書，頁 729。
61 《紀曉嵐文集》第三冊，頁 513 附錄引陸敬安《冷廬雜識》卷 1 言。
62 除了遁而作他體這個原因外，紀昀也看重小說教化的功能。雖然紀昀

二、親人師友對紀昀著述之影響

　　人的一生，對於他所生長的家庭以及遭遇到的師友，以比較廣義的定義來看，未嘗不是一種際遇，也是會對個人產生一定的影響。從家世背景而言，紀昀生長於書香門第。其高祖紀坤，爲崇禎中諸生。著有《花王閣剩稿》一卷。祖紀天申，爲監生。父紀容舒，爲舉人，官至雲南姚安府知府。著有《孫氏唐韻考》五卷、《玉台新詠考異》十卷。而其從游師友，不乏高才俊逸、博學鴻儒之輩，劉統勳、阿桂、戴東原、王昶、王鳴盛、錢大昕、翁方綱、朱珪、彭元瑞、劉墉等人，盡皆有名於世。紀昀的家世以及遭遇到的師友，對其著述也都有著影響，這種影響主要是在思想層面上，今舉例分別簡述於下。

在《閱微草堂筆記》的序中一再謙稱該書「今老矣，無復當年之意興，惟時拈紙墨，追錄舊聞，姑以消遣歲月而已」、「景薄桑榆，精神日減，無復著書之志，惟時作雜志，聊以消閒，《灤陽消夏錄》等四種，皆弄筆遣日者也。」消遣歲月的作品，但在景薄桑榆、精神日減、垂垂老矣的暮年，願意耗費近十年的歲月創作此書，不會僅僅是爲了弄筆遣日而已，紀昀自己也說「或有益於勸懲」、「大旨期不乖於風教」、「儒者著書，當存風化，雖齊諧志怪，亦不當收悖理之言」、「惟不失忠厚之意，稍存勸懲之旨」勸懲的用意十分明顯，所以梁恭辰才在《北東園筆錄初編》卷 1 中說：「或又言：『既不著書，何以又撰小說？』余曰此公之深心也。蓋考據論辨之書，至於今而大備，其書非留心學問者多不寓目，而稗官小說，搜神志怪，談狐說鬼之書，則無人不樂觀之。故公即於此寓勸戒之意，托之於小說，而其書易行，出之以諧談，而其言易入。然則，〈如是我聞〉、〈槐西雜志〉諸書，其覺夢之清鐘，迷津之寶筏乎？按近今小說家有關勸戒諸書，莫善於《閱微草堂筆記》。」魯迅也稱「則《閱微》又過偏於論議。蓋不安於僅爲小說，更欲有益人心」（《中國小說史略》第 22 章）。

　　（一）親人的影響。對紀昀影響深遠的親人，一是其父紀容舒（姚安公）；一是其兄紀曔（晴湖公）。紀昀在《閱微草堂筆記》中屢屢記載二人言行[63]。在紀昀思想中一些重要的觀念，如重實學輕空談、主張神道設教的鬼神觀反對理學無鬼神之論、對講學家苛刻不近人情的抨擊、以禮法節制情慾反對苛刻的禮教等觀念，都有這二人影響的痕跡。

　　在《灤陽續錄》卷三中，紀昀不諱言其族祖在大兵圍城之際，尚考證古書真偽，故不及逃生而遇害，意在警惕讀書不通、不明世事，迂腐的學究。或許因為紀家曾發生這樣的慘事，在姚安公的教誨下，紀昀所以才會特別重視實學。

> 先姚安公曰：「子弟讀書之餘，亦當使略知家事，略知世事，而後可以治家，可以涉世。明之季年，道學彌尊，科甲彌重，於是黠者坐講心學，以攀援聲氣，樸者株守課冊以求取功名，致讀書之人，十無二三能解事。崇禎壬午，厚齋公攜家居河間，避孟村土寇，厚齋公卒後聞大兵將至河間，又擬鄉居，瀕行時，比鄰一叟，顧門神嘆曰：『使今日有一人如尉遲敬德、秦瓊當不至此。』汝兩曾伯祖，一諱景星，一諱景辰，皆名諸生也。方在門外束襆被，聞之，與辯曰：『此神荼鬱壘像，非尉遲敬德、秦瓊也。』叟不服，檢邱處機《西遊記》為證。二公謂委巷小說不足據，又入室取東方朔《神異經》與爭。時已薄暮，檢尋既移時，反覆講論又移時，城門已闔，遂不能出。次日將行，

而大兵已合圍矣。城破，遂全家遇難，惟汝曾祖光祿
公、曾伯祖鎮番公及叔祖雲臺公存耳。死生呼吸，間
不容髮之時，尚考證古書之真偽，豈非惟知讀書，不
預外事之故哉？」[64]

紀昀稟承庭訓，因此在治學上講求的是「以實心勵實行，
以實學求實用」[65]、「讀書以明理，明理以致用也」[66]，如在
編次《四庫全書》子部諸家時，就特意將「舊史多退之於末
簡」的農家、醫家這兩類，緊列於「禮樂兵刑，國之大柄」
的儒、兵、法三家之後，看重的就是其有濟眾之實用[67]。

紀昀以其庭訓，或自身見聞經驗[68]，讓他確信有鬼神的

---

64 《紀曉嵐文集》第二冊，前揭書，頁 532。
65 《姑妄聽之》卷二，前揭書，頁 410。
66 《姑妄聽之》卷四，前揭書，頁 488。
67 紀昀：〈濟眾新編序〉，《紀曉嵐文集》第一冊，前揭書，頁 179-180。
   紀昀也提及會為此書作序是「偶見其書，喜其有濟眾之實心，而又有
   濟眾之實用」。
68 書中例子甚多，如親見回煞之事：「余嘗於隔院窗樓中，遙見其去，
   如白煙一道，出於竈突之中，冉冉向西南而歿，與所推時刻方向，無
   一差也。又嘗兩次手自啓鑰，諦視布灰之處，手跡足跡，宛然與生時
   無二，所親皆能辨識之，是何說歟？」（《灤陽消夏錄》卷四，前揭書，
   頁 79）又在《灤陽消夏錄》卷五中「然回煞形跡，余實屢目睹之，鬼
   神茫昧，究不知其如何也」（前揭書，頁 98）、《槐西雜志》卷四中「余
   乞假養痾北倉……忽見綵衣女子揭簾入，甫露面，即退出。疑為趁座
   妓女，呼僕隸遣去，皆云外戶已閉，無一人也。主人曰：『四日前有
   宦家子婦宿此卒，昨移柩去，豈其回煞耶？』」（前揭書，頁 358），都
   是記錄紀昀親見回煞的經驗。又如聽聞輪迴之事：顧非熊再生事，見
   段成式《酉陽雜俎》，又見孫光憲《北夢瑣言》。其父顧況集中，亦載
   是詩，當非誣造。近沈雲椒少宰撰其母《陸太夫人志》，稱太夫人于
   歸，甫匝歲，贈公即卒。遺腹生子，恒週三歲亦殤。太夫人哭之慟曰：
   「吾之為未亡人也，以有汝在，今已矣！吾不忍吾家之宗祀自此而絕
   也。」於其斂，以朱志其臂，祝曰：「天不絕吾家，若再生以此為驗。」
   時雍正己酉十二月也。是月，族人有比鄰而居者，生一子，臂朱灼然。

太夫人遂撫之，以爲後即少宰也。余官禮部尙書時，與少宰同事，少宰爲余口述尤詳。蓋釋氏書中，誕妄者原有，其徒張皇罪福，誘人施捨，詐僞者尤多。惟輪迴之說，則鑿然有證。司命者每因一人一事，偶示端倪，彰人道之教。少宰此事，即借轉生之驗，以昭苦節之感者也。儒者甚言無鬼，又烏乎知之？（《如是我聞》卷三，前揭書，頁186-187）、輪迴之說，鑿然有之。恆蘭臺之叔父，生數歲，即自言前身爲城西萬壽寺僧。從未一至其地，取筆粗畫其殿廊門徑，莊嚴陳設，花樹行列。往驗之，一一相合。然平生不肯至此寺，不知何意。此真輪迴也。朱子所謂輪迴雖有，乃是生氣未盡，偶然與生氣湊合者，亦實有之。余崔莊佃戶商龍之子，甫死，即生於鄰家。未彌月，能言。元旦父母偶出，獨此兒在襁褓。有同村人叩門云：「賀新歲。」兒識其語音，遽應曰：「是某丈耶？父母俱出，房門未鎖，請入室小憩可也。」聞者駭笑。然不久夭逝。朱子所云，殆指此類矣。（《灤陽續錄》卷三，前揭書，頁 524）、謂鬼無輪迴，則自古及今，鬼日日增，將大地不能容；謂鬼有輪迴，則此死彼生，旋即易形而去；又當世間無一鬼，販夫田婦，往往轉生，似無不輪迴者。荒阡廢塚，往往見鬼，又似有不輪迴者。表兄安天石，嘗臥疾，魂至冥府，以此問司籍之吏。吏曰：「有輪迴，有不輪迴。輪迴者三途：有福受報，有罪受報，有恩有怨者受報；不輪迴者亦三途：聖賢仙佛不入輪迴，無間地獄不得輪迴，無罪無福之人，聽其遊行於虛墓，餘氣未盡則存，餘氣漸消則滅。如露珠水泡，倏有倏無；如閒花野草，自榮自落，如是者無可輪迴。或有無依魂魄，附人感孕，謂之偷生。高行緇黃，轉世借形，謂之奪舍。是皆偶然變現，不在輪迴常理之中。至於神靈下降，輔佐明時；魔怪群生，縱橫殺劫。是又氣數所成，不以輪迴論矣。」天石固不信輪迴者，病痊以後，嘗舉以告人曰：「據其所言，乃鑿然成理。」（《灤陽消夏錄》卷五，前揭書，頁 91）、又有記親人臨終前異事：明器，古之葬禮也，後世復造紙車紙馬。孟雲卿〈古挽歌〉曰：「冥冥何所須，盡我生人意。」蓋姑以緩慟云耳。然長兒汝佶病革時，其女爲焚一紙馬，汝佶絕而復蘇曰：「吾魂出門，茫茫然不知所向，遇老僕王連生牽一馬來，送我歸，恨其足跛，頗顛簸不適。」焚馬之奴泫然曰：「是奴罪也，舉火時上實誤折其足。」又六從舅母常氏彌留時，喃喃自語曰：「適往看新宅頗佳，但東壁損壞，可奈何！」侍疾者往視其棺，果左側朽穿一小孔，匠與督工者尙均未覺也。（《灤陽消夏錄》卷五，前揭書，頁 94）、庚午四月，先太夫人病革時，語子孫曰：「舊聞地下眷屬，臨終時一一相見，今日果然。幸我平生尙無愧色，汝等在世，家庭骨肉，當處處留將來相見地也。」（《如是我聞》卷一，前揭書，頁 145）、又有記親人及自身聽到鬼語（哭）事：舅氏實齋

存在[69]。尤其是父親姚安公的教誨，讓他終身難忘：「先姚安公……因誨昀曰：『儒者論無鬼，迂論也，亦強詞也』……昀再拜受教。至今每憶庭訓，輒悚然如侍左右也」[70]。這樣的思想就和理學家的主張格格不入，理學家以正統儒家自居，視佛道兩家爲異端，以其言爲諂瀆求福、妖妄滋惑，爲建構儒學獨尊的格局，排擊佛老，因此標榜著無鬼論，從根本上否定釋老的鬼神之說。對於鬼神的看法，紀昀和理學家最大

安公曰：講學家例言無鬼。鬼吾未見，鬼語則吾親聞之……但不知講學家者見之，又做何遁詞耳。（《灤陽續錄》卷六，前揭書，頁 582）、余在烏魯木齊，軍吏具文牒數十紙，捧墨筆請判曰：「凡客死於此者，其棺歸籍，例給牒。否則魂不得入關。」以行於冥司，故不用朱判，其印亦以墨。視其文鄙誕殊甚。余曰：「此胥役托詞取錢耳，啓將軍除其例。」旬日後，或告城西墟墓中鬼哭，無牒不能歸故也，余斥其妄；又旬日，或告鬼哭又近城，斥之如故；越旬日，余所居牆外，魏魏有聲（《說文》曰：魏，鬼聲），余尚以爲胥役所僞；越數日，聲至窗外，時月明如晝，自起尋視，實無一人。同事觀御史成曰：「公所持理正，雖將軍不能奪也。然鬼哭實共聞，不得照者，實亦怨公。盍試一給之，姑間執讒慝之口。倘鬼哭如故，則公亦有詞矣。」勉從其議。是夜寂然。又軍吏宋吉祿在印房，忽眩僕，久而蘇，云見其母至。俄臺軍以官牒呈，啓視則哈密報吉祿之母來視子，卒於途也。天下事何所不有？儒生論其常耳。余嘗作《烏魯木齊雜詩》一百六十首，中一首云：「白草颼颼接冷雲，關山疆界是誰分。幽魂來往隨官牒，原鬼昌黎竟未聞。」即此二事也。（《灤陽消夏錄》卷一，前揭書，頁 17-18）都是紀昀以其親身經歷或親友見聞，以說明鬼神存在的例子。

69 雖然紀昀也會質疑鬼神情狀「鬼神茫昧，究不知其如何也」（《灤陽消夏錄》卷五，前揭書，頁 98），甚至有人認爲他是「抱著矛盾和存疑的態度」（賴芳伶：〈閱微草堂筆記中的觀念世界〉，《文學評論》第三集，1976，頁 198），他毋寧是一種敬鬼神而遠之的表現，是講求「不知生，焉知死；不能事人，焉能事鬼」，注重人事而不要沉湎於鬼神之說，才會有這種「說鬼者多誕，然亦有理似可信者」（《槐西雜志》卷一，前揭書，頁 256）若即若離的表現，但最終還是肯定鬼神的存在。

70 《紀曉嵐文集》第二冊，前揭書，頁 191。

的不同之處就是：紀昀重視先王神道設教之用意，不同於理
學家視二氏爲妖妄滋惑。在《閱微草堂筆記》中紀昀對黃冠
緇徒二氏的形象刻劃，一如對儒者的形象刻劃一樣，有正面
的讚揚[71]，也有負面的描寫[72]。他並不是一昧地推崇釋道二
氏，他也清楚二家有理學家所說的弊病「諂瀆之求福，妖妄
之滋惑」[73]、「緇徒執罪福之說誘脅愚民，不以人品邪正分善
惡，而以佈施有無分善惡，福田之說興，瞿曇氏之本旨晦矣」
[74]，如同馬大還提出的疑問「黃冠緇徒，恣爲妖妄，不力攻
之，不貽患於世道乎」，但是「此論其本原耳，若其末流，豈
特釋道貽患，儒之貽患豈少哉」[75]，紀昀在《槐西雜志》卷
四中就記載一則鬼魂後悔莫及的故事，一鬼以信儒而墮落，
其師「日講學，凡鬼神報應之說，皆斥爲佛氏之妄語」，心想
「百年之後，氣返太虛，冥冥漠漠，並毀譽不聞，何憚而不

---

71 如在《灤陽續錄》卷二所載潛心修行解人危難的道士某，前揭書，頁
　510、《灤陽續錄》卷四所載老尼慧師父和住持果成之第三弟子（三師
　父），前揭書，頁552-553，都是戒律精苦令人欽敬的釋道二氏之徒。
72 如在《姑妄聽之》卷一所載以符咒害人的妖尼，前揭書，頁393、《灤
　陽續錄》卷二所載以詐術騙人的道士某，前揭書，頁510、《灤陽消夏
　錄》卷三以蠱惑騙取香火的景城僧，前揭書，頁45，都是妖妄熒惑的
　釋道二氏之徒。
73 《灤陽消夏錄》卷四，前揭書，頁69。這和南宋理學家陳淳（1159
　－1223）論及佛道二氏之弊的意見相同：「原其爲害有兩般，一般是
　說死生罪福以欺罔愚民；一般是高談性命道德以眩惑士類」（《北溪
　字義》卷下，（北京：中華書局，1983），頁68）。「諂瀆之求福」就
　是陳淳所說的「說死生罪福以欺罔愚民」，但是紀昀認爲二氏有「其
　禍福因果之說，用以悚動下愚，亦較儒家爲易入」的作用。「妖妄之
　滋惑」就是陳淳所說的「高談性命道德以眩惑士類」，但是紀昀認爲
　二氏有「解釋冤愆，消除拂鬱，較儒家爲最捷」的作用。
74 《如是我聞三》卷三，前揭書，頁210。
75 《灤陽消夏錄》卷四，前揭書，頁83。

恣吾意乎？」因此「種種惟所欲為」。另一鬼則是「以信佛誤
也」，以為「雖造惡業，功德即可以消滅；雖墮地獄，經懺即
可以超度」，所以「無所不為」，那知「所謂罪福，乃論作事
之善惡，非論捨財之多少。金錢虛耗，舂煮難逃」。紀昀對此
的評論是「夫六經具在，不謂無鬼神；三藏所談，非以斂財
賂。自儒者沽名，佛者漁利，其流弊遂至此極」，對儒釋二者
的流弊，可謂鞭辟入裏。尤其句末一句「佛本異教，緇徒藉
是以謀生，是未足為責」，但是「儒者亦何必乃爾乎？」痛心
疾首之情，溢於言表：

> 北方之橋，施欄楯以防失足而已。閩中多雨，皆於橋
> 上覆以屋，以庇行人。邱二田言，有人夜中遇雨，趨
> 橋屋坐。有一吏攜案牘，與軍役押數人避屋下。枷鎖
> 瑯然，知為官府錄囚，懼不敢近，但畏縮於一隅。中
> 一囚號哭不止，吏叱曰：「此時知懼，何如當日勿作
> 耶？」囚泣曰：「吾為吾師所誤也。吾師日講學，凡
> 鬼神報應之說，皆斥為佛氏之妄語。吾信其言，竊以
> 為機械能深，彌縫能巧，則種種惟所欲為，可以終身
> 不敗露。百年之後，氣返太虛，冥冥漠漠，並毀譽不
> 聞，何憚而不恣吾意乎？不虞地獄非誣，冥王果有，
> 始知為其所賣，故悔而自悲也。」一囚曰：「爾之墮
> 落由信儒，我則以信佛誤也。佛家之說，謂雖造惡業，
> 功德即可以消滅；雖墮地獄，經懺即可以超度。吾以
> 為生前焚香佈施，歿後延僧持誦，皆非吾力所不能，
> 既有佛法護持，則無所不為，亦非地府所能治。不虞
> 所謂罪福，乃論作事之善惡，非論捨財之多少。金錢

虛耗，春煮難逃，向非恃佛之故，又安敢縱恣至此耶？」語訖長號。諸囚亦皆痛哭。乃知其非人也。夫六經具在，不謂無鬼神；三藏所談，非以斂財略。自儒者沽名，佛者漁利，其流弊遂至此極。佛本異教，緇徒藉是以謀生，是未足為責。儒者亦何必乃爾乎？[76]

儒釋道三家都有末流之弊，他注重的是釋道二家「解釋冤愆，消除拂鬱，較儒家為最捷；其禍福因果之說，用以悚動下愚，亦較儒家為易入」[77]、「帝王以刑賞勸人善，聖人以褒貶勸人善，刑賞有所不及，褒貶有所弗恤者，則佛以因果勸人善，其事殊，其意同也」[78]，和儒家有互補的作用。何況他認為「然法無邪正，惟人所用，如同一戈矛，用以殺掠則劫盜，用以征討則王師耳。術無大小，亦惟人所用，如不龜手之藥，可以洴澼絖，亦可以大敗越師耳」，還引一道士以攝魂之法馴服悍婦為例，讓悍婦無子嗣之夫得以娶妾，以延續香火：

> 同年龔肖夫言有人四十餘無子，婦悍妒，萬無納妾理，恒鬱鬱不適。偶至道觀，有道士招之曰：「君氣色凝滯，似有重憂。道家以濟物為念，盍言其實，或一效鉛刀之用乎？」異其言，具以告。道士曰：「固聞之，姑問君耳。君為製鬼卒衣裝十許具，當有以報命，如不能製，即假諸伶官亦可也。」心益怪之，然度其誆取無所用，當必有故，姑試其所為。是夕，婦

76　《槐西雜志》卷四，前揭書，頁 373。
77　《灤陽消夏錄》卷四，前揭書，頁 82。
78　《如是我聞三》卷三，前揭書，頁 210。

夢魘，呼不醒，且呻吟號叫聲甚慘。次日，兩股皆青
黯。問之，秘不言，籲嗟而已。三日後復然。自是每
三日後皆復然。半月後，忽遣奴喚媒媼，云將買妾。
人皆弗信。其夫亦慮後患，殊持疑。既而婦昏瞀累日，
醒而促買妾愈急，布金於案，與僮僕約，三日不得必
重扶，得而不佳亦重扶。觀其狀似非詭語，覓二女以
應，並留之。是夕即整飾衾枕，促其夫入房。舉家駭
愕，莫喻其意，夫亦惘惘如夢境。後復見道士，始知
其有術能攝魂，夜使觀中道眾為鬼裝，而道士星冠羽
衣，坐堂上焚符攝婦魂，言其祖宗翁姑以斬祀不孝，
具牒訴冥府，用桃杖決一百，遣歸，克期令納妾。婦
初以為魘夢，尚未肯。俄三日一攝，如徵比然。其昏
瞀累日，則倒懸其魂，灌鼻以醋，約三日不得好女子，
即付泥犁也。攝魂小術，本非正法，然法無邪正，惟
人所用，如同一戈矛，用以殺掠則劫盜，用以征討則
王師耳。術無大小，亦惟人所用，如不龜手之藥，可
以洴澼絖，亦可以大敗越師耳。道士所謂善用其術
歟！至囂頑悍婦，情理不能喻，法令不能禁，而道士
能以術制之。堯牽一羊，舜從而鞭，羊不行，一牧豎
驅之則群行。物各有所制，藥各有所畏。神道設教，
以馴天下之強梗，聖人之意深矣。講學家烏乎識之？[79]

句末的「神道設教，以馴天下之強梗，聖人之意深矣。
講學家烏乎識之？」正是紀昀重視神道設教之功，不排斥釋

---

79 《姑妄聽之》卷四，前揭書，頁 472-473。

道的原因。如同他對宏恩寺明心和尚所說的冥府故事，雖然
認為是「雖語頗荒誕，似出寓言」，但是「然神道設教，使人
知畏；亦警世之苦心，未可繩以妄語戒也」，尤其是對官、吏、
役、官之親屬、官之僕役這幾類「造福最易，造禍亦深」的
人，如能發生警惕的效果，豈非是神道設教之功：

> 宏恩寺僧明心言：上天竺有老僧，嘗入冥。見猙獰鬼
> 卒，驅數千人在一大公廨外，皆裼衣反縛。有官南面
> 坐，吏執簿唱名，一一選擇精粗，揣量肥瘠，若屠肆
> 之鬻羊豕。意大怪之。見一吏去官稍遠，是舊檀越，
> 因合掌問訊：「是悉何人？」吏曰：「諸天魔眾，皆以
> 人為糧。如來運大神力，攝伏魔王，皈依五戒。而部
> 族繁夥，叛服不常，皆曰自無始以來，魔眾食人，如
> 人食穀。佛能斷人食穀，我即不食人。如是嘵嘵，即
> 彼魔王亦不能制。佛以孽海洪波，沉淪不返，無間地
> 獄，已不能容。乃牒下閻羅，欲移此獄囚，充彼啖噬；
> 彼腹得果，可免荼毒生靈。十王共議，以民命所關，
> 無如守令，造福最易，造禍亦深。惟是種種冤愆，多
> 非自作；冥司業鏡，罪有攸歸。其最為民害者，一曰
> 吏，一曰役，一曰官之親屬，一曰官之僕隸。是四種
> 人，無官之責，有官之權。官或自顧考成，彼則惟知
> 牟利，依草附木，怙勢作威，足使人敲髓灑膏，吞聲
> 泣血。四大洲內，惟此四種惡業至多。是以清我泥犁，
> 供其湯鼎。以白皙者、柔脆者、膏腴者充魔王食，以
> 粗材充眾魔食。故先為差別，然後發遣。其間業稍輕
> 者，一經臠割烹炮，即化為烏有。業重者，拋餘殘骨，

吹以業風，還其本形，再供刀俎；自二三度至千百度
不一。業最重者，乃至一日化形數度，刲剔燔炙，無
已時也。」僧額手曰：「誠不如削髮出塵，可無此慮。」
吏曰：「不然，其權可以害人，其力即可以濟人。靈
山會上，原有宰官；即此四種人，亦未嘗無逍遙蓮界
者也。」語訖忽寤。僧有侄在一縣令署，急馳書促歸，
勸使改業。此事即僧告其侄，而明心在寺得聞之。雖
語頗荒誕，似出寓言；然神道設教，使人知畏；亦警
世之苦心，未可繩以妄語戒也。[80]

　　紀昀還舉一能視鬼老嫗所見之事，把鬼魂眷戀妻兒、依
依不捨的情狀，生動感人地描繪出來。所以後來有少寡議嫁
者，聽了老嫗所述鬼魂的戚然慘狀，以死自誓曰：「吾不忍使
亡者作是狀！」，紀昀認為「此里嫗之言，為動人生死之感」，
正是先王神道設教之深心：

先太夫人外家曹氏，有嫗能視鬼。外祖母歸寧時，與
論冥事，嫗曰：「昨於某家見一鬼，可謂癡絕。然情
狀可憐，亦使人心脾淒動。鬼名某，住某村，家亦小
康，死時年二十七八。初死百日後，婦邀我相伴，見
其恒坐院中丁香樹下，或聞婦哭聲，或聞兒啼聲，或
聞兄嫂與婦詬誶聲，雖陽氣逼爍不能近，然必側耳窗
外竊聽，悽慘之色可掬。後見媒妁至婦房，愕然驚起，
張手左右顧。後聞議不成，稍有喜色。既而媒妁再至，
來往兄嫂與婦處，則奔走隨之，皇皇如有失。送聘之

日，坐樹下，目直視婦房，淚涔涔如雨。自是婦每出
入，輒隨其後，眷戀之意更篤。嫁前一夕，婦整束奩
具，復徘徊簷外，或倚柱泣，或俯首如有思。稍聞房
內嗽聲，輒從隙私窺，營營者徹夜。吾太息曰：『癡
鬼何必如是？』若弗聞也。娶者入，秉火前行，避立
牆隅，仍翹首望婦。吾偕婦出回顧，見其遠遠隨至娶
者家，為門尉所阻，稽顙哀乞，乃得入。入則匿牆隅，
望婦行禮，凝立如醉狀。婦入房，稍稍近窗，其狀一
如整束奩具時。至滅燭就寢，尚不去。為中霤神所驅，
乃狼狽出。時吾以婦囑歸視兒，亦隨之返，見其直入
婦室，凡婦所坐處、眠處，一一視到。俄聞兒索母啼，
趨出環繞兒四周，以兩手相握，作無可奈何狀。俄嫂
出，撻兒一掌，便頓足拊心，遙作切齒狀。吾視之不
忍，乃逕歸，不知其後如何也。後吾私為婦述，婦齧
齒自悔。里有少寡議嫁者，聞是事，以死自誓曰：『吾
不忍使亡者作是狀！』」嗟乎！君子義不負人，不以
生死有異也；小人無往不負人，亦不以生死有異也。
常人之情，則人在而情在，人亡而情亡耳。苟一念死
者之情狀，未嘗不戚然感也。儒者見諂瀆之求福，妖
妄之滋惑，遂斷斷持無鬼之論，失先王神道設教之深
心。徒使愚夫愚婦，悍然一無所顧忌，尚不如此里嫗
之言，為動人生死之感也。[81]

紀昀重視神道設教的用意，雖然在鬼神之說上和宋儒相

81　《灤陽消夏錄》卷四，前揭書，頁 68-69。

左，但最終連一向服膺理學「一宗宋儒」的曾國藩也接受了，曾國藩就曾爲徐珤節錄《閱微草堂筆記》中鬼神因果故事而成的《紀氏嘉言》做序說：

> 浮屠警世之功與吾儒相同，亦未厚貶而槪以不然屏之者……世風日漓，無欲而爲善，無畏而不爲不善者，不可得已。苟有術焉，可以驅民於淳樸而稍遏其無等之欲，豈非士大夫有世敎之責者事哉？[82]

此外，紀昀不滿講學家苛刻不近人情的言論，往往加以抨擊，可看出紀昀爲人處世講求寬容、與人爲善的態度，其思想脈絡也可見紀父影響之痕跡。在《槐西雜志》卷二中記載一位丐婦抱兒扶姑渡河時，姑不幸仆倒，丐婦棄兒救姑，姑雖獲救而兒已亡，最後姑與丐婦俱傷心而亡的事：

> 東光有王莽河，即胡蘇河也。旱則涸，水則漲，每病涉焉。外舅馬公周籙言雍正末，有丐婦一手抱兒，一手扶病姑，涉此水行，中流姑蹶而僕，婦棄兒於水，努力負姑出，姑大詬曰：「我七十一老嫗，死何害？張氏數世，待此兒延香火，爾胡棄兒以拯我？斬祖宗之祀，爾也！」婦泣不敢語，長跪而已。越兩日，姑竟以哭孫不食死，婦嗚咽不成聲，癡坐數日，亦立槁，不知其何許人，但於其姑詈婦時，知爲姓張耳。有著論者，謂兒與姑較，則姑重，姑與祖宗較，則祖宗重；使婦或有夫，或有兄弟，則棄兒是，既兩世窮嫠，止一線之孤子，則姑所責者是，婦雖死有餘愧焉。姚安

---

82 曾國藩：〈紀氏嘉言序〉，《曾國藩全集》第 14 冊，（湖南：嶽麓書社，1986），頁 172。

公曰：「講學家責人無已時，夫急流洶湧，稍縱即逝，
豈此能深思長計者哉？勢不兩全，棄兒救姑，此天理
之正，而人心之所安也，使姑死而兒存，終身寧不耿
耿耶？不又有責以愛兒棄姑者耶？且兒方提抱，育不
育未可知，使姑死而兒又不育，悔更何如耶？此婦所
為，超出恆情已萬萬，不幸而其姑自殞，以死殉之，
其亦可哀矣！猶沾沾焉而動其喙，以為精義之學，毋
乃白骨銜冤，黃泉齎恨乎！孫復作《春秋尊王發微》，
二百四十年內，有貶無褒；胡致堂作《讀史管見》，
三代以下無完人，辯則辯矣，非吾之所欲聞也。」[83]

面對這樣的悲劇，「有著論者」尚議論著丐婦當救誰捨
誰，結論竟是「婦雖死有餘愧焉」，全然不見「如得其情，則
哀矜而勿喜」那種以同理心與憐憫心給予諒解包容並支持的
儒者風範，真是何等地冷血的表現。也難怪紀父要為之抱不
平，認為「此婦所為，超出恆情已萬萬，不幸而其姑自殞，
以死殉之，其亦可哀矣！」而議論者猶如孫復、胡寅論人的
「有貶無褒」、「三代以下無完人」，加以責難，自「以為是精
義之學」，而沾沾自喜，講學家苛刻不近人情的形象，卻也在
此表露無遺。紀父對孫復、胡寅的批評，在《四庫全書總目》
和《四庫全書簡明目錄》有相同而更嚴厲的批評。《四庫全書
總目》批評孫復：「謂春秋有貶無褒，大抵以深刻為主。晁公
武《讀書志》載常秩之言曰：『明復為春秋，猶商鞅之法，棄
灰於道者有刑，步過六尺者有誅。』蓋篤論也。而宋代諸儒

83　《槐西雜志》卷二，前揭書，頁 289-290。

喜爲苛議，顧相與推之，沿波不返，遂使孔庭筆削，變爲羅
織之經……過於深求而反失春秋之本旨者，實自復始。……
以後來說春秋者，深文鍛鍊之學，大抵用此書爲根柢，故特
錄存之，以著履霜之漸而具論其得失如右。」[84]，《四庫全書
簡明目錄》更嚴詞批評「謂春秋有貶無褒，遂使二百四十年
中，無一善類。常秩比於商鞅之法，殆非過詆。特錄存之，
著以申韓之學說春秋，自是人始也」[85]；《四庫全書總目》批
評胡寅爲「寅作是書，因其父說，彌用嚴苛。大抵其論人也，
人人責以孔、顏、思、孟；其論事也，事事繩以虞、夏、商、
周。名爲存天理，遏人欲，崇王道，賤霸功，而不近人情，
不揆事勢，卒至於窒礙而難行。」[86]可以看出紀昀秉承父訓
而發揮於《四庫全書總目》和《四庫全書簡明目錄》的脈絡。

在《閱微草堂筆記》中，紀昀對理學家在遵守禮法上的
僵化，造成不近人情、不揆事勢，動輒以禮苛責的弊病，往
往大加抨擊，其中的關鍵就是在如何看待「情慾」。如果以
宋儒的標準來看紀昀，如同朱熹所說的「十年浮海一身輕，
歸對黎渦卻有情。世路無如人欲險，幾人到此誤平生」[87]，

---

84 《四庫全書總目》卷 26《春秋尊王發微》提要，（北京：中華書局，
  1997），上冊頁 336。
85 《四庫全書簡明目錄》卷 3《春秋尊王發微》提要，（上海：上海古籍
  出版社，1985），頁 97。
86 《四庫全書總目》卷 89《讀史管見》提要，（北京：中華書局，1997），
  上冊頁 1173。
87 南宋紹興八年（1138），宋金和議垂成之際，胡銓上了一篇動天地、
  泣鬼神的〈戊午上高宗書〉，極力反對向金人屈膝投降，請斬王倫、
  秦檜、孫近之頭，並羈留金使，以興師問罪。卻因此得罪秦檜等，遭
  朝廷「十年貶海外」，先貶謫威武軍判官，十三年謫新州，十八年謫
  儋州（今屬海南省），後來獲准北還，起程那天在胡氏園置酒，在侍

視人欲如洪水猛獸，紀昀一定會遭致不矜細行、貪戀美色的批評，因為「昀頗蓄妾媵」[88]，無法達到禁慾的標準。紀昀雖然也是表彰烈女貞婦，但他並非和苛刻不近人情的道學先生一樣，動輒板著面孔要求寡婦守節、殉節。他甚至更對明人歸有光所鼓吹的未婚守節提出尖銳的質疑：「青娥初畫悵離鸞，白首孤燈事亦難。何事前朝歸太僕，儒門法律似申韓」[89]，和講學家嚴酷的態度比起來，他還是比較通達近人情的。我們從《槐西雜志》的故事中，可以知道他是認同「人非草木，豈得無情」，理性地承認了「人欲」的存在，重點是要「禮不可逾，義不可負，能自制不行耳」：

妓黎倩伴酒下，題詩一首說「君恩許還此一醉，傍有黎頰生微渦」。後朱熹見此詩，就寫下〈宿故氏館觀壁間題詩首警二絕〉「十年浮海一身輕，歸對黎渦卻有情。世路無如人欲險，幾人到此誤平生」，來諷刺胡銓不矜細行貪戀美色，也強調人欲的可怕。紀昀對此也有所辯白「然銓孤忠勁節照映千秋，乃以偶遇歌筵，不能作陳烈逾牆之遁，遂坐以自誤平生，其操之為已蹙矣。平心而論，是固不足以為銓病也」（《澹庵文集》提要，《四庫全書總目》卷158，（北京：中華書局，1997），下冊頁2114。）

88 紀昀：〈伯兄晴湖公墓誌銘〉，《紀曉嵐文集》第一冊，前揭書，頁379。清人的筆記中更有令人難以置信的記載「飲食男女，大欲存焉……紀文達日必五度，否則病。」（《蟲鳴漫錄》卷二，采蘅子纂，（台北：廣文書局，1969），頁46）。孫靜庵的《棲霞閣野乘》也講述紀曉嵐好色的故事：「河間紀文達公，為一代巨儒。幼時能於夜中見物，蓋其稟賦有獨絕常人者。一日不御女，則膚欲裂，筋欲抽。嘗以編輯《四庫全書》，值宿內庭，數日未御女，兩睛暴赤，顴紅如火。純廟偶見之，大驚，詢問何疾，公以實對。上大笑，遂命宮女二名伴宿。編輯既竟，返宅休沐，上即以二宮女賜之。文達欣然，輒以此誇人，謂為『奉旨納妾』云」。采蘅子的《蟲鳴漫錄》卷二說：「紀文達公自言乃野怪轉身，以肉為飯，無粒米入口，日御數女。五鼓如朝一次，歸寓一次，午間一次，薄暮一次，臨臥一次。不可缺者。此外乘興而幸者，亦往往而有」。

89 紀昀：〈蔡貞女詩〉，《紀曉嵐文集》第一冊，前揭書，頁545。

交河一節婦建坊，親串畢集。有表姊妹自幼相謔者，
戲問曰：「汝今白首完貞矣。不知此四十餘年中，花
朝月夕，曾一動心否乎？」節婦曰：「人非草木，豈
得無情。但覺禮不可逾，義不可負，能自制不行耳。」
一日，清明祭掃畢，忽似昏眩，喃喃作囈語。扶掖歸，
至夜乃蘇，顧其子曰：「頃恍惚見汝父，言不久相迎，
且勞慰甚至。言人世所為，鬼神無不知也。幸我平生
無瑕玷，否則黃泉會晤，以何面目相對哉！」越半載，
果卒。此王孝廉梅序所言，梅序論之曰：「佛戒意惡，
是剗除根本工夫，非上流人不能也。常人膠膠擾擾，
何念不生？但有所畏而不敢為，抑亦賢矣。此婦子
孫，頗諱此語。余亦不敢舉其氏族。然其言光明磊落，
如白日青天，所謂皎然不自欺也，又何必諱之！」[90]

如同《禮記‧禮運篇》中所說的「飲食男女，人之大欲
存焉」，要求守節幾十年的寡婦，始終心如枯井，波瀾不生，
豈「非上流人不能也」，但是紀昀認為內心中感受到「情」的
存在並不可怕，關鍵是以「禮」抑「情」，能自制不發生越軌
的行為[91]，所以此婦子孫又何必隱諱此語！這樣的思想淵
源，無疑地是受到紀晫的影響。紀昀在悼念其兄長時曾言及：

（紀晫）自少至老無二色，昀頗蓄妾媵，公弗禁。曰
「妾媵猶在禮法中，並此強禁，必激而蕩于禮法外

---

90 《槐西雜志》卷一，《紀曉嵐文集》第二冊，前揭書，頁247。

91 這點看法和胡仔「若戒之則誠難，節之則為易，乃近於人情也」（《苕
溪漁隱叢話後集》卷31，（台北：木鐸出版社，1982），頁233）頗為
相近。

矣」。[92]

紀暤以禮法來節制情慾、代替強禁的觀念，紀昀深受其影響。紀昀的好色「頗蓄妾媵」，細究之，在當時「妾媵猶在禮法中」，這或許就是紀昀會主張用寬容的態度來看待情慾的原因。畢竟能達到不起心動念的人少，能「禮不可逾，義不可負，能自制不行」，就難能可貴了，嚴格的禁止恐怕只會「必激而蕩於禮法外矣」，產生更多的假道學罷了。這樣對當時理學思想修正的觀念，未嘗不是比紀昀年代稍晚的凌廷堪（1755？-1809），所倡「以禮代理」的先聲。

（二）師友的影響。人生中如果遭遇到良師益友，不只可以學到知識，也可以學到為人處世的道理。反之，若不幸遭遇惡師損友，則可能貽誤一生。所遭遇到的師友，未嘗不事人生的一番際遇。紀昀在師友方面的際遇是相當幸運地，有幸能遇到許多良師益友，讓他不論是為人處世或是學問上，都得到莫大的助益。今試將紀昀師友對其著述之影響，略敘於後。

紀昀所遇到的老師，有些的教誨使他終生難忘，讓紀昀的思想深受其影響，我們從紀昀的著述中不難看到這樣的紀錄，今舉出紀昀關於貞節的看法二例，以說明紀昀思想之淵源，幸而有觀念通達的明師指引，使他能對當時嚴苛的禮教產生反省，也說明了日後紀昀為何在著述中，會每每批判講學家對貞節的要求過為嚴苛。

一是紀昀在禮部尚書任內（1803 年），上了一道摺子〈請

92 紀昀：〈伯兄晴湖公墓誌銘〉，《紀曉嵐文集》第一冊，前揭書，頁 379。

敕下大學士九卿科道詳議旌表例案摺子〉[93]，是要爲「猝遭強暴，力不能支，捆縛捺抑，竟被姦汙者」「例不旌表」不近人情的規定翻案，因爲一個孱弱女子，面對歹徒的強暴，往往無能爲力。「譬如忠臣烈士，誓不從賊，而四體縶縛，眾手把持，強使跪拜，可謂之屈膝賊庭哉？」因身爲禮部的長官，負有旌表的職責，「每遇此等案件，不敢不照例核辦。而揆情度理，於心終覺不安」，他提請皇上將此事交大學士九卿科道評議，對於不屈見戕的婦女「量予旌表」，這個奏議得到了嘉慶皇帝的允准。事實上這事的動機，紀昀在《閱微草堂筆記》中早已有一則藉著冤魂之口，痛訴制度不合理的故事，已經可以看見端倪：

> 許南金先生言康熙乙未，過阜城之漫河，夏雨泥濘，馬疲不進，息路旁樹下，坐而假寐。恍惚見女子拜，言曰：「妾黃保寧妻湯氏也，在此為強暴所逼，以死捍拒，卒被數刃而死。官雖捕賊駢誅，然以妾已被汙，竟不旌表。冥官哀其貞烈，俾居此地，為橫死諸魂長，今四十餘年矣。夫異鄉丐婦，踽踽獨行，猝遇三健男子執縛於樹，肆行淫毒，除罵賊求死，別無他術，其齧齒受玷，由力不敵，非節之不固也，司讞者苛責無已，不亦冤乎？公狀貌似儒者，當必明理，乞為白之。」夢中猶詢其里居，霍然已醒，後問阜城士大夫無知其事者，問諸老吏亦不得其案牘，蓋當時不以為烈婦，湮沒久矣。[94]

93 《紀曉嵐文集》第一冊，前揭書，頁 89。
94 《如是我聞》卷一，前揭書，頁 130-131。

　　這是紀昀少年時聽到業師許南金先生所說的故事，雖然日深歲久，但紀昀幸能在其逝世前兩年，對不合理的制度提出糾正。這種作法雖然不能從根本上解決講學家對貞節要求過為嚴苛的問題，但可以看到紀昀內心深處細膩的人情味和寬厚仁愛的為政思想，同時也以曲折的方式，表達了他的批判。

　　另一則紀昀少年時聽聞的故事，讓他日後能用寬容的態度來看待守節的問題，也是和得到師長的教誨有極大的關係：

　　　有遊士以書畫自給，在京師納一妾，甚愛之，或遇讌會，必袖果餌以貽，妾亦甚相得。無何病革，語妾曰：「吾無家，汝無歸，吾無親屬，汝無依。吾以筆墨為活，吾死汝琵琶別抱，勢也，亦理也。吾無遺債累汝，汝亦無父母兄弟掣肘，得行己志，可勿受錙銖聘金，但與約歲時許汝祭我墓，則吾無恨矣。」妾泣受教，納之者，亦如約，又甚愛之，然妾恆鬱鬱憶舊恩，夜必夢故夫同枕席，睡中或妮妮囈語。夫覺之，密延術士，鎮以符籙，夢語止，而病漸作，馴至綿惙。臨歿，以額叩枕曰：「故人情重實不能忘，君所深知，妾亦不諱，昨夜又見夢曰：『久被驅遣，今得再來，汝病如是，何不同歸？』已諾之矣，能邀格外之惠，還妾屍於彼墓，當生生世世，結草銜環，不情之請，惟君圖之。」語訖奄然。夫豪士，慨然曰：「魂已往矣，留此遺蛻何為？楊越公能合樂昌之鏡，吾不能合之泉下乎？」竟如所請。此雍正甲寅乙卯間事，余時年十

一二，聞人述之，而忘其姓名。[95]

當時年僅十來歲的紀昀對此事的看法是「余謂再嫁，負故夫，嫁而有貳心，負後夫也，此婦進退無據焉。」而一位師長「何子山先生亦曰：『憶而死，何如殉而死乎？』」，顯然紀昀當時的看法並不如後來的寬厚，而何子山所言也有些苛刻，倒是另一位師長「何勵庵（琇）先生則曰：『《春秋》責備賢者，未可以士大夫之義，律兒女子，哀其愚可也，憫其志可也。』」，提出和紀昀、何子山不同的看法，少了嚴詞責難，而多了些憐憫之心。事過多年，晚年的紀昀回想起此事，不諱言年少時評論「此婦進退無據」，倒是以何勵庵的話做為定論，大概這番教誨深深地影響了紀昀，所以隨著歲月增長，人事歷練增多，紀昀看待這類守節之事已能藉小人物之口說出「婦再嫁常事，娶再嫁婦亦常事」[96]這樣的話來。我們且看日後紀昀再聽到類似情節的事時，他的評論已是像何勵庵一樣的看法，寬容地說出「哀其遇，悲其志，惜其用情之誤，則可矣。必執《春秋》大義，責不讀書之兒女，豈與人為善之道哉？」[97]、「憫其遇，悲其志」[98]這樣的話來，足見其師

---

95 《灤陽消夏錄》卷二，前揭書，頁 26-27。
96 《槐西雜志》卷四，前揭書，頁 354。
97 《槐西雜志》卷二，前揭書，頁 281-282。記紀昀對雍正年間福建學使之姬人為故夫殉情而死之評論「大抵女子殉夫，其故有二：一則撐住綱常，寧死不辱，此本乎禮教者也；一則忍恥偷生，苟延一息，冀樂昌破鏡，再得重圓，至望絕勢窮，然後一死以明志，此生於情感者也。此女不死於販鬻之手，不死於媒氏之家，至玉玷花殘，得故夫凶問而後死，誠為太晚，然其死志則久矣。特私愛纏綿，不能自割，在其意中，固不以當死不死，為負夫之恩，直以可待不待，為辜夫之望，哀其遇，悲其志，惜其用情之誤，則可矣。必執《春秋》大義，責不讀書之兒女，豈與人為善之道哉？」

當年教誨之影響。

　　此外，紀昀也能很巧妙地將師長的教誨，運用於文論上。例如對於文學創作上擬議和變化這兩者的爭議，紀昀就記取了座師阿桂的教誨，將其發揮於文論上：

> 阿文勤公嘗教昀曰：「滿腹皆書能害事，腹中竟無一卷書，亦能害事。國弈不廢舊譜，而不執舊譜；國醫不泥古方，而不離古方。故曰：『神而明之，存乎其人。』又曰：『能與人規矩，不能使人巧。』」[99]

　　除了阿桂的教誨，再加上紀昀深厚的學識，紀昀清楚文

98　《灤陽續錄》卷一，前揭書，頁 504-505。記紀昀評論改嫁婦之事：司庖楊媼言其鄉某甲，將死，囑其婦曰：「我生無餘貲，身後汝母子必凍餓，四世單傳，存此幼子，今與汝約，不拘何人，能爲我撫孤則嫁之，亦不限服制月日，食盡則行。」囑訖，閉目不更言，惟呻吟待盡，越半日，乃絕。有某乙聞其有色，遣媒妁請如約，婦雖許婚，以尙足自活不忍行。數月後，不能舉火，乃成禮，合巹之後，已滅燭就枕，忽聞窗外嘆息聲，婦識其聲欸，知爲故夫之魂，隔窗嗚咽語之曰：「君有遺言，非我私嫁，今夕之事，於勢不得不然，君何以爲祟？」魂亦嗚咽曰：「吾自來視兒，非來祟汝，因聞汝啜泣卸妝，念貧故，使汝至於此，心脾悽動，不覺喟然耳。」某乙悸甚，急披衣而起曰：「自今以往，所不視君子如子者有如日。」靈語遂寂。後某乙耽玩豔妻，足不出戶，而婦恆惘惘如有失，某乙倍愛其子以媚之，乃稍稍笑語。七八載後，某乙病死無子，亦別無親屬，婦據其貲延師教子，竟得遊泮，又爲納婦，生兩孫。至婦年四十餘，忽夢故夫曰：「我自隨汝來，未曾離此，因吾子事事得所，汝雖日與彼狎暱，而念念不忘我，燈前月下，背人彈淚，我見之，故不欲稍露形聲，驚爾母子。今彼已轉輪，汝壽已盡，餘情未斷，當隨我同歸也。」數日，果微疾，以夢告其子，不肯服藥，茌苒遂卒。其子奉棺合葬於故夫，從其志也。程子謂「餓死事小，失節事大」，是誠千古之正理，然爲一身言之耳，此婦甘辱一身以延宗祀，所全者大，似又當別論矣。楊媼能舉其姓氏里居，以碎璧歸趙，究非完美。隱而不書，憫其遇，悲其志，爲賢者諱也。

99　〈灤陽消夏錄〉，前揭書，卷三，頁 50。

學創作上擬議和變化，這兩種方法都有偏頗，紀昀在後面所
提出的意見，不難看出是阿桂所說的意見更進一步的發揮：

> 故至嘉隆七子，變無可變，於是轉而言復古，古體必
> 漢、魏，近體必盛唐，非如是不得入宗派。然摹擬形
> 似，可以駭俗目，而不可以炫真識，於是公安、競陵
> 乘機別出，麼絃側調纖詭相矜，風雅遺音迫明季而掃
> 地焉。論者謂王李之派，有擬議而無變化，故塵飯土
> 羹；三袁、鍾、譚之派，有變化而無擬議，故佝規破
> 矩。[100]

　　而要糾正這種弊病，紀昀主張「又必深知古人之得失而
後可以工諸體詩」[101]，強調在「寢食古人」基礎上能「神明
變化」[102]，他認爲一味摹古，不過是「雙鉤塡廓」[103]、「異乎
嘉隆七子規規摹杜之形，似宏音亮節，實爲塵飯土羹也」[104]，
又如〈南康望湖亭〉一詩紀評：「但存唐人聲貌，而無味可咀；
此種最害事。而轉相神聖，自命曰高。或訾謷，則曰俗」、「蓋
盛唐之說行，而盛唐之真愈失矣」，又如〈塵外亭〉一詩紀評：
「若泛寫山光樹色，則一首詩可題遍天下名勝矣。盛談王孟
之高渾者，往往似馬首之絡，偶見之似可喜，數見之則有多
少不滿人意處」[105]。他並不排除新變，他稱許朱鶴齡評李商

---

100 紀昀：〈四百三十二峰草堂詩鈔序〉，前揭書，頁 207。
101 紀昀：《紀校玉臺新詠》卷九梁簡文帝〈雜句從軍行〉評語，烏絲闌
　　舊鈔本。
102 紀昀：〈唐人試律說序〉，前揭書，頁 182。
103 紀評《蘇文忠公詩集》卷三十五〈和陶飲酒〉紀評，（北京：北京圖
　　書館出版社，2001），頁 35-4。
104 〈二樟詩鈔序〉，前揭書，頁 200。
105 二詩紀評具見於《蘇詩彙評》，（四川：四川文藝出版社，2000），頁
　　1591、1600。

隱的詩「得子美之深而變出之」一語說：「『變出之』三字為千古揭出正法眼藏」[106]；評李商隱〈送王十三校書分司〉云：「神奇臭腐轉易何常，故知『變出之』一語乃學古之金鍼也」[107]，可見紀昀充分肯定了變的重要，但不能只求摹古而不變化，只求變化而不摹倣學習。

> 大抵始於有法，而終於以無法為法；始於用巧，而終於以不巧為巧。此當寢食古人，培養其根柢，陶熔其意境，而後得其神明變化、自在流行之妙。[108]
>
> 蓋必心靈自運，而後能不立一法，不離一法，所謂神而明之，存乎人也。……如花釀蜜，如黍作酒，得其神不襲其貌，卓然自為一家[109]
>
> 夫為文不根柢古人，是俹規矩也；為文而刻畫古人，是手執規矩，不能自為方圓也。孟子有言：梓匠輪輿，能與人規矩，不能使人巧。是雖非為論文設，而千古論文之奧，具是言矣。[110]

在寢食古人的基礎上「總須熔經鑄史，以《騷》《選》及八代、三唐為根柢。根柢既深，識力既確，」[111]，得其神而不襲其貌，然後神明變化，自成一家：

---

106 紀昀：《王谿生詩說》卷首之朱鶴齡：〈箋注李義山詩集序〉紀評，收入《叢書集成續編》，（臺北：藝文印書館，1971）。
107 劉學鍇、余恕誠：《李商隱詩歌集解》，（北京：中華書局，2004），頁 2129。
108 紀昀：〈唐人試律說序〉，前揭書，頁 182。。
109 紀昀：〈四百三十二峰草堂詩鈔序〉，前揭書，頁 207。。
110 紀昀：〈香亭文稿序〉，前揭書，頁 193。
111 《筱園詩話》卷一引《瀛奎律髓刊誤》序，收入《續修四庫全書》1708 冊，（上海：上海古籍出版社，2002），頁 18。

爲詩之道，非惟語不可偷，即偷勢、偷意，亦歸窠臼。
夫悟生於相引，有觸則通；力迫於相持，勢窮則奮。
善爲詩者，當先取古人佳處涵詠之，使意境活潑如在
目前。擬議之中，自生變化。如「蕭蕭馬鳴，悠悠旗
旌」，王籍化爲「蟬噪林愈靜」；「光風轉蕙，泛崇蘭
欤」，荆公化爲「扶輿度陽焰，窈窕一川花」，皆得其
句外意也。水部《詠梅》有「憶枝卻月觀」句，和靖
化爲「水邊籬落忽橫枝」；「疏影橫斜水清淺」，東坡
化爲「竹外一枝斜更好」，皆得其句中味也。「春水滿
四澤」，變爲「野水多於地」，「夏雲多奇峰」變爲「山
雜夏雲多」，就一句點化也。「千峰共夕陽」，變爲「夕
陽山外山」；「日華州上動」，變爲「夕陽明滅亂流中」，
就一字引申也。「到江吳地盡，隔岸越山多」變爲「吳
越到江分」，縮之而妙也。「曲徑通幽處，禪房花木
深」，變爲「微雨晴復滴，小窗幽且妍。盆山不見日，
草木自蒼然」，衍之而妙也。如是有得，乃立古人於
前，竭吾之力而與之角。如雙鵠並翔，各極所至；如
兩鼠鬥穴，不勝不止。思路斷絕之處，必有精神坌湧，
忽然遇之者，正不必撦撏玉溪，隨人作計也。[112]

　　紀氏不厭其煩地舉了許多詩句，來說明他這種從擬議中
生出變化的看法，甚至還以此觀點，在會試中命題：

北地、信陽以摹擬漢、唐流爲膚濫，然因此禁學漢、
唐，是盡僞古人之規矩也；公安、竟陵以葤甲新意，

---

112 紀昀：《唐人試律說》〈海上生明月〉紀評，《紀曉嵐文集》第三冊，
　　頁 21-22。

流為纖佻，然因此惡生新意，是錮天下之性靈也。又
何以酌其中歟？[113]

摹擬之後生出變化，變化要能自成一家，就是要達到渾成自
然最高的境界，不露出雕琢的痕跡，紀昀在許多地方，不斷
地提出「妙造自然」、「自然而然」、「自然以為宗」、「純任自
然」、「自然成文」、「自然成響」這樣的看法，指出他對創作
的途徑，由摹擬之後生出變化→變化要達到自然天成的境界：

細意刻畫，妙造自然，凡摹形寫照之題，固以工巧為
尚，然巧而纖，巧而不穩，巧而有雕琢之痕，皆非其
至者也。[114]

龍無定形，雲無定態。形態萬變，雲龍不改。文無定
法，是即法在。無騁爾才，橫流滄海。[115]

荷盤承露，滴滴皆圓。可譬文心，妙造自然。[116]

蟲之蛀葉，非方非圓。古之至文，自然而然。[117]

譬彼文章，渾成者勝於湊合。[118]

文章詞掩意，徒侈腹多書。譬作新漁具，還施舊釣
車。……珍重操觚士，無勞獺祭魚。[119]

齊梁文藻，日競雕華，標自然以為宗，是彥和吃緊為

---

113 紀昀：〈嘉慶丙辰會試策問五道〉，前揭書，頁 271。
114 紀昀：〈庚辰集・清露點荷珠〉紀評，《紀曉嵐文集》第三冊，前揭
　　書，頁 194。
115 紀昀：〈雲龍硯銘〉，前揭書，頁 283。
116 紀昀：〈荷葉硯銘〉，前揭書，頁 288。
117 紀昀：〈破葉硯銘〉，前揭書第一冊，頁 289。
118 紀昀：〈筆斗銘〉，前揭書第一冊，頁 298。
119 紀昀：〈我法集・賦得翠綸桂餌得魚字〉，前揭書第三冊，頁 641。

人處。[120]

純任自然，彥和之宗旨，即千古之定論。[121]

故善為詩者，其思瀹發於性靈，其意陶鎔於學問，凡
物色之感於外，與喜怒哀樂之動於中者，兩相薄而發
為歌詠，如風水相遭，自然成文；如泉石相舂，自然
成響。劉勰所謂情往似贈，興來如答，蓋即此意。豈
步步趨趨、摹擬刻畫、寄人籬下者所可擬哉？[122]

　　除了師長的教誨，影響了紀昀的著述外，我們也從紀昀
的交遊中，看到紀昀和好友之間彼此的切磋琢磨。他們彼此
對學術上的見解，或贊成或反對，彼此激盪著智慧的火花，
在此也看到了紀昀朋友勸善規過之義、友朋服善之益、不沒
人長等友朋之間互動的情形。例如周永年（書昌）講了一則
他聽到鬼魂惋惜前後七子所引起的門戶之爭一事[123]，紀昀也

120　紀昀：《文心雕龍・原道篇》紀評，（江蘇：江蘇廣陵古籍刻印社，
　　　1998），頁22。
121　紀昀：《文心雕龍・隱秀篇》紀評，（江蘇：江蘇廣陵古籍刻印社，
　　　1998），頁334。
122　紀昀：〈清艷堂詩序〉，前揭書第一冊，頁202。
123　周書昌曰：「昔遊鵲華，借宿民舍。窗外老樹森翳，直接岡頂。主人
　　　言時聞鬼語，不辨所說何事也。是夜月黑，果隱隱聞之，不甚了了，
　　　恐驚之散去，乃啓窗潛出，匍匐草際，漸近竊聽。乃講論韓、柳、
　　　歐、蘇文，各標舉其佳處。一人曰：『如此乃是中聲，何前後七子，
　　　必排斥不數，而務言秦漢，遂啓門戶之爭？』一人曰：『質文遞變，
　　　原不一途。宋末文格猥瑣，元末文格纖穠，故宋景濂諸公力追韓、
　　　歐，救以春容大雅。三楊以後，流為臺閣之體，日就膚廓，故李崆
　　　峒諸公，又力追秦漢，救以奇偉博麗。隆、萬以後，流為偽體，故
　　　長沙一派又反唇焉。大抵能挺然自為宗派者，其初必各有根柢，是
　　　以能傳；其後亦必各有流弊，是以互詆。然董江都、司馬文園文格
　　　不同，同時而不相攻也。李、杜、王、孟詩格不同，亦同時而不相
　　　攻也。彼所得者深焉耳。後之學者，論甘則忌辛，是丹則非素，所

舉了一則鬼魂調停趙執信和王漁洋兩家詩說之事以爲回應
[124]，都是在對消弭文學門戶之爭的意見表達。紀昀也曾對周
永年、戴震表達了對經學上門戶之爭的看法，無疑地，這也
是彼此之間的切磋琢磨。他在〈周易義象合纂序〉中稱「古
今說五經者，惟《易》最夥，亦惟《易》最多歧論甘者忌辛，
是丹者非素，斷斷相爭，各立門戶，垂五六百年於茲」，對這
種門戶之爭，紀昀以「水」做了一個生動的比喻：

> 余嘗與戴東原、周書昌言：「譬一水也，農家以為宜

得者淺焉耳。』語未竟，我忽作嗽聲，遂乃寂然，惜不盡聞其說也。」
余曰：「此與李詞畹記飴山事，均以平心之論托諸鬼魅，語已盡無庸
歇後矣。」書昌微慍曰：「永年百無一長，然一生不能作妄語。先生
不信，亦不敢固争。〈槐西雜志〉卷四，前揭書第二冊，頁 344-345。

124 益都李詞畹言，秋谷先生南游日，借寓一家園亭中。一夕就枕後，
欲製一詩，方沉思間，聞窗外人語曰：「尙未睡耶？清詞麗句，已心
醉十餘年。今幸下榻此室，竊聽緒論，雖已經月，終以不得質疑問
難爲恨，慮或倉卒別往，不罄所懷，便爲平生之歉。故不辭唐突，
願隔窗聽揮塵之談，先生能不拒絕乎？」秋谷問爲誰，曰：「別館
幽深，重門夜閉，自斷非人跡所到，先生神思夷曠，諒不恐怖，亦
不必深求」。問何不入室相晤，曰：「先生襟懷蕭散，僕亦倦於儀文，
但得神交，何必定在形骸之內耶？」秋谷因日與酬對，於六義頗深。
如是數夕，偶乘醉戲問曰：「聽君議論，非神非仙，亦非鬼非狐，毋
乃山中木客解吟詩乎？」語訖寂然。穴隙窺之，缺月微明，有影蓬
蓬然，掠水亭簷角而去。園中老樹參天，疑其木魅矣。詞畹又云，
秋谷與魅語時，有客竊聽，魅謂漁洋山人詩，如名山勝水，奇樹幽
花，而無寸土藝五穀；如雕欄曲榭，池館宜人，而無寢室庇風雨；
如彝鼎罍洗，斑斕滿幾，而無釜甑供炊爨；如纂組錦繡，巧出仙機，
而無裘葛禦寒暑；如舞衣歌扇，十二金釵，而無主婦司中饋；如梁
園金谷，雅客滿堂，而無良友進規諫。秋谷極爲擊節。又謂明季詩，
庸音雜奏，故漁洋救之以清新；近人詩，浮響日增，故先生救之以
刻露。勢本相因，理無偏勝，竊意二家宗派，當調停相濟。合則雙
美，離則兩傷。秋谷頗不平之云。〈灤陽消夏錄〉卷三，前揭書第一
冊，頁 57。

灌溉，舟子以為宜往來，形家以為宜砂穴，兵家以為宜扼拒，遊覽者以為宜眺賞，品泉者以為宜茶莽，澣綄者以為利浣濯：各得所求，各適其用，而水則一也。譬一都會也，可自南門入，可自北門入，可自東門入，可自西門入，各從其所近之途，各以為便，而都會則一也。《易》之理何獨不然。東坡《廬山》詩曰：『橫看成嶺側成峰，。遠近高低各不同。不識廬山真面目，只緣身在此山中。』通此意以解《易》，則《易》無門戶矣。紛紛互詰，非仁智自生妄見乎。」[125]

　　《易》學主象，主理、主事三派的紛爭，在紀昀看來實在是「仁智自生妄見」，因此他欣賞的是李東圃於「漢學、宋學兩無所偏好，亦無所偏惡」這種持平之論，甚至發出「余向纂《四庫全書》，作經部詩類小序曰：『攻漢學者，意不盡在于經義，務勝漢儒而已；伸漢學者，意亦不盡在於經義，憤宋儒之詆漢儒而已。出爾反爾，勢于何極。』安得如君者數十輩與校定四庫之籍也」的感慨，由此也可以看出紀昀致力於平息漢宋學門戶之爭，力求公允之論的用心。

　　就是由於這種力主消弭門戶之見的信念，讓紀昀和好友戴震有一次意見相左不愉快的經驗，以博學如戴震者，竟也不免有「不使外國之學勝中國，不使後人之學勝古人」的成見，主張等韻之學，以孫炎反切為鼻祖，無視《隋書·經藉志》明載梵書以十四字貫一切音，漢明帝時與佛經同入中國，早於孫炎以前百餘年之事實。讓紀昀徒生「通人之一蔽」、「失

125 紀昀：〈周易義象合纂序〉，前揭書第一冊，頁153-154。

朋友規過之義」的遺憾：

> 東原與昀交二十餘年，主昀家前後幾十年，凡所撰
> 錄，不以昀為陋，頗相質證，無不犁然有當於心者。
> 獨《聲韻考》一編，東原計昀必異論，竟不謀而付刻。
> 刻成，昀乃見之，遂為平生之遺憾。蓋東原研究古義，
> 務求精核，於諸家無所偏主。其堅持成見者，則在不
> 使外國之學勝中國，不使後人之學勝古人。故於等韻
> 之學，以孫炎反切為鼻祖，而排斥神珙反紐為元和以
> 後之說。夫神珙為元和中人，固無疑義，然《隋書‧
> 經籍志》明載梵書以十四字貫一切音，漢明帝時與佛
> 經同入中國，實在孫炎以前百餘年。且《志》為唐人
> 所撰，遠有端緒，非宋以後臆揣者比。安得以等韻之
> 學歸諸孫炎，神珙反謂為孫炎之末派旁支哉？東原博
> 極群書，此條不應不見。昀嘗舉此條詰東原，東原亦
> 不應不記，而刻是書時仍諱而不言，務伸己說，遂類
> 西河毛氏之所為，是亦通人之一蔽也……昀於東原交
> 不薄，嘗自恨當時不能與力爭，失朋友規過之義。[126]

有時紀昀和朋友間的切磋琢磨，讓他能汲取朋友研究的成果，達到「友朋服善之益」。乾隆四十四年，紀昀將錢大昕撰〈曹全碑跋尾〉一條，著於《四庫全書總目》，翁方綱有詩記之：

> 篋中收得萬山青，跋尾非徒翰墨靈。不獨研經兼石
> 史，曹全碑已伏茶星。[127]

---

126 紀昀：〈與余存吾太史書〉，前揭書，頁 274。
127 翁方綱：〈東墅復次前韻，有懷鍾山院長盧抱經學士、錢辛楣詹事，

　　該詩原注:「辛楣近尤殫心史學,故云爾。昨見曉嵐援辛楣〈曹全碑跋尾〉一條,著於《四庫書錄》。不特徵定論之公,亦見友朋服善之益也。」茶星,是紀昀的號,翁方綱這首詩除了說明錢大昕研究的成果讓紀昀折服外,也點出了紀昀確有撰寫《四庫全書總目》之事。事實上,紀昀撰寫《四庫全書總目》援引錢大昕金石學的研究成果共有五處[128],足見紀昀友朋對其著述確有影響,也可見紀昀「服善」的精神。

　　紀昀不僅能汲取朋友之長,對晚輩也是如此,他並不諱言向晚輩學習,反而還津津樂道,自稱藍出於青,贏得「不沒人長」[129]的美譽:

> 壬午順天鄉試,余充同考官⋯⋯余丙子扈從古北口時,車馬雍塞,就旅舍小憩,見壁上一詩,剝殘過半,惟三四句可辨,最愛其「一水漲喧人語外,萬山青到馬蹄前」二語,以為「雲中路繞巴山色,樹裡河流漢水聲」不是過也,惜不得姓名。及展其卷,此詩在焉。乃知鍼芥契合,已在六七年前,相與歎息者久之。⋯⋯余〈嚴江舟中詩〉曰:「山色空濛淡似煙,參差綠到

且及二君經學,因復次答,兼懷二君〉之二。見《復初齋集外詩》卷13。

128 紀昀援引錢大昕金石學的研究成果稱之為「潛研堂金石文跋尾」,這五處分別是〈求古錄提要〉、〈遼史提要〉、〈𣂪隸釋提要〉、〈金薤琳琅提要〉、〈金石文字記提要〉。此外,紀昀在評點《文心雕龍》時也曾引用錢大昕之說「名似誤,同年錢辛楣云」(《紀曉嵐評注文心雕龍》,江蘇廣陵古籍刻印社,1998,頁172。)

129 「嘗語子穎,謂此首實從萬山句脫胎。人言青出於藍,今日乃藍出於青,此固騷壇佳話,亦可見前輩之虛心盛德,不沒人長也」,小橫香室主人:《清朝野史大觀》卷九,(河北:河北人民出版社,1997,頁1042)。

大江邊。斜陽流水推篷坐，處處隨人欲上船。」實從
「萬山」句奪胎。嘗以語子穎曰：「人言青出於藍，
今日乃藍出於青。」[130]

　　由上面所舉的例子看來，在紀昀思想中一些重要的觀
念，如重實學輕空談、主張神道設教的鬼神觀反對理學無鬼
神之論、對講學家苛刻不近人情的抨擊、以禮法節制情慾反
對苛刻的禮教等觀念，都有紀昀父兄這二人對紀昀影響的痕
跡。此外，紀昀有此際遇，幸而有觀念通達的明師指引，使
他能對當時嚴苛的禮教產生反省，也說明了日後紀昀為何在
著述中，會每每批判講學家對貞節的要求過為嚴苛。而其交
往的益友，可以看到了紀昀和友朋間有勸善規過之義、友朋
服善之益、不沒人長等友朋之間彼此互動的情形，也確實看
到友朋對紀昀著述影響之痕跡。

三、時代環境對紀昀著述之影響

　　紀昀遭逢的時代正是乾嘉時期學術界漢學、宋學相爭的
時代，也正是詩壇祖唐祧宋爭論非常激烈的時期。如此的際
遇，使他的學術見解和詩論，都深深地受到當時時代環境的
影響，因此他的學術見解與詩論，不可避免地會有許多針對
當時現象而表達的意見。無怪乎阮元在《紀文達公遺集》序
中，曾用「辨漢宋儒術之是非，析詩文流派之正偽」[131]這兩
句話來概括紀昀一生的學術成就，其中「辨漢宋儒術之是非」

130　〈灤陽續錄〉卷四，前揭書，頁 546-547。
131　《紀曉嵐文集》第三冊，前揭書，727 頁。

是指紀昀對漢宋學之爭的見解，而「析詩文流派之正僞」就是指出紀昀對唐宋詩之爭的見解。而紀昀的目標就是在辨漢宋儒術之「是非」和析詩文流派之「正僞」之後，能「屏除門戶，一洗糾紛」[132]。雖然紀昀無法達到這樣的目標，甚至因爲紀昀在《閱微草堂筆記》中對理學末流，特別是某些「講學家」，極盡諷刺、挪揄之能事，尤其是生動逼真地刻畫出某些講學家苛刻不近人情的形象、虛僞矯作假道學的形象，貶抑批判的意味相當地明顯，所以以致於有人視其爲漢學陣營「乾、嘉時代反程、朱的第一員猛將」[133]這樣功魁般的評價，也有人認爲「近世氣節壞、學術蕪，大抵紀昀之罪也」[134]、「數百年風氣之衰，紀氏之過也」[135]這樣罪首般的評語。但是在《閱微草堂筆記》中，紀昀也曾透過多則故事表達對門戶之爭的惋惜與痛恨[136]。因此紀昀對漢、宋二學門戶之分，多持

---

132 徐世昌：〈獻縣學案〉，《清儒學案》卷 80，（台北：世界書局，1962），頁 1。

133 如余英時即稱紀昀爲「乾、嘉時代反程、朱的第一員猛將」，《論戴震與章學誠》，（台北：華世書局，1980），頁 106。

134 康有爲：《新學僞經考》三上，《續修四庫全書》179 冊，（上海：上海古籍出版社，2002），頁 497-498。

135 周積明：《紀昀評傳》引平等閣主人（狄葆賢）加批《閱微草堂筆記》評語，（南京：南京大學出版社，1997），頁 168。狄氏所批有正書局於 1922 出版，筆者惜未見。

136 如《如是我聞》卷四藉鬼狐之口，對宋儒「門戶交爭，遂釀爲朋黨，而國隨以亡」，而「東林諸儒，不鑒覆轍，又鶩虛名而受實禍」又重蹈宋儒近名好勝之弊，只能憑弔遺蹤相對嘆息，痛心疾首之情溢於言表：裘文達公言嘗聞諸石東村曰：「有驍騎校，頗讀書，喜談文義。一夜，寓直宣武門城上乘涼，散步至麗譙之東，見二人倚堞相對語。心知爲狐鬼，屏息伺之。其一舉手北指曰：『此故明首善書院，今爲西洋天主堂矣。其推步星象，製作器物，實巧不可階；其教則變換佛經，而附會以儒理。吾曩往竊聽，每談至無歸宿處，輒以天主解

平之論[137]，可惜的是，竟不能引起眾人的注意，遂致使紀昀

結，故迄不能行，然觀其作事，心計亦殊黠。』其一曰：『君謂其黠，我則怪其太癡。彼奉其國王之命，航海而來，不過欲化中國為彼教，揆度事勢，寧有是理？而自利瑪竇以後，源源續至，不償其所願，終不止。不亦儳歟？』其一又曰：『豈但此輩癡，即彼建首善書院者，亦復大癡。姦璫柄國，方陰伺君子之隙，肆其詆排，而群聚清談，反予以鉤黨之題目，一網打盡，亦復何尤。且三千弟子，惟孔子則可，孟子揣不及孔子，所與講肆者，公孫丑、萬章等數人而已。洛閩諸儒，無孔子之道德，而亦招聚生徒，盈千累萬，梟鸞並集，門戶交爭，遂釀為朋黨，而國隨以亡。東林諸儒，不鑒覆轍，又騖虛名而受實禍。今憑弔遺蹤，能無責備於賢者哉！』方相對歎息，忽回顧見人，翳然而滅。」東村曰：「天下趨之如鶩，而世外之狐鬼，乃竊竊不滿也。人誤耶？狐鬼誤耶？」（前揭書，頁229。）紀昀更將這種門戶之爭，以短短幾句話的故事，寫出門戶之爭，至死不休，甚至下徹黃泉：嘉祥曾英華言：一夕秋月澄明，與數友散步場圃外，忽旋風滾滾，自東南來，中有十餘鬼，互相牽曳，且毆且詈，尚能辨其一二語，似爭朱陸異同也。門戶之禍，乃下徹黃泉乎？（《槐西雜志》卷二，前揭書，頁277）

137 如前引〈周易義象合纂序〉所言，又如《灤陽消夏錄》卷一經香閣的故事中，紀昀曾就漢、宋二學關係作過辯論，表示了自己的持平看法：平心而論，《易》自王弼始變舊說，為宋學之萌芽，宋儒不攻；《孝經》詞義明顯，宋儒所爭，只今文古字句，亦無關宏旨，均姑置勿議；至《尚書》、三禮、三傳、《毛詩》、《爾雅》諸注疏，皆根據古義，斷非宋儒所能；《論語》《孟子》，宋儒積一生精力，字斟句酌，亦斷非漢儒所及。蓋漢儒重師傳，淵源有自；宋儒尚心悟，研索易深。漢儒或執舊文，過於信傳；宋儒或憑臆斷，勇於改經。計其得失，亦復相當。（《灤陽消夏錄》卷一，前揭書，頁10）相同的意見又見於〈黎君易注序〉：漢《易》言數象，不能離存亡進退，非理而何；宋《易》言理，不能離乘承比應，非象數而何。而顧曰：言理則棄象數，言象數即棄理，豈通論哉！余校定秘書二十餘年，所見經解，惟《易》最多，亦惟《易》最濫，大抵漢《易》一派，其善者必由象數以求理；或捨理者，必流為雜學。宋《易》一派，其善者必由理以知象數，或捨象數者，必流為異學。其弊一由爭門戶，一由騖新奇，一由一知半解，沾沾自喜，而不知《易》道之廣大，紛紜轇轕，遂曼衍而日增，殊不知《易》之作也，本推天道以明人事，故六十四卦之大象，皆有君子以字，而三百八十四爻，亦皆吉凶悔吝為言，是為百姓日用作，非為一二上智密傳微妙也；是

有「功魁罪首」般的評價。今就詩壇祖唐祧宋之爭論和漢學、宋學之相爭，這兩方面對紀昀著述之影響，略述於後。

（一）**唐宋詩之爭**：自北宋中期以後，蘇東坡、黃山谷詩的影響日益擴大，「宋調」有別於「唐音」而自成面目，唐宋詩之爭的問題遂逐漸產生，由明至清，歷數百年而不休。紀昀所處的時代也正是祖唐祧宋爭論非常激烈的時期，有沈德潛主張「格調說」，透過評選《唐詩別裁集》，反對清初的宋詩派，推崇唐詩；有袁枚主張「性靈說」，透過《隨園詩話》，反對沈德潛的觀點；有以姚鼐為代表的桐城派，透過評選《五七言今體詩抄》來宣揚唐宋詩並舉的主張。紀昀學詩並不偏頗祖唐或祧宋，他自稱：

> 余初學詩從《玉谿集》入，後頗涉獵于蘇、黃，於江西宗派亦略窺涯涘。嘗有場屋為余駁放看，謂余詆諆江西派，意在熖構，聞者或惑焉。及余所編《四庫書總目》出，始知所傳為蜚語，群疑乃釋。[138]

紀昀自己透過廣泛地學習，並且用了很多的精力，要去矯正祖唐祧宋兩派詩論的偏頗，希望能於兩派之中取其所長而棄其所短。我們看他評點整理過的書，便可以知道為何他

為明是非決疑惑作，非為讖緯禨祥預使前知也。故其書至繁至賾，至精至深，而一一皆切於事。既切於事，即一一皆可推以理。理之自然者明，則數之必然、象之當然，剗然解矣。又何必曰此彼法、此我法、此古義、此新義哉！（前揭書，頁 155）都可以看出紀昀致力於平息漢宋學門戶之爭，力求公允之論的用心。有關紀昀欲「屏除門戶，一洗糾紛」的討論，請參見王鵬凱〈「屏除門戶，一洗糾紛」——論紀昀對漢宋之爭的持平之見〉一文，孔孟月刊 49 卷 1-2 期（577-578 期），2010 年 9-10 月。

138 紀昀：〈二樟詩鈔序〉，前揭書第一冊，頁 200。

喜歡對一些有爭議的詩集加以評點和圈閱。如方回的《瀛奎律髓》、李商隱的《玉谿生詩集》，馮舒、馮班批閱的《才調集》等，又有評點校正《玉臺新詠》，這些詩集，前人都有爭議和不同評價，於是他也通過評點來提出自己的看法。其中像《瀛奎律髓》一書的評點，就用了十年的功夫（38-48 歲），評閱至六、七次之多；《蘇文忠公詩集》也用了五年的功夫去點論（43-48 歲），評閱至五次之多，他自稱評點的情形，可以看見他用力之深。

> 余點評是集始於丙戌（1766）之五月，初以墨筆，再閱改用朱筆，三閱又改用紫筆，交互縱橫，遞相涂乙，殆模糊不可辨識，友朋傳錄，各以意去取之，續於門人葛編修正華處得初白先生（查慎行）批本，又補寫於罅隙之中，亦輚轕難別。今歲六月，自迪化歸，長晝多暇，因繕此淨本，以便省覽。[139]

　　他主要評點的著作有《瀛奎律髓刊誤》、《玉谿生詩說》、《刪正二馮先生評閱才調集》、《唐人試律說》、《紀曉嵐墨評唐詩鼓吹》等。此外，他對杜甫、蘇軾、陳師道、黃庭堅等人的詩作也曾作過評點。《才調集》、《玉臺新詠》是主張西崑者最重視的兩部書，而李商隱正是西崑派的宗主。方回的《瀛奎律髓》主張「一祖三宗」，被認為典型的江西派的提倡者。陳師道即是「三宗」之一，除黃庭堅外江西派最重要的詩人。可見紀昀對這些書的評點，正是有意圍繞對此兩派的評價而開展的。這些大規模的評點，雖然在評點中沒有明確、集中

---

139 紀評《蘇文忠公詩集序》。

地提出自己的論詩主張，但通過他對這幾種詩集評本的選擇
和再評點，是可以看出他的論詩態度是：不要像方回那樣以
江西詩派為尊，也不要像錢謙益、二馮那樣以晚唐詩歌為尊，
而應該相容並蓄，博采各家之長，以發展當時的詩歌和詩歌
批評。而紀昀以他淵博的學識、深厚的詩學根柢和相對公允、
不帶偏見的詩歌觀點，通過自己一系列的評點，是對自清初
以來至乾隆中期一百多年間主張祖唐祧宋論詩的爭議，進行
了一次清算和糾偏。紀昀對西崑與江西都未嘗厚非，只是批
評那種固執一端的見解，其《玉谿生詩說下·鈔詩或問》「問
上黨馮氏評此詩如何」條中說：

> 二馮評才調集意在闢江西而崇崑體，於義山尤力為表
> 揚。然所取多屑屑雕鏤之作而欲持之以攻江西，恐江
> 西之生硬正亦如齊、楚之得失也。夫義山、魯直本源
> 少陵，才分所至，面貌各別而俱足千古。學者不求其
> 精神意旨所在而規規於字句之間，分門別戶，此詆粗
> 莽，彼詆塗澤。不問曲直，哄然佐鬥，不知粗莽者江
> 西之流派，江西本不以粗莽為長；塗澤者西崑之流
> 派，西崑亦不以塗澤為長也。[140]

因此紀昀對兩派各持門戶之見、互相詆毀的言論都致不
滿，才會用了這麼大的精力去矯正這兩派論詩的偏頗，主要
還是要求於兩派之中取其所長而棄其所短。

所以在這樣唐宋詩之爭這樣的時代氛圍下，加上紀昀本
身條件的配合[141]，建立起帶著自己特色的詩論。他努力地在

---

140 收入《叢書集成續編》，（臺北：藝文印書館，1971），頁 28-29。
141 他本身內在的條件有：1.總纂《四庫》的際遇，讓他的眼界擴大、學

儒家學者的立場（理）和詩家文人的慧心（情）中取得平衡，因此紀昀的詩論帶著濃厚調和折衷的色彩，既調和各家優劣長短，又折衷抒情說理的偏頗。簡言之，在唐宋詩之爭的時代氛圍下，紀昀詩論因而有以下幾項特點：1.強調調和折衷、2.態度公正，批評能除門戶之見、3.批評能講明文學流變，帶著史的觀念：（1）指出文學變的特性（2）重視個別的特色。[142]

　　（二）漢宋學之爭：清乾隆、嘉慶年間，是漢學極盛，宋學起而抗之的時期。紀昀雖身處於「漢學家的大本營」[143]的四庫館中，從往交遊也多是漢學家朋友王鳴盛、錢大昕、朱筠、盧文弨、王昶、戴震之輩[144]。他本身的治學也傾向「崇漢抑宋」[145]，但他並不願偏廢一方，對待漢學和宋學，他持

問增長，所以他詩論有著能講明文學流變，帶著史的觀念的特色。2.理性思考的態度，讓他的詩論能破除門戶之見，力求公允。3.身兼文人、學者兩種身分（紀昀在姑妄聽之序中一段話可以看出來：余性耽孤寂，而不能自閑。卷軸筆硯，自束髮至今，無數十日相離也。三十以前，講考證之學，所坐之處，典籍環繞如獺祭。三十以後，以文章與天下相馳驟，抽黃對白，恒徹夜構思。五十以後，領修秘籍，復折而講考證。《紀曉嵐文集》第二冊，375頁）。

142 詳參王鵬凱、黃瓊誼：〈紀昀詩論的時代背景與特色〉一文，《東海大學圖書館館訊》新70期（2007.7）。

143 梁啓超：《清代學術概論》，（上海：復旦大學出版社，1985）。

144 紀昀居於北京虎坊橋給孤寺旁，與王鳴盛寓齋僅隔一垣，兩人往還甚歡，以詩相酬，傳看紀昀所編的《張爲主客圖》（王鳴盛有〈虎坊新居與紀吉士昀隔一垣旁有給孤寺〉一詩）；又結識戴震成爲莫逆之交。戴震凡赴京師，總要居於紀昀家與他切磋商討學問，互訴別情（〈與余存吾太史書〉）。

145 姚鼐曾任四庫館纂修官，至今仍可見所寫的提要86篇，收在《惜抱軒書錄》，道光十二年他的弟子毛岳生爲是書作序，描述了姚鼐在四庫館的處境：乾隆間考證之學尤盛，凡自天文、輿地、書數、訓詁之學皆備。先生邃識綜貫，諸儒多服，而終不與附和駁難，惟從容以道自守而已。時紀文達爲四庫全書館總纂官，先生與分纂。文達

著一種理性的態度[146]，和一般人認為紀昀是漢學家的觀念有些出入。被魯迅稱為「前清的世故老人」紀昀，對他所贊同或反對的意見，往往很「世故」地「托狐鬼以抒己見」（魯迅語），紀昀常藉著鬼狐或是他人之口或抨擊或諷刺或讚揚眾儒者，透過這些故事的描繪，可以去探索紀昀內心一些未曾言明的想法，去瞭解他治學的趨向究竟為何。因此從紀昀在《閱微草堂筆記》中所刻劃的儒者形象，可以看出紀昀對當時儒者讚許與厭惡為何。從愛憎之中，可以得知紀昀對漢宋學的態度為何，同時也體現了他心中的治學標準為何。經過探析之後，可以看出，就通經的方法而言，紀昀崇漢學考據方法的實；而黜宋學空談先天、心性之虛，這是紀昀在治學方法上和程朱理學的立異處。他欣賞的是漢學重考據徵實的治學方法，但是透過考據的方法來明瞭經典的真意（通經），最終的目的還是在於落實到經國濟世的「致用」上，如果只是沉湎於復古，導致泥古而食古不化，成為迂腐的學究，甚至陷入繁瑣的考證弊病當中，紀昀也會毫不客氣地給予辛辣的諷刺[147]。正因為如此，紀昀重視通經致用的治學態度並不等同

天資高，記誦博，尤不喜宋儒。始，大興朱學士筠以翰林院貯有《永樂大典》，內多古書，皆世闕佚，表請官校理，且言所以搜輯者。及是遺書畢出，纂修者益事繁雜，詆訕宋元來諸儒講述極庫隘謬戾，可盡廢。先生頗與辯白，世雖異同，亦終無以屈先生。文達特時損益其所上序論，令與他篇體例類焉。顯然姚鼐的意見，被紀昀更改，很難貫徹到提要中去，而且和其他館臣發生了爭辯，所以乾隆 38 年四庫開館，隔年姚鼐就乞養南歸。從本質上來看則是「惜抱（姚鼐）學術與文達（紀昀）不同，宜其柄鑿也。」（清葉昌熾《緣督廬日記》，江蘇古籍出版社，2002。）

146 侯健：〈閱微草堂筆記的理性主義〉，《中外文學》，8：1，頁 30-48。
147 如在《灤陽消夏錄》卷五中，紀昀對漢學流於繁瑣考據的弊端也有

於當時偏重於考據方法的漢學，只能說他是趨向漢學的治學態度，但不以漢學爲藩籬。[148]

　　至於他對理學的態度，簡言之是：攻訐程朱理學末流之弊，是對程朱理學的修正，而非反對程朱理學。與程朱理學是治學方法上的差異，但在維護社會、安定人心的倫常教化上，並非是反對程朱理學的。紀昀雖然對理學末流之弊深惡痛絕，對揭露理學末流之弊的醜態不遺餘力，但是細究之，紀昀卻不是全然地反對理學。紀昀和理學的扞格不入是治學方法上的差異，但在維護社會、安定人心的倫常教化上，和

所不滿，對漢學之弊，一如對宋學之弊，同樣都給予辛辣的譏諷：朱青雲言，嘗與高西園散步水次。時春冰初泮，淨綠瀛溶。高曰：「憶晚唐有『魚鱗可憐紫，鴨毛自然碧』句，無一字言春水而晴波滑笏之狀，如在目前。惜不記其姓名矣。」朱沉思未對，聞老柳後有人語曰：「此初唐劉希夷詩，非晚唐也。」趨視無一人，朱悚然曰：「白日見鬼矣！」高微笑曰：「如此鬼，見亦大佳，但恐不肯相見耳。」對樹三揖而行。歸檢劉詩，果有此二語。余偶以告戴東原，東原因言有兩生燭下對談，爭春秋周正夏正，往復甚苦，窗外忽太息言曰：「左氏周人，不容不知周正朔，二先生何必費詞也？」出視窗外，惟一小僮方酣睡。觀此二事，儒者日談考證，講曰若稽古，動至十四萬言，安知冥冥之中，無在旁揶揄者乎？此外在《如是我聞》卷四中，藉著乾隆己卯、庚辰年間，獻縣掘得唐代大中七年明經劉伸所撰張君平墓誌一事，很難得地不借鬼狐之口，直抒對世人泥古謬見的批判：字畫尚可觀，文殊鄙俚。余拓示李廉衣前輩曰：「公謂古人事事勝今人，此非唐文耶？天下率以名相耀耳。如核其實，善筆札者必稱晉，其時亦必有極拙之字，善吟詠者必稱唐，其時亦必有極惡之詩，非晉之廝役皆羲、獻，唐之屠沽皆李、杜也。西子、東家，實爲一姓；盜跖、柳下，乃是同胞，豈能美則俱美，賢則俱賢耶？賞鑒家得一宋硯，雖滑不受墨，亦寶若球圖；得一漢印，雖謬不成文，亦珍逾珠璧，問何所取？曰：『取其古耳。』東坡詩曰：『嗜好與俗殊酸鹹』斯之謂歟！」

148 詳參王鵬凱：〈從《閱微草堂筆記》中之儒者形象看紀昀的治學趨向〉，《逢甲人文社會學報》第 20 期，頁 73-115。

程朱學說所提倡的並無二致，可謂殊途而同歸。在《閱微草
堂筆記》中記載的真君子多是理學家，紀昀對真君子劉君琢
[149]、周姓老儒[150]、魏環極[151]等人形象的描繪，並不會因他們

149　《槐西雜志》卷三，前揭書，頁 315-316。交河老儒劉君琢，居於聞
　　　家廟，而設帳於崔莊。一日，夜深飲醉，忽自歸家，時積雨之後，
　　　道途間兩河皆暴漲，亦竟忘之，行至河干，忽又欲浴，而稍憚波浪
　　　之深。忽旁有一人曰：「此間原有可浴處，請導君往。」至則有盤石
　　　如漁磯，因共洗濯。君琢酒稍解，忽嘆曰：「此去家不十餘里，水阻
　　　迂折，當多行四五里。」某人曰：「此間亦有可涉處，再請導君。」
　　　復攝衣徑度，將至家，其人匆匆作別去。叩門入室，家人駭路阻何
　　　以歸，君琢自憶，亦不知所以也。揣摩其人，似高川賀某，其或留
　　　不住（村名，其取義則未詳）趙某。後遣子往謝，兩家皆言無此事，
　　　尋河中盤石，亦無蹤跡，始知遇鬼。鬼多齟醉人，此鬼獨扶導醉人，
　　　或君琢一生循謹，有古君子風，醉涉層波，勢必危，殆神陰相而遣
　　　之歟！

150　《槐西雜志》卷四，前揭書，頁 366。先師陳白崕先生言業師某先生，
　　　（忘其姓字，似是姓周）篤信洛閩，而不騖講學名，故窮老以終，
　　　聲華闃寂，然內行醇至，粹然古君子也。嘗稅居空屋數楹，一夜，
　　　聞窗外語曰：「有事奉白，慮君恐怖奈何！」先生曰：「第入無礙。」
　　　入則一人戴首於項，兩手扶之，首無巾而身爛衫，血漬其半。先生
　　　拱之坐，亦謙遜如禮。先生問何語？曰：「僕不幸明末戕於盜，魂滯
　　　此屋內。向有居者，雖不欲為祟，然陰氣陽光互相激博，人多驚悸，
　　　僕亦不安。今有一策，鄰家一宅，可容君眷屬，僕至彼多作變怪，
　　　彼必避去，有來居者，擾之如前，必棄為廢宅，君以賤價購之，遷
　　　居於彼，僕仍安居於此，不兩得乎？」先生曰：「吾平生不作機械事，
　　　況役鬼以病人乎？義不忍為，吾讀書此室，圖少靜耳，君既在此，
　　　即改以貯雜物，日扃鎖之可乎？」鬼愧謝曰：「徒見君案上有性理，
　　　故敢以此策進，不知君竟真道學，僕失言矣！既荷見容，即託宇下
　　　可也。」後居之四年，寂無他異，蓋正氣足以懾之矣。

151　《姑妄聽之》卷二，前揭書，頁 410。相傳魏環極先生，嘗讀書山寺，
　　　凡筆墨幾榻之類，不待拂拭，自然無塵，初不為意，後稍梢怪之。
　　　一日晚歸，門尚未啟，聞室中窸窣有聲，從隙竊覘，見一人方整飭
　　　書案，驟入掩之，其人瞥穿後窗去，急呼令近，其人遂拱立窗外，
　　　意甚恭謹，問：「汝何怪？」磬折對曰：「某狐之習儒者也，以公正
　　　人不敢近。然私敬公，故日日竊執僕隸役，幸公勿訝……公剛大之
　　　氣、正直之情，實可質鬼神而不愧，所以敬公者在此」

講理學就醜詆他們，也是寫出鬼狐對他們的欽敬，所以紀昀對理學主敬立誠、躬行自修的功夫還是相當地敬佩，因此才有這樣對講學家正面形象的描寫，而紀昀在治學和立身處世的態度，倒頗有「治經宗漢儒，立身宗宋儒」、「六經尊服鄭，百行法程朱」[152]的意味。再看紀昀所譏諷的講學家，有的是苛刻不近人情、動輒以禮苛責；有的是矯作虛偽、言行不一、口是心非、貪財害人的假道學，這些末流之弊，難道就因為講理學就不能被批評嗎？所以邱煒菱（菽園）才說「《齊諧》攻宋儒，每每肆意作譫，殊不足服理學家之心。《五種》攻宋儒，架空設難，實足以平道學家之氣」[153]，指的就是紀昀所針砭的的確是理學的末流之弊，講學家豈能以汙衊視之。因此從他對講學家正反兩面的形象描寫看來，紀昀反對的是理學的末流弊端，痛恨的是虛偽的假道學罷了，對德行醇然、躬行自修的理學家，仍然是心折的。但或許是這世上小人多而君子少，造成寫假道學的篇章多，寫真君子的篇章少，於是讓人產生錯覺，以為紀昀是攻訐程朱理學的。而紀昀在針砭宋學末流之弊時，無疑地也是在對程朱理學的修正，例如在對假道學形象的刻畫時，就寫出真君子的形象以作為典範；在對講學家苛刻不近人情形象的刻畫時，就提出較寬容的意見「飲食男女，人生之欲存焉。干名義、瀆倫常、敗風

---

152 江藩：《經解入門》卷三〈漢宋門戶異同〉節（天津：古籍書店，1990），頁 74。江藩治學雖宗漢學，但對宋儒修身的功夫卻頗推服「學者治經宗漢儒，立身宗宋儒，則兩得矣」、「本朝為漢學者，始于元和惠氏，紅豆山房半農人手書楹帖云：『六經尊服鄭，百行法程朱』，不以為非，且以為法，為漢學者背其師承何哉！藩為是記，實本師說。」
153 邱煒菱：《客雲廬小說話》卷一〈菽園贅談〉，光緒二十三年刊本。

俗，皆王法之所必禁也，若癡兒騃女，情有所鍾，實非大悖
於禮，似不必苛以深文」[154]、「程子謂『餓死事小，失節事
大』，是誠千古之正理，然爲一身言之耳，此婦甘辱一身以
延宗祠，所全者大，似又當別論矣」[155]等意見，以修正逐漸
僵化而不近人情的禮教。以守節爲例，紀昀一方面對貞節烈
婦倍加推崇[156]，但又因他深知守節的不易與艱辛，所以能較
寬容地看待改嫁之事，而能依據實際狀況，不堅持如程頤所
說的「餓死事小，失節事大」，紀昀不是反對禮法，他攻擊
的是不通的禮法、荒謬的習俗，希望在遵循禮法時，又能兼
顧人情，否則「必激而蕩於禮法外矣」，紀昀不像戴震激動地
直接控訴以理殺人，不像吳虞聲嘶力竭地喊出吃人的禮教

---

154 《灤陽續錄》卷五，前揭書，頁 555。
155 《灤陽續錄》卷一，前揭書，頁 505。
156 紀昀在逝世前兩年的禮部尚書任內（1803），上一道摺子〈請敕下大
學士九卿科道詳議旌表例案摺子〉，爲烈婦「猝遭強暴，力不能支，
捆縛捼抑，竟被姦汙者」「例不旌表」不近人情的規定翻案，又如《槐
西雜志》卷四「倪媼，武清人，年未三十而寡。舅姑欲嫁之，以死
自誓。舅姑怒，逐諸門外，使自謀生。流離艱苦，撫二子一女，皆
婚嫁，而皆不才。煢煢無倚，惟一女孫度爲尼，乃寄食佛寺，僅以
自存，今七十八歲矣。所謂青年矢志白首完貞者歟！余憫其節，時
亦周之。馬夫人嘗從容謂曰：「君爲宗伯，主天下節烈之旌典，而此
媼失諸目睫前，其故何歟？」余曰：「國家典制，具有條格。節婦烈
女，學校同舉於州郡，州郡條上於臺司，乃具奏請旨，下禮曹議，
從公論也。禮曹得察核之、進退之，而不得自搜羅之，防私防濫也。
譬司文柄者，棘闈墨牘，得握權衡，而不能取未試遺材，登諸榜上。
此媼久去其鄉，既無舉者；京師人海，又誰知流寓之內，有此孤嫠？
滄海遺珠，蓋由於此。豈余能爲而不爲歟？念古來潛德，往往借稗
官小說，以發幽光。因撮厥大凡，附諸瑣錄。雖書原志怪，未免爲
例不純；於表章風教之旨，則未始不一耳。」（前揭書，頁 373-374），
則是不忘爲於律無法襃揚的節婦傳名。

¹⁵⁷，他是曲折地透過《閱微草堂筆記》中一則則的故事，來喚醒日趨苛刻禮法中的人情。從《閱微草堂筆記》中紀昀對三綱五常、忠孝節義等倫理道德，仍是不餘遺力地提倡與遵守，全書中忠臣、孝子、節婦獲得鬼神欽敬、呵護的例子比比皆是¹⁵⁸，在維護社會秩序與行為規範的目標上，和程朱學說所提倡的並無二致，可謂殊途而同歸，他只是遵循著儒家的中庸之道，去修正理學極端化的弊病，以「深具彈性的理」

---

157 吳虞：〈吃人與禮教〉，「孔二先生的禮教講到極點，就非殺人吃人不成功，這真是殘酷極了！一部歷史裏面，講道德、說仁義的人，時機一到，他就直接間接地都會吃起人肉來。就是現在的人，或者也有沒做過吃人的事，但他們想吃人，想咬你幾口出氣的心，總未必打掃得乾乾淨淨。……我們應該明白了：吃人的就是講禮教的，講禮教的就是吃人的呀！」（《新青年》6：6（1919））。

158 忠臣之例如《灤陽消夏錄》卷三「有廝養曰巴拉，從征時遇賊，每力戰，後流矢貫左頰，鏃出於右耳之後，猶奮刀砍一賊，與之俱僕。後因事至孤穆第（在烏魯木齊、特納格爾之間），夢巴拉拜謁，衣冠修整，頗不類賤役。夢中忘其已死，問向在何處？今將何往？對曰：「因差遣過此，偶遇主人，一展積戀耳。」問何以得官？曰：「忠孝節義，上帝所重，凡為國捐生者，雖下至僕隸，生前苟無過惡，幽冥必與一職事；原有過惡者，亦消除前罪，向人道轉生。奴今為博克達山神部將，秩如驍騎校也」（前揭書，頁47），孝子之例如《灤陽消夏錄》卷三「去余家十餘里，有瞽者姓衛，戊午除夕，偏詣常呼彈唱家辭歲，各與以食物，自負以歸。半途失足，墮枯井中。既在曠野僻徑，又家家守歲，路無行人，呼號嗌乾，無應者。幸井底氣溫，又有餅餌可食，渴甚則咀水果，竟數日不死。會屠者王以勝驅豕歸，距井有半里許，忽繩斷，豕逸狂奔野田中，亦失足墮井，持鉤出豕，乃見瞽者，已氣息僅屬矣。井不當屠者所行路，殆若或使之也。先兄晴湖問以井中情狀，瞽者曰：「是時萬念皆空，心已如死。惟念老母臥病，待瞽子以養。今並瞽子亦不得，計此時恐已餓莩，覺酸徹肝脾，不可忍耳。」先兄曰：非此一念，王以勝所驅豕必不斷繩」（前揭書，頁55），節婦之例如《灤陽消夏錄》卷二記「一日，喧傳節婦至，冥王改容，皆振衣佇迓。見一老婦纍然來，其行步步漸高，如躡階級，比到，竟從殿脊上過，莫知所適。冥王憮然曰：『此已升天，不在吾鬼籙中矣。』」（前揭書，頁35）。

[159]，更貼近人情常理，以避免流於苛刻不近人情的弊病。所以如同紀昀八十大壽時，他的門生汪德鉞所說的「意旨不若合符節歟」：

> （紀昀）平生講學，不空持心性之談，人以為異於宋儒，不知其牖民於善，防民於淫，拳拳救世之心，實導源洙泗。即偶為筆記也，以為中人以下，不可與莊語，於是以厄言之出，代木鐸之聲。乍視之，若言奇言怪；細核之，無非富懲勸以發人深省者。柳子厚云：「即末以操其本，可十七八」，此與濂洛關閩拯人心沉溺者，意旨不若合符節歟？[160]

也難怪章太炎《釋戴》篇會記載著，當紀昀看到一向與之交好的戴震所著的《孟子字義疏證》後，竟「攘臂而扔之」，可見他憤怒的程度，認為該書「以誹清淨潔身之士，而長流汙之行」[161]，原因或許就在紀昀並不是反對程朱理學的[162]，

---

159 侯健：〈閱微草堂筆記的理性主義〉，中外文學，8：1，頁 30-48。

160 汪德鉞：〈紀曉嵐師八十序〉，《四一居士文抄》卷四（《稀見清人別集叢刊》第 12 冊，廣西師範大學出版社，2007 年），頁 332-333。

161 「夫言欲不可絕，欲當即為理者，斯固涖政之言，非飭身之典矣。辭有枝葉，乃往往軼出閫外，以詆洛、閩。紀昀攘臂扔之，以非清淨潔身之士，而長流汙之行，雖焦循亦時惑。」《章太炎全集》第四冊〈釋戴〉，（上海：上海人民出版社，1985），頁 123。

162 劉聲木（1878-1959）認為紀昀批判陸王之說更是不遺餘力「程朱與陸王二派，若水火之不相容，習程朱者無不攻陸王，習陸王者亦然。紀文達公昀為昭代大儒，學問淵雅，志識高卓，未聞以程朱、陸王之學自囿也。其撰《四庫提要》，於程朱之學，雖有微詞，不過不服膺而已，未至於如陸王之學，則攻擊不遺餘力，雖未明言禁人學習，極言其流弊所至，不知底止。可見公道自在人心，非區區口舌所能強爭也」，〈四庫提要推重程朱〉，《萇楚齋續筆》卷一，（北京：中華書局，1998），頁 232。

而是藉著批判、譏諷末流之弊來修正程朱理學，以達到他心中理想的境地。所以我們可以知道紀昀攻訐程朱理學末流之弊，是對程朱理學的修正，在維護社會、安定人心的倫常教化上，並非是反對程朱理學的。故而徐世昌在《清儒學案》中評論紀昀，除了點出了《四庫全書總目》「創自古簿錄家所未有」在學術上的成就，也說出紀昀「持論屏除門戶，一洗糾紛」要一洗漢宋學的糾紛，和矯正程朱理學末流之弊「欲矯宋明末流之弊」的用心，可謂是深知紀昀學術成就與思想內涵的評語：

> 獻縣（紀昀）以通儒遭際明盛，綜覽四部，考證詳明，創自古簿錄家所未有。其持論屏除門戶，一洗糾紛，而欲矯宋明末流之弊，頗有所抑揚。[163]

　　而紀昀能有這樣的成就，一來是本身的條件「通儒」（內因），二來是大時代的氛圍「遭際明盛」（外緣），兩者搭配所造成的，這正說明了時代環境對紀昀著述的影響。

四、結　語

　　仕宦、親友、時代等際遇，對於紀昀的著述，確實有著一定的影響。仕宦的浮沈，曾讓紀昀在進士及第後與天下名流相唱和，也讓他有機會遊歷江南與西域的山川風貌，進而創作出優秀的山水詩〈南行雜咏〉，和邊塞詩〈烏魯木齊雜詩〉，甚至因為擔任四庫全書總纂官，因此有殿本《四庫全書

163　徐世昌：〈獻縣學案〉，《清儒學案》卷 80，（台北：世界書局，1962），頁 1。

總目》的纂成。而宦海的浮沈，也直接影響到他的心境，進而影響到著述，可說是紀昀的學術與文學上的著述，都脫離不了仕宦際遇的影響。

從紀昀受到師長親友的影響來看，在紀昀思想中一些重要的觀念，如重實學輕空談、主張神道設教的鬼神觀反對理學無鬼神之論、對講學家苛刻不近人情的抨擊、以禮法節制情慾反對苛刻的禮教等觀念，都有紀昀父兄二人對紀昀影響的痕跡。此外，紀昀有幸得觀念通達的明師指引，使他能對當時嚴苛的禮教產生反省，也說明了日後紀昀為何在著述中，會每每批判講學家對貞節的要求過為嚴苛。而其交往的益友，可以看到了紀昀和友朋間有勸善規過之義、友朋服善之益、不沒人長等友朋之間彼此互動的情形，也確實看到友朋對紀昀著述影響之痕跡。

從時代背景來看，由於大時代環境的因素，讓紀昀無可避免地必須對學漢宋學、唐宋詩之爭表達出自己的看法，進而影響到紀昀治學的特色。面對著唐宋詩之爭，紀昀自己透過廣泛地學習，並且用了很多的精力，去對一些有爭議的詩集加以評點和圈閱，要去矯正祖唐祧宋兩派詩論的偏頗，希望能於兩派之中取其所長而棄其所短。他努力地在儒家學者的立場（理）和詩家文人的慧心（情）中取得平衡，因此紀昀的詩論帶著濃厚調和折衷的色彩，既調和各家優劣長短，又折衷抒情說理的偏頗。

面對著漢宋學之爭，透過紀昀在《閱微草堂筆記》中對儒者形象的刻畫，可以看出紀昀對當時儒者讚許與厭惡為何。從愛憎之中，可以得知紀昀對漢宋學的態度為何，同時

也體現了他心中的治學標準爲何。經分析之後，紀昀對漢宋學的態度是紀昀重視通經致用的治學態度並不等同於當時偏重於考據方法的漢學，只能說他是趨向漢學的治學態度，但不以漢學爲藩籬。而攻訐程朱理學末流之弊，是對程朱理學的修正，而非反對程朱理學。與程朱理學是治學方法上的差異，但在維護社會、安定人心的倫常教化上，並非是反對程朱理學的，這有別於紀昀爲學揚漢抑宋的印象。可惜的是紀昀欲藉著辨漢宋儒術之「是非」和析詩文流派之「正僞」之後，能「屛除門戶，一洗糾紛」的理想，還是無法達成。畢竟他對這兩者之爭的許多持平言論，竟不能引起眾人的注意，終究爲眾人所忽視。

附錄二
紀昀生平、著述要事年表

　　本表根據朱珪〈太子少保協辦大學士禮部尙書管國子監事謚文達紀公墓志銘〉[1]、李宗昉〈紀文達公傳略〉[2]、《清史稿》列傳卷 107 紀昀本傳[3]、孫致中等校點,《紀曉嵐文集》附錄紀曉嵐年譜[4]、盧錦堂,〈紀文達公年譜〉[5]等資料整理而成。本表感謝王鵬凱君資料的提供及幫忙校對,使之順利完成,並因呼應前文之寫作,故著重在紀昀重要仕宦經歷、交遊情形、著述創作等情形之表列,於其他方面多有簡略,望讀者見察。

　　透過本表有助於我們掌握紀昀生平中仕宦、交遊、創作之情形,也了解到紀昀之著述受到其仕宦、交遊的影響。從紀昀仕途經歷來看,仕宦的浮沈,曾讓紀昀在進士及第後與

1　朱珪:《知足齋文集》卷 5,清嘉慶十年(1805)刊本頁,25-29。
2　李宗昉:《聞妙香室文集》卷 14,清道光十五年(1835)刊本。
3　清史稿校註編纂小組編纂:《清史稿校註》第 11 冊,(臺北:國史館,1986),頁 9212-9213。
4　孫致中等校點:《紀曉嵐文集》,(河北:河北教育出版社,1991)。
5　盧錦堂:《中國書目季刊》,8:2,1974.9。

天下名流相唱和，也讓他有機會遊歷江南與西域的山川風
貌，進而創作出優秀的山水詩〈南行雜詠〉，和邊塞詩〈烏魯
木齊雜詩〉，甚至因爲擔任四庫全書總纂官，因此有殿本《四
庫全書總目》的纂成。而宦海的浮沈，也直接影響到他的心
境，進而影響到著述，可說是紀昀的學術與文學上的著述，
都脫離不了仕宦際遇的影響。而紀昀從游之師友，實不乏高
才俊逸、博學鴻儒之輩，劉統勳、阿桂、戴東原、王昶、王
鳴盛、錢大昕、翁方綱、朱珪、彭元瑞、劉墉等人，盡皆有
名於世。這些師友有些在思想上影響了紀昀，有些則是與紀
昀切磋琢磨於學問之間，讓他不論是爲人處世或是學問上，
都得到莫大的助益。

　　再則，因爲今日可見紀昀的著作並不完整，如同他的朋
友門生等人所言「即曉嵐同唱酬者數十年，而其詩不肯自錄
成帙，今所刻者，其孫所補輯耳」、「生平未嘗著書，間爲人
做序記碑表之屬，亦隨即棄擲，未嘗存稿」、「公著述甚富，
不自裒集，故多散佚」、「作古文，稿多散棄」，只少數見存於
其孫紀樹馨所補輯的《紀曉嵐遺集》中。法式善曾在〈閱微
草堂收藏諸老尺牘跋〉說「香林郎中（紀樹馨）以閱微草堂
收藏尺牘長卷見示，與余意同，且命之跋。嗚呼，是眞能不
忘其先人者矣！文達公讀書萬卷，歷官清要五十餘年，熟悉
朝家掌故，中外請益問字者，日凡有幾，計其往來箋素，蓋
盈箱累篋矣」，紀昀「盈箱累篋」的書信，收在文集中的只有
六札，就連法式善極爲欣賞的諸老尺牘，如戴東原、王昶、
王鳴盛、錢大昕、翁方綱、朱珪、彭元瑞、劉墉等人的書信，
也一札未收。既然無法得見這些極富史料價值的書信，不妨

透過掌握紀昀交遊情形，從紀昀師友之文集中去收集與紀昀往來之書信，從而能更清楚與全面地了解紀昀。

時　　間	著作或事件
1.世宗雍正二年甲辰（1724，1歲）	六月十五日午時，生於直隸河間府獻縣。（朱珪〈太子少保協辦大學士禮部尚書管國子監事諡文達公墓志銘〉，《知足齋文集》卷5。以下簡稱〈墓志銘〉。）
2.雍正十三年乙卯（1735，12歲）	從李紱、方苞游，聞其餘緒。（李宗昉〈紀文達公傳略〉，《聞妙香室文集》，卷14，以下簡稱為〈傳略〉。）
3.高宗乾隆三年戊午（1738，15歲）	與陸青來同師事於董邦達。（〈傳略〉）稱與陸青來「有知已感，故與青來尤相善」（〈書陸青來中丞家書後〉）。
4.乾隆十二年丁卯（1747，24歲）	1.三月，路過天津，聞有烈女張氏，未嫁夫死，自溺以殉。撰〈張烈女詩〉。 2.應順天鄉試，作〈誠五常之本百行之源也論〉、〈擬賜宴瀛台聯並錫賚謝表〉。阿克敦、劉統勳公為第一，與朱珪同榜。（〈墓志銘〉）
5.乾隆十三年戊辰（1748，25歲）	1.有〈瓦橋關〉一詩，對南宋理學門戶之爭及輕事功頗有微詞。 2.自戊辰至甲戌，與錢大昕、盧文弨及從兄紀昭等，結為文社。（紀昀〈袁清愨公詩集序〉）
6.乾隆十五年庚午（1750，27歲）	四月，母張太夫人卒。居憂多暇，因整理舊業，編纂《玉谿生詩說》一書。（《玉谿生詩說》自題）
7.乾隆十六年辛未（1751，28歲）	為應禮部試，在京師習制義，與田白岩（中儀）、宋弼（蒙泉）、董曲江（元度）等交往最密。（〈如是我聞〉卷一、二）
8.乾隆十七年壬申（1752，29歲）	七月，小集宋弼家。與會者有聶松岩（際茂）、法南野、田白岩、宋清遠（宋弼之父）。（〈槐西雜志〉卷二）
9.乾隆十八年癸酉（1753，30歲）	與宋弼共閱《長河志》，宋以所作《州乘餘聞》見示，為題二絕句〈與蒙泉閱長河志因出所作州乘餘聞見示題二絕句〉。
10.乾隆十九年甲戌（1754，31歲）	1.為陳世倌、介福、錢維城、孫人龍取為進士，改庶吉士。同榜者有王鳴盛、錢大昕、朱筠、王昶、姜炳章、王士棻等人。（《郎潛紀聞》、《竹汀居

	士年譜》） 2.夏，同年姜炳章持史榮（雪汀）《風雅遺音》相贈。（〈審定史雪汀風雅遺音序〉） 3.父容舒姚安知府任滿自雲南歸，自此終養不復出。（〈伯兄晴湖公墓志〉） 4.是年作〈擬修葺兩郊壇宇及先農壇告成謝表〉、〈擬修定科律詔〉、〈擬請重親民之官疏〉、〈本天本地論〉。
11.乾隆二十年乙亥 （1755，32歲）	1.長夏養病，編《張爲主客圖》。（《張爲主客圖》序） 2.與王鳴盛寓齋僅隔一垣，兩人往還甚歡，以詩相酬。（王鳴盛〈虎坊新居與紀吉士昀隔一垣旁有給孤寺〉） 3.結識戴震，戴震假館紀昀家，兩人展開長達二十餘年交往。（〈與余存吾太史書〉） 4.父容舒刊訂《景城紀氏家譜》。（〈景城紀氏家譜序例〉） 5.撰〈平定準噶爾賦〉。
12.乾隆二十一年丙子（1756，33歲）	1.夏，刊刻戴震之《考工記圖》並爲之序。（〈考工記圖序〉） 2.秋，與錢大昕纂修《熱河志》，即令扈從熱河。途中恭和御制詩進呈，天語嘉獎。由此館中有「南錢北紀」之目。（《錢辛楣先生年譜》） 3.恭和御制詩爲〈恭和御制秋日奉皇太后幸口外行圍啓蹕之作元韻〉、〈恭和御制懷柔縣元韻〉、〈恭和御制遙亭行宮對雨三首元韻〉、〈恭和御制出古北口詠古元韻〉、〈恭和御制至避暑山莊即事元韻〉、〈恭和御制晚荷元韻〉、〈恭和御制熱河啓蹕之作元韻〉、〈恭和御制山店元韻〉、〈恭和御制朝嵐元韻〉、〈恭和御制都爾伯特台吉什阿噶什來觀封爲親王詩以紀事元韻〉、〈恭和御制入崖口元韻〉、〈恭和御制雨獵元韻〉、〈恭和御制九月朔日元韻〉、〈恭和御制霜元韻、〉、〈恭和御制行圍即事元韻〉、〈恭和御制九日侍皇太后宴並賜內外王公諸臣食席得句元韻〉。
13.乾隆二十二年丁丑（1757，34歲）	1.散館，授編修，旋辦院事。自稱「余初授館職，意氣方盛，與天下勝流相馳逐，座客恆滿，文酒之會無虛夕」。（〈翰林院侍講寅橋劉公墓志銘〉）

	2.從兄紀昭成進士，與昀同官京師「昀早涉名場，日與海內勝流角逐於詩壇文間，兄則恬退寂寞，杜門與三數同志晨夕講肄而已」。（〈怡軒老人傳〉） 3.撰《沈氏四聲考》二卷，以為陸法言《切韻》「實竊據沈約而作者也。」（〈沈氏四聲考序〉）
14.乾隆二十三年戊寅 （1758，35歲）	1.大考二等七名，充武英殿纂修。（〈傳略〉） 2.秋，詩人田雯之子、紀昀好友田中儀（白岩）卒，作〈哭田白岩四首〉。
15.乾隆二十四年己卯 （1759，36歲）	1.正月二十日，作〈書張氏重刊廣韻後〉。 2.正月二十五日，閱《通考》所載《五音韻譜》前後二序，因作〈書毛氏重刊說文後〉。 3.二月，撰〈沈氏四聲考序〉。 4.夏，以律詩督課從游諸子。六月《唐人試律說》脫稿，七月自為序，其中闡述詩作之旨，頗資借鑒。（〈唐人試律說序〉、馬葆善〈唐人試律說跋〉） 5.夏，始卒讀史雪汀《風雅遺音》，成《審定風雅遺音》一書，「時休寧戴君東原主予家，去取之間，多資參酌」。（〈審定史雪汀風雅遺音序〉） 6.任山西鄉試正考官。（〈乾隆己卯山西鄉試策問三道〉） 7.京察一等，充功臣館總纂。（〈傳略〉）
16.乾隆二十五年庚辰 （1760，37歲）	1.七月，閉戶養痾，因科舉方增律詩，乃集館閣諸作，著手編輯庚辰集，評註以示兒輩學試帖者。（〈庚辰集序〉） 2.九月，覆閱《唐人試律說》刊本，重為點勘，再付剞劂，跋其尾。 3.有〈書韓致堯翰林集後〉，繼而點閱《香奩集》，作〈書韓致堯香奩集後〉、〈書八唐人集後〉。 4.充會試同考官（〈墓志銘〉）。李文藻、劉權之等為紀昀所取士。（〈四百三十二峰草堂詩鈔序〉） 5.王昶、翁方綱、諸重光等與之近鄰，交往密切。（《郎潛紀聞》卷8）翁方綱所撰〈坳堂集序〉談及宋弼、戈濤、紀昀與方綱之交往情形「即曉嵐同唱酬者數十年，而其詩不肯自錄成帙」。（《復初齋文集》卷4）
13.乾隆二十六年辛巳 （1761，38歲）	1.春，乞假養痾。（〈槐西雜志〉卷三） 2.五月，李文藻為跋《張為主客圖》。（《南澗文集》卷下）

	2.開始評閱《瀛奎律髓》。（《瀛奎律髓》李光垣跋）
	3.十月，編定《庚辰集》，其初但有評註，後又與門人李文藻等人爲之注。（〈庚辰集序一〉）
	4.翰林院同館爭名相軋，昀中蜚語，曹學閔挺然而出，爲之解圍。（《郎潛紀聞四筆》卷8）
14.乾隆二十七年壬午（1762，39歲）	1.閏五月，《庚辰集》剞劂既竣。（〈庚辰集序二〉）
	2.六月，從座師錢維城借閱《後山集》。（〈後山集鈔序〉）
	3.七月，屬沈雲浦作桐陰觀弈圖，作〈自題桐陰觀弈圖〉一詩。（〈再題桐陰觀弈圖〉）
	4.秋，充順天鄉試同考官，是科得朱子穎，特賞其詩之秀逸。（《灤陽續錄》卷4）亦取王金英。（〈槐西雜志〉卷一）後爲其圖畫題〈《王菊莊藝菊圖》〉一詩。
	5.題〈壬午順天鄉試分校硯〉有云：「惟有囊中留片石，敲來幸不帶銅聲」。
	6.九月，李文藻有與紀曉嵐先生書。（《南澗文集》卷下）
	7.受命視學福建，十月出都赴福建學政任。（〈墓志銘〉）及門弟子劉權之、諸重光、孟生蕙等爲其送行，有〈留別及門諸子〉一詩。
	8.刪正才調集，點論李義山、黃山谷詩集，輯唐人詩略八卷。（〈傳略〉）
	9.年底至福州。有〈將至福州〉一詩。
15.乾隆二十八年癸未（1763，40歲）	1.任福建學政，補授翰林院侍讀。（〈墓志銘〉）
	2.冬，按試汀州，得梁章鉅之叔伯梁斯明，斯儀兄弟於童試中，置梁章鉅之祖父梁天池、父親梁斯志於高等。（〈梁天池封翁八十序〉）並爲梁氏題「書香世業」匾額。（梁章鉅《退庵自定年譜》）
	3.《灤陽消夏錄》卷一載汀州試院堂前唐柏異事，爲袁枚收入《新齊諧》。
	4.翁方綱〈坳堂集序〉論及早些年紀昀與宋弼（蒙泉）鄰居，與戈濤（芥舟）同里，彼此往來密切之情形，也提到「即曉嵐同唱酬者數十年，而其詩不肯自錄成帙，今所刻者，其孫所補輯耳」。
16.乾隆二十九年甲申（1764，41歲）	1.刪定《陳後山集》，七月晦日作序，書於福州使院之鏡煙堂。（〈後山集鈔序〉）

	2.八月，父辭世，旋丁憂北歸。（《槐西雜志》卷2）
17.乾隆三十年乙酉 （1765，42歲）	1.撰〈馬氏重修家乘序〉。 2.秋，長子汝佶舉於鄉，始稍治詩，古文尚未識門徑。汝佶早歿，紀昀頗為痛惜其詩文未能導入正途「自余仕外後，彼則嘗從詩社才士游，遂從公安竟陵兩派入手。後依朱子穎於泰安，見《聊齋志異》抄本（時是書尚未刻），悉摹仿以著之，竟沉淪不返以迄於亡故。」（《灤陽續錄》卷6） 3.歲暮，有懷宋弼、邊連寶等八友人詩各一首。（〈歲暮懷人各成一詠〉）
18.乾隆三十一年丙戌 （1766，43歲）	1.五月，開始點論《蘇文忠公詩集》。（紀評《蘇文忠公詩集序》） 2.續修《紀氏家譜》，並撰《景城紀氏家譜序例》。紀昀尚有為親朋家譜、族譜制序多篇，如〈渠陽王氏世系考序〉、〈河間孔氏族譜序〉、〈棠樾鮑氏宣忠堂支譜序〉、〈汾陽曹氏族譜序〉，其中多展現其對譜牒之學的見解。 3.刪劉侗《帝京景物略》，作〈刪正帝京景物略序〉、〈刪正帝京景物略後序〉。（〈傳略〉） 4.門人李文藻致書，求為其先人撰墓志銘。（〈與紀曉嵐先生書〉《南澗文集》卷下）
19.乾隆三十二年丁亥 （1767，44歲）	1.服闋，補侍讀，充日講起居注官，晉左庶子。（〈墓志銘〉） 2.詔續修鄭樵《通志》，其師裘曰修以鄭樵舊硯贈之，以資鼓勵，並以鄭樵相期待。（〈鄭夾漈硯銘〉昀孫樹馨案語） 3.刪浦起龍所注《史通》，名之曰《史通削繁》。（《史通削繁》序）
20.乾隆三十三年戊子 （1768，45歲）	1.二月，補授貴州都勻府知府，上以其學問素優，外任不能盡其所長，命加四品銜，仍留庶子任。四月，擢翰林院侍讀學士。（〈墓志銘〉） 2.春，為人題〈蕃騎射獵圖〉，八月即從軍西域，紀昀以為詩讖。（《灤陽消夏錄》卷1） 3.六月，任江南鄉試副考官。（《高宗實錄》卷813） 4.七月，兩淮鹽運使盧見曾獲罪，旨籍其家。因見曾孫盧蔭文為紀昀婿，乃徇私漏言，事發，革職戍烏魯木齊（迪化）。同案牽連得罪者尚有徐步雲、趙文哲、王昶。（王昶〈趙文哲墓誌銘〉）

	5.因漏言獲譴，有一董姓軍官爲其拆字，言紀昀當遠戍西域，辛卯年當歸，有奇驗。（〈如是我聞〉卷1） 6.冬十月，於遣戍烏魯木齊途中，作〈雜詩三首〉。 7.經陝西時，曾在同年謝寶樹處小住。（〈題同年謝寶樹小照〉）
21.乾隆三十四年己丑 （1769，46歲）	1.五月至十一月，李文藻以謁選居京師，其間多次至紀昀家中，並爲之檢曝書籍。得見惠定宇經義底稿《周易述》、《易漢學》、《周易本義辨證》、《左傳補注》、《古文尚書考》等數種。（李文藻〈琉璃廠書肆記〉、〈古文尚書考跋〉、〈隸釋跋〉） 2.後有〈寄示閩中諸子六首〉感念此一謫官時期閩中諸學子情誼彌篤，時相音書存問，不以升沉而冷暖。 3.七月，紀昀業師禮部尚書董邦達卒。（〈怡軒老人傳〉、〈書陸青來中丞家書後〉）
22.乾隆三十五年庚寅 （1770，47歲）	1.在烏魯木齊佐助軍務。夏，爲將軍巴彥弼具奏稿上之，釋戍役單丁爲民者六千餘人。（汪德鉞〈紀曉嵐師八十序〉） 2.十二月，高宗下諭釋還。（〈烏魯木齊雜詩序〉）
23.乾隆三十六年辛卯 （1771，48歲）	1.二月，治裝東歸途中賦詩一百六十首，名曰〈烏魯木齊雜詩〉。（〈烏魯木齊雜詩序〉） 2.六月，至京師，錢大昕爲跋〈烏魯木齊雜詩〉。（《潛研堂文集》卷26）並題自烏魯木齊攜歸之硯詩一首（《閱微草堂硯譜》） 3.評閱《瀛奎律髓》畢。（《瀛奎律髓》李光垣跋） 4.七月二十八日閱畢《玉臺新詠》，八月初二日又覆閱畢。（《玉臺新詠》跋語） 5.八月初六日，評閱《文心雕龍》畢，記年月日於十卷末。（道光十三年兩廣節署刊版黃注紀評《文心雕龍》） 6.八月，跋《蘇文忠公詩集》評本，自丙戌之五月起，凡五閱矣。（〈紀評蘇文忠公詩集序〉） 7.自西域歸後，尚未署官，長晝多暇，遂點刊前人遺集，除上述遺集外，另有《王子安集》、《韓致堯集》、《唐詩鼓吹》等，咸親評校。（〈傳略〉） 8.九月，作〈題海棠〉弔四叔母婢女文鸞之死。（《灤陽續錄》卷2）

	9.十月，迎鑾密雲，作〈御試土爾扈特全部歸順詩〉，得旨優獎，授翰林院編修。（《清史稿》本傳） 10.作〈辛卯十月再入翰林戲書所用玉井硯背〉。 11.十二月，撰〈瀛奎律髓刊誤序〉。 12.作〈己卯六月先師董文恪公招余飲醉中爲作秋林覓句圖後余至烏魯木齊城西有坤司馬所建秀野亭案牘之暇獨步其間喬木捎雲宛然此景始知人生有數早兆於十載前矣歸來重閱俯仰慨然因題二絕句〉一詩。 13.作〈皇太后八旬萬壽天西效祝賦〉。 14.作〈松岩老友遠來省予偶出印譜索題感賦長句〉、〈己卯秋錢塘沈生寫余照先師董文恪公爲補幽篁獨坐圖今四十年矣偶展觀感懷今昔因題長句〉、〈有以八仙圖求題者韓何對弈五仙旁觀而李沉睡焉爲賦二詩〉、〈辛卯六月自烏魯木齊歸囊留一硯題二十八字識之〉、〈辛卯十月再入翰林戲書所用玉井硯背〉。詩中諸句「艱難坎坷意氣減，閉門漸與交游疏」、「少年意氣已蕭索」、「十八年來閱宦途，此心久似水中鳧」「龍沙萬里交游少，祇爾多情共往還」、「自憐詩思如枯井，猶自崎嶇一硯間」可窺當時之心境。
24.乾隆三十七年壬辰 （1772，49歲）	1.正月初七，書〈史通削繁序〉，後有〈書浦氏史通通釋後〉。 2.正月十一日重閱畢《玉台新詠》，上元前三日跋之。（《玉臺新詠》跋語） 3.十月，紀昀座師錢維城卒。（〈后山集鈔序〉） 4.朱筠奏陳開館校書。（劉權之〈紀文達公遺集序〉）
25.乾隆三十八年癸巳 （1773，50歲）	1.正月二十七日，跋《玉台新詠校正》稿本。 2.二月，開四庫全書館，任四庫全書總纂官。（《清史稿》本傳） 3.周永年、戴震、余集皆以紀昀之薦修《四庫全書》，入翰林。（〈四百三十二峰草堂詩鈔序〉） 4.因辦理《四庫全書》得宜，補侍讀。（〈傳略〉、〈與陸錫熊同被恩命升授翰林院侍讀呈請奏謝摺子〉） 5.十一月，紀昀之師劉統勛、裘曰修相繼辭世。 6.明內府所刊《廣韻》注文頗略，朱彝尊以爲中涓欲均其字數，故刪削其文。紀昀見官庫所藏至元乙未小字刊本《廣韻》與明內府所刊，一字不差，乃

	知中涓刪削之說，是朱彝尊之臆說。（〈書張氏重 刊廣韻後〉） 7.作〈黼黻硯銘〉。
26.乾隆三十九年甲午 （1774，51歲）	1.三月三日，與陸錫熊、翁方綱、朱筠、姚鼐、程 進芳。任大椿、周永年、錢載等三十九人，舉修禊 故事，且集於曹學閔齋中。（《朱筠年譜》） 2.四月，侍郎金簡以《四庫全書》中善本，請廣流 傳。因仿宋人活字版式印行，賜名「武英殿聚珍 本」。（《東華續錄》乾隆79） 3.五月十四日，朝野進呈四庫之書五百種以上凡四 家，各賜《古今圖書集成》一部；超過百種以上者 共九家，各賜《佩文韻府》一部。（《四庫全書· 卷首一·聖諭》）紀昀進書達105種，賞《佩文韻 府》一部，因撰〈進呈書籍蒙賜內府初印佩文韻府 奏謝摺子〉。 4.七月二十五日，上諭於《四庫全書總目提要》外， 令紀昀另刊《簡明書目》一編。（《四庫全書·卷 首一·聖諭》、《清高宗御制詩》第五集67卷） 5.十月，以子負債興訟，上責昀不能約束其子，降 三級仍留館辦理總纂事務。（《高宗實錄》卷972） 6.詩友邊連寶（隨園）卒。（蔣士銓〈隨園徵士邊 君傳〉） 7.作〈題曹慕堂宗丞所藏乩仙山水〉、〈醉鍾馗圖 為曹慕堂同年題〉。
27.乾隆四十年乙未 （1775，52歲）	1.詩人黃仲則入京，昀折節與交。（王昶〈黃仲則 墓誌銘〉 2.上以昀辦理《四庫全書》實盡心力，除翰林院侍 讀學士。（〈傳略〉） 3.作〈寄示閩中諸子六首〉囑梁章鉅之父梁斯志攜 歸。（紀昀〈梁天池封翁八十序〉，梁章鉅《退庵 自訂年譜》） 4.姚鼐辭《四庫全書》纂修官南歸。（《朱筠年譜》）
28.乾隆四十一年丙申 （1776，53歲）	1.調侍講學士，後充文淵閣直閣事。（〈墓誌銘〉） 2.三月，《四庫全書》總裁、戶部尚書王際華卒。 （《東華續錄》乾隆83） 3.作〈御制題孫覺春秋經解六韻恭跋〉、〈平定兩 金川露布〉、〈平定兩金川雅〉、〈平定兩金川頌〉。
29.乾隆四十二年丁酉	1.正月初四，與曹學閔、曹文埴，王昶小集，王昶

（1777，54 歲）	有詩誌之。（《春融堂集》卷 15） 2.五月二十七日，戴震卒於京師，年五十五。（《朱筠年譜》） 3.十月二十九日，高宗命以哈密瓜賜四庫全書館諸臣。紀昀與陸錫熊等一百五十四人聯句，有詩〈恩賜四庫全書館哈密瓜聯句恭紀一百五十四韻謹序〉。 4.以館臣校書錯誤，部議紀昀罪，上特旨免。（《清史稿》本傳） 5.撰〈翰林院侍講寅橋劉公墓誌銘〉、〈交河縣歲貢生友菊蘇公合葬墓志銘〉。 6.伯兄晫卒，年七十二。（〈伯兄晴湖公墓志銘〉）
30.乾隆四十三年戊戌 （1778，55 歲）	1.五月二十六日，上諭各總裁嚴飭館臣悉心校刊。（《四庫全書·卷首一·聖諭》） 2.撰〈書吳觀察家傳後〉。
31.乾隆四十四年己亥 （1779，56 歲）	1.二月，朱珪充四庫全書館總閱官。（《朱筠年譜》） 2.擢詹事，旋晉內閣學士兼禮部侍郎。（《清史稿》本傳） 3.引述錢大昕金石研究成果於《四庫全書總目》，翁方綱有詩記之。（〈東墅復次前韻，有懷鍾山院長盧抱經學士、錢辛楣詹事，且及二君經學，因復次答，兼懷二君〉之二。見《復初齋集外詩》卷 13） 4.第一份《四庫薈要》成。（《存悔齋集》卷 7）
32.乾隆四十五年庚子 （1780，57 歲）	1.雲貴總督李侍堯貪瀆案發，孫士毅以失察遣戍伊犁，簿錄其家，不名一錢。乾隆嘉其廉，五月，改授翰林院編修，纂編《四庫全書》。（《清史稿》列傳 117 孫士毅本傳） 2.六月，撰《明懿安皇后外傳》。（《明懿安皇后外傳》自序） 3.八月，因曝書檢視《花王閣剩稿》偶記跋語一則，記錄無法將其先高祖紀坤詩集《花王閣剩稿》收入集部一事始末。（《花王閣剩稿》內粘貼紀昀庚子八月因曝書檢視偶記跋語） 4.九月，奉命與陸錫熊、陸費墀、孫士毅等，修《歷代職官表》，書成，列入《四庫全書》。（《四庫全書·卷首》） 5.冬，因校書訛誤，記過三次。（《四庫全書概述（增附五種本）》） 6.高宗賜紀昀御書玉屏拓本。（〈乙巳正月預千叟

	宴恭記八首〉其六注語） 7.撰〈七旬萬壽賦〉、〈五巡江浙恩綸頌〉、〈日 華書院碑記〉。
33.乾隆四十六年辛丑 （1781，58歲）	1.二月十六日，上諭「四庫全書總目提要現已辦竣， 呈覽，頗爲詳核。所有總纂官紀昀、陸錫熊，著交 部從優議敍」（《四庫全書概述（增附五種本）》） 2.密友朱筠卒，紀昀挽之曰「學術各門庭，與子平 生無唱和；交情同骨肉，俾余後死獨傷悲。」（《朱 筠年譜》、《楹聯叢話》） 3.撰〈山西按察使司按察使曙海袁公墓誌銘〉。
34.乾隆四十七年壬寅 （1782，59歲）	1.正月，第一份《四庫全書》於46年底抄畢，至此 貯於文淵閣。（中央研究院歷史語言研究所內閣大 庫檔案，106469號） 2.撰〈欽定四庫全書告成恭進表〉。 3.授兵部右侍郎，仍兼直閣事。（〈墓誌銘〉、〈恩 擢兵部侍郎仍兼文淵閣直閣事恭謝摺子〉） 4.七月十四日，命四庫館總裁，督同總纂等纂修《河 源紀略》一書。（《東華續錄》乾隆96） 5.秋，與翁方綱、蔣士欽、周永年、邵晉涵、程晉 芳等人送董元度（曲江）東歸，董元度曾寓居紀昀 之東齋。（翁方綱〈送董曲江歸平原詩序〉） 6.十一月，第二份《四庫全書》告成，貯於盛京文 溯閣。（《東華續錄》乾隆59） 7.《四庫全書總目》二百卷勒成。（紀昀〈詩序補 義序〉） 8.撰〈汪水部啓淑綿潭山館十咏〉、〈翰林院侍講 蔭臺王公墓誌銘〉。
35.乾隆四十八年癸卯 （1783，60歲）	1.三月，王昶出任陝西按察使，以秦漢瓦當寄贈。 （王昶〈跋伊墨卿藏「漢并天下」瓦當觀圖〉）昀 亦有〈書漢瓦當拓本後〉記其事。 2.翁方綱有〈紀曉嵐少司馬六十壽詩〉二首，中有 「蘭成射策並韶年，經笥詩名敢比肩。夾漈研田逢 歲獲，後山句法有人傳」稱讚紀昀詩學與經學成就 之句。 3.是年，第三份《四庫全書》告成，貯於文源閣。 （《四庫全書檔案輯刊》） 3.轉兵部左侍郎。（〈墓誌銘〉） 4.撰〈河南開歸營河兵備道德圃王公合葬墓誌銘〉、

	〈梁天池封翁八十序〉。
36.乾隆四十九年甲辰 （1784，61歲）	1.春，充會試副考官。（〈墓志銘〉）作〈甲辰會試錄序〉、〈乾隆甲辰會試策問三道〉闡明經義取士的發展演變以及是科取士的標準。 2.洪亮吉應禮部會試，紀昀奇賞洪卷，必欲置第一，而豐潤、鄭澂欲移至四十名外，曉嵐堅執不允，因相與忿詈不可解，胡高望調停其事，遂置不錄。紀昀於洪亮吉卷尾賦〈惜春詞〉六首寄意。（《洪北江年譜》） 3.六月二十一日，程晉芳卒於西安。（《朱笥年譜》） 4.知武會試貢舉。（〈墓志銘〉） 5.冬，第四份《四庫全書》告成，貯于文津閣。（《清高宗御制詩》集5卷10〈甲辰除夕詩注〉） 6.有〈恭謝六巡江浙蠲免直隸山東經過地方額賦並豁順天十二府州屬舊借倉穀摺子〉、〈恭謝六巡江浙喜得元孫直隸山東老民老婦一體賞賚復因二省缺雨軍流以下遞予減等摺子〉。
37.乾隆五十年乙巳 （1785，62歲）	1.正月六日，上御乾清宮賜千叟宴，紀昀預千叟宴（〈乙巳正月預千叟宴恭記八首〉），是日晉陞左都御史。（〈嘉慶丙辰正月再預千叟宴恭記四首〉注） 2.四月，因員外郎海升毆死其妻吳雅氏一案檢驗有誤，革職留任。（〈傳略〉） 3.撰〈直隸棗強縣知縣寓圃任公墓誌銘〉。
38.乾隆五十一年丙午 （1786，63歲）	1.汪輝祖至京師，向紀昀修弟子禮，稱昀為「左都御史、今兵部尚書」，紀贈五言古詩〈汪氏雙節詩〉一首。汪亦睹詞館諸公，因四庫館開，館務熱鬧，奢侈之風既成，不復昔日之清苦高雅。（《病榻夢痕錄》卷上） 2.六月，御史曹錫寶參劾和珅家奴劉全服用奢侈、器具完美，恐有倚藉主勢，招搖撞騙。乾隆皇帝懷疑係紀昀因上年海升毆死伊妻吳雅氏一案，對和珅心懷仇恨，嗾使曹錫寶參奏，以圖報復。（《東華續錄》乾隆103） 3.七月二十四日，閱舊題張氏重刊《廣韻》，疏所未及，再書其後。（〈書張氏重刊廣韻後〉） 4.長子汝佶卒。（〈傳略〉附錄） 5.撰〈聚星硯銘〉、〈怡軒老人傳〉。

39.乾隆五十二年丁未 （1787，64歲）	1.正月，遷禮部尙書（《東華續錄》乾隆105），充經筵講官。（〈傳略〉、〈命充經筵講官恭謝摺子〉） 2.三月，《四庫全書》續繕三部告成。（《朱筠年譜》） 3.帝駐蹕山莊，偶閱文津閣書，發現錯謬甚多，即衆臣校閱文淵，文源二閣書。紀昀自認複閱明末諸書，並與陸錫熊分賠文淵、文源、文津三閣書籍，所有應行換寫篇頁，其裝訂、挖改之工價。總校官陸費墀受罰獨重，致鬱鬱而歿，猶將原籍家產抄出，作爲添補江南三閣辦書之用。（《四庫全書檔案輯刊》） 4.冬，以校勘《四庫全書》至避暑山莊。（〈槐西雜志〉卷二） 5.是年十二月八日，同年曹學閔卒。（〈曹宗丞逸事〉） 6.是年，管鴻臚寺印鑰。（此據〈墓志銘〉，〈傳略〉則爲次年。） 7.撰〈御製題朱載堉琴譜樂律全書恭跋〉。
40.乾隆五十三年戊申 （1788，65歲）	1.十月，上諭允許詞館諸臣及士子赴翰林院將《四庫全書》底本檢出鈔閱。（《東華續錄》乾隆108） 2.秋，以校勘《四庫全書》至避暑山莊。（〈槐西雜志〉卷二） 3.賜紫禁城騎馬，充武會試正考官。（此據〈墓志銘〉及《漢學師承記》，《清史稿》本傳則在次年。） 4.陸費墀卒。（《四庫全書答問》） 5.作〈鶴井集序〉，述與郭可遠、可典兄弟情誼。 6.王昶外遷江西布政使些離京前夕，紀昀邀在京同年夜集，爲其餞行。王昶有〈紀曉嵐大宗伯招諸同年夜集〉一詩誌之。 7.紀昀以所藏《順治十八年縉紳》一函，請法式善題跋。（法式善〈紀曉嵐尙書藏順治十八年縉紳跋〉）紀昀後有〈復法時帆祭酒書〉。 8.是年撰有〈禮部奏進御筆太常仙蝶詩拓本摺子〉、〈宣示御製補詠安南戰國六律并序復奏摺子〉、〈恭謝恩緩保定河間府屬十四州縣積欠摺子〉、〈經筵御論恭跋〉、〈御製耕耤禾詞恭跋〉、〈御製避暑山莊即事得句恭跋〉、〈戶部陝西司員外郎季荀馬公墓誌銘〉。

41.乾隆五十四年己酉（1789，66歲）	1.夏，紀昀以校勘《四庫全書》至避暑山莊，成《灤陽消夏錄》六卷，繕竟附題二首。 2.六月，任大椿卒。（《朱筠年譜》） 3.陸錫熊率員赴瀋陽，復校盛京文溯閣書，明年竣事。（《四庫全書檔案輯刊》）
42.乾隆五十五年庚戌（1790，67歲）	1.三月十八日，遣三媳婦旋里致祭於四叔母，有〈祭四叔母文〉。 2.八月，乾隆八十壽辰，紀昀撰著有〈八旬萬壽錦屏賦〉、〈蠻陬貢象頌〉、〈禮部恭請舉行萬壽聖節慶典事摺子〉、〈恭謝八旬萬壽升秩岱宗展儀闕里直隸廣學額免積欠加賑一月摺子〉、〈祝釐茂典記〉、〈御制節前御園賜宴席中得句恭跋〉、〈御制壽民詩恭跋〉、〈經筵御論恭跋〉、〈御制雲貴總督富綱奏緬甸國長孟隕遣使祝釐徵並乞封號詩以賜獎恭跋〉、〈御八徵耄念之寶恭跋〉等作。 3.紀昀同年尹松林之子壯圖，素與昀交往頻密，時為內閣學士，以參奏不實莠言亂政，遭革職處分。 4.五月十三日，六月、十一月、臘月皆有硯銘。（《閱微草堂硯譜》）
43.乾隆五十六年辛亥（1791，68歲）	1.正月，調紀昀為左都御史。（《清史稿‧部院大臣年表》） 2.七月，跋蔣秋吟〈考具詩〉。（〈書蔣秋吟考具詩後〉） 3.撰〈如是我聞〉四卷，七月二十一日題序。 4.七月，摯友周永年卒，年62。（章學誠〈周書昌別傳〉） 5.正月，同窗李綬卒。夏，昀為之跋自定年譜。（〈書李杏浦總憲年譜後〉） 6.夏，王昶邀紀曉嵐、韋慎占、吳沖之、陸健男等至其寓小集，並有詩記之。（王昶〈暑中韋慎占、紀曉嵐、吳沖之、陸健男招集寓齋〉） 7.有〈宣示《御製石刻蔣衡書十三經于辟雍序》復奏摺子〉、〈恩賜《御製石刻蔣衡書十三經于辟雍序》墨本恭謝摺子〉。
44.乾隆五十七年壬子（1792，69歲）	1.正月，友曹錫寶卒，年74歲。（《知足齋文集》） 2.正月，陸錫熊病逝於前往重校文溯閣《四庫全書》的途中。（王昶〈都察院左副都御史陸君墓志銘〉） 3.二月，劉墉贈黻文硯一方。後蔣師籥題此硯曰：

	「城南多少貴人居，歌舞繁華錦不如。誰見空齋評硯史，白頭相對兩尚書」、桂馥銘此硯曰「劉公清苦得院僧，紀公冷陗空潭冰」足見兩公性情。（《閱微草堂硯譜》） 4.春，四至避暑山莊校勘《四庫全書》。（〈槐西雜志〉卷二） 5.四月，從侄紀汝倫（虞惇）從至溧陽重校文津閣《四庫全書》，以所著《遜齋易述》呈閱，因為之序。（〈遜齋易述序〉） 6.以畿輔水災奏請截留宦糧萬石，設十廠賑饑。得旨，六月開廠，自夏季至明年四月，全活無算。（汪德鉞〈紀曉嵐師八十序〉）復參奏監賑御史不親督放，玩視民瘼，治罪褫職有差。（〈傳略〉） 7.六月，其孫紀樹馨錄其所志成〈槐西雜志〉，因自序。 8.八月，復遷禮部尚書，仍署左都御史。（〈傳略〉） 9.十二月，奏請考試《春秋》，不用胡安國傳，以後《春秋》題，俱以《左傳》本事為文。（〈傳略〉） 10.有〈宣示《御製圭瑁說》復奏摺子〉。
45.乾隆五十八年癸丑 （1793，70 歲）	1.五月，作〈再題桐陰觀弈圖〉二詩。 2.七月二十五日，〈姑妄聽之〉四卷成，並自序。 3.十一月，門人盛時彥跋〈姑妄聽之〉，引述一段紀昀對小說敘事的觀念。 4.冬，作〈題陸耳山副憲遺像〉一詩以悼陸錫熊。 5.是年，為德州李東圃《周易義象合纂》一書作序，序中闡述自己對《周易》以及《周易》研究的見解。
46.乾隆五十九年甲寅 （1794，71 歲）	1.三月，考試教習，有〈甲寅三月考試教習柬同事治亭雲房二宗伯古愚司寇〉一詩贈鐵保、劉權之、虔禮寶。 2.春，應朝鮮貢使通文館教授金成中之請，為《李參奉詩鈔》作序，對其詩不為門戶、流派所拘，而能直書性情，評價頗高。並稱文士談藝，亦應無中外之岐，足見昀之胸襟。 3.五月，因旱祈雨，禮部舉行遲誤，奉上諭罰俸二年。（《東華續錄》乾隆 117） 4.冬，結識朝鮮冬至正使洪良浩，對其詩文大加稱賞，相互引為知音，因為其詩文集作序，（〈耳溪詩集序〉、〈耳溪文集序〉）後並有書信往來。（〈與

	朝鮮洪耳溪書〉、〈再與朝鮮洪耳溪書〉） 5.作〈黎君易注序〉，進一步闡明自已的易學觀點，力辨漢《易》與宋《易》各立門戶，空言聚訟之是非。 6.伊秉綬輯紀昀硯銘草稿，裝之成冊，趙懷玉次韻題後。（《亦有生齋詩集》卷14） 7.汪中往杭州檢校文瀾閣書，卒於西湖旅次，年51歲。（《朱筠年譜》） 8.朝鮮使臣鄭東觀對紀昀的評價為，「文學則禮部尚書紀昀、翰林學士彭元瑞，博雅贍敏，最於廷臣」。（《朝鮮李朝實錄‧正宗18年》） 9.共計有七本替各地因蠲緩積欠稅賦的謝恩摺子，可以看到紀昀為民請命的一面。〈恭謝巡幸天津分別蠲免經過地方並所屬州縣積欠摺子〉、〈恭謝恩緩直隸一百七州縣新舊額賦倉穀摺子〉、〈恭謝恩恤直隸八十三州縣貧民分別賑借口糧摺子〉、〈恭謝恩命截漕撥帑籌備直隸賑務摺子〉、〈恭謝恩諭直隸總督實心賑恤正定等府屬被水州縣摺子〉、〈恭謝恩免河間天津各屬積欠官修大明元城民堤賞給所借籽種摺子〉、〈恭謝恩加銀米賑恤直隸並免三十三州縣積欠摺子〉。 10.是年撰有〈都察院左都御史杏浦李公合葬墓志銘淨〉、〈德宏王公合葬墓志銘〉、〈劉文定公配許夫人墓志銘〉。
47.乾隆六十年乙卯（1795，72歲）	1.四月初八日，元配馬氏卒。（《景城紀氏家譜‧生卒譜》） 2.四月，以禮部尚書兼署左都御史，復充殿試讀卷官。（〈傳略〉） 3.其孫紀樹馨錄其所課諸孫肄業之詩，成《我法集》二卷。七夕，自題序，重陽，陳若疇跋於後。 4.冬，結識朝鮮進賀副使徐有功（明皋），並為其文集作序。（〈明皋文集序〉） 5.詩人張騰蛟（孟詞），已登貢士，未及殿試而卒于京師，畫家伊秉綬為其繪像，紀昀又為遺像題詩三首。（〈題張孟詞進士遺照〉） 6.纂《八旗通志》，仿《漢書藝文志》例，搜求《四庫》之遺籍，隋珠和壁，多得諸蠹簡之中。序中亦表達對「詩窮而後工」一說的見解。（〈月山詩集

	序〉） 7.作〈郭茗山詩集序〉，序中表達對「詩言志」一說的見解。 8.是年撰有〈恭謝恩加展賑直隸二十四州縣縣摺子〉、〈恭謝恩緩直隸上年被水州縣春季新賦摺子〉、〈恭謝恩免直隸五十二川縣積欠旗租摺子〉。 9.紀昀擬乾隆禪位授受禮。（王昶《蒲褐山房詩話》） 10.自去年結識朝鮮洪良浩，結爲良友。本年因朝鮮使臣鄭尙愚歸輈之便，又奉書〈與朝鮮洪耳溪書〉一函，附奉水蛀硯一方、白瑪瑙搔背一件、郎窰水中丞一件、葛雲瞻茶注一件，各繫以小詩一首，作〈以水蛀硯水中丞搔背茶注贈朝鮮國相洪良浩各繫小詩〉。 12.長至日銘其取自那彥成之硯，並有〈繹堂嘗攫取石庵硯後與余閱卷聚奎堂有硯至佳余亦攫取之繹堂愛不能割出硯來贖戲答以詩〉詩一首。（《閱微草堂硯譜》）復有〈題繹堂硯〉一詩。 13.十一月十六日，《四庫全書總目》刷印裝潢竣工。（〈原戶部尙書曹文埴奏刊刻《四庫全書總目》竣工刷印裝潢呈覽摺〉）
48.嘉慶元年丙辰（1796，73歲）	1.正月初五，嘉慶「皇帝奉太上皇帝茶宴重華宮聯句」以風字硯賜禮部尙書紀昀。（《閱微草堂硯譜》） 2.正月，有〈寄懷洪良浩〉詩一首。 3.春，充會試正考官，撰〈丙辰會試錄序〉，論及科舉制義文體的演變。〈嘉慶丙辰會試策問五道〉透露出許多紀昀學術上的見解。 4.是科所取之士，關係最密者，有陳鶴、汪德鉞、趙慎畛、龔麗正、汪守和等。陳鶴爲《紀文達公遺集》作序。龔麗正曾請他爲其父敬身撰墓志銘〈雲南迤南兵備道匏伯龔公墓志銘〉。趙慎畛頗爲紀昀所賞識，紀昀爲跋其舅氏手札，作〈書王孝承手札後〉。江德鉞尤爲紀昀所賞識，稱之「竟從萬馬中，得此千里駿」（〈題汪銳齋蕉窗讀易圖〉）。 5.六月，調兵部尙書。（〈調補兵部尙書謝恩摺子〉）。 6.六月十五日，邵晉涵卒，年55歲。（《朱筠年譜》） 7.七月，孫士毅卒，諡文靖，年77歲。（《疑年續錄》） 8.七月，爲劉峨撰〈兵部尙書劉恪簡公合葬墓志

	銘〉。 9.九月，爲李封撰〈前刑部左侍郎松園李公墓志銘〉。 10.秋，學者桂馥出任雲南永平縣知縣，昀賦詩〈送桂未谷之任滇南〉送行。 11.十月，丙戌，調紀昀爲左都御史。（《東華續錄》嘉慶 1） 12.撰〈伯兄晴湖公墓志銘〉，對於了解紀昀的家庭及其本人的身世、性情，均有裨益。 13.爲其子汝佶之友撰〈題蔣秋吟保陽詩後〉。紀昀曾爲其《津門詩鈔》、《考具詩》等制序，也爲其父遺照題詩。足見其與蔣詩關係之密。 14.爲其亡友詩集撰〈袁清愨公詩集序〉，序中對王漁洋與趙執信詩論之爭表達己見。 15.是年撰有〈太上皇帝紀元周甲授受禮成恭進詩冊摺子〉、〈宣示《聖製書虞書舜典集傳》復奏摺子〉、〈邁古論〉、〈聖制十全老人之寶說恭跋〉、〈祭理藩院尙書顯庭留公文〉。
49.嘉慶二年丁巳（1797，74 歲）	1.六月，撰〈刑部河南司員外郎前江蘇按察使司按察使檢齋王公墓志銘〉，文中可窺見他對海升妻死一案獲譴之人王士芬等的同情與不平。 2.八月，遷禮部尙書。大學士阿桂卒。（《東華續錄》嘉慶 4） 3.秋，觀菊於積慶亭家，慶亭出其祖父靜逸經義數十首相示，紀昀爲之作〈積靜逸先生經義序〉。 4.秋，汪德鉞作《周易反對互圖》，並繪蕉窗讀易圖一幀以示紀昀，昀爲題〈題汪銳齋蕉窗讀易圖〉五言長詩一首。 5.奉命詮解《洛神賦》語，有覆奏摺子〈奉命詮解《洛神賦》復奏摺子〉。 6.桂馥以簪花騎象圖見寄，紀昀爲其作〈題桂未谷簪花騎象圖〉。 7.有〈懷朝鮮洪良浩〉詩，並有一函與洪良浩之子洪薰谷〈與朝鮮薰谷書〉。
50.嘉慶三年戊午（1798，75 歲）	1.二月八日，與同仁十五人小集，有詩並序。（〈曹慕堂宗丞家慶圖〉） 2.五月，扈從灤陽。（〈灤陽續錄〉卷 1）在灤陽之日，撰〈田侯松岩詩序〉。

	3.七月，〈灤陽續錄〉六卷成，自爲序。 4.十月，紀昀爲劉墉所贈硯作硯銘，中有「迦陵四六，頗爲後來所嗤點，余撰《四庫全書總目》，力支柱之」之語，是爲紀昀直言撰寫《四庫全書總目》之例。（《閱微草堂硯譜》） 5.是年撰有〈內務府郎中黃鍾姚公墓表〉、〈振斯張公墓誌銘〉、〈化源論〉、〈綠瓊硯銘〉、〈仿宋硯銘〉。
51.嘉慶四年己未 （1799，76歲）	1.正月初三卯時，乾隆帝崩於乾清宮。正月十八日，嘉慶帝賜和珅自盡，往年因和珅而見斥之紀昀好友御史曹錫寶、尹壯圖皆獲平反。（《東華續錄》嘉慶7） 2.二月，奉命充高宗實錄館副總裁。（《東華續錄》嘉慶7） 3.三月，朝鮮書狀官徐有聞稱「和珅專政數十年，內外諸臣，無不趨走，惟王傑、劉墉、董誥、朱珪、紀昀、鐵保、玉保等諸人，終不依附」。（《東華續錄》嘉慶7） 4.三月十四日，爲門人汪德鉞講授詩之源流派別，並出示高祖厚齋詩稿，命汪題跋。汪作〈紀厚齋先生詩跋〉。（《四一居士文鈔》卷5） 5.四月，尹壯圖歸籍，紀昀撰〈尹太夫人八十序〉爲其母壽。 6.四月二十日，充殿試讀卷官。（《仁宗實錄》卷43） 7.十月初六日，充武會試正考官。（〈壬戌會試錄序〉）有詩〈己未武會試閱卷得詩四首〉、〈疊前韻四首〉。 8.十一月，朝鮮使節對紀昀有「風流儒雅推紀昀」、「今行購求時，當世所稱藏書名儒，多與之往復質問，則自內閣書下之書目，或不辨其等義例，何人編刻，而獨昀一人，取諸腹笥，年經月緯，始終源流，洞如燭照。所著古文，本之以經術，繩之以檢押，純正優餘，無愧爲當世名家」之評價，副使徐瀅修且稱「書下諸冊遍問於藏書宿儒，而多不能辨其何等義例，惟禮部尙書紀昀洞悉其源流……紀昀之文學言語，尊尙朱子」。（《朝鮮李朝實錄中的中國史料》下編卷12，正宗23年）

	9.王昶入都哭臨，同年曹學閔之子錫齡設宴招待他與紀昀。王昶有詩〈曹侍御定軒錫齡招同紀宗伯曉嵐小集〉誌之。
	10.門人伊秉綬出守廣東惠州，紀昀以詩〈題盧溝折柳圖送伊墨卿出守惠州〉贈別。
	11.孫紀樹馨由蔭生選授刑部江西司員外郎。（〈孫樹馨由蔭生選授刑部江西司員外郎謝恩摺子〉）
	12.密友兼親家戈源（仙舟）卒，昀為作〈戈太僕傳〉。
	13.有〈裕陵奉安禮成特加禮工二部堂司官各二級謝恩摺子〉。
52.嘉慶五年庚申（1800，77歲）	1.正月，兵部尚書金士松卒，為撰〈兵部尚書劉恪簡公合葬墓志銘〉。
	2.有〈天然硯銘〉。（《閱微草堂硯譜》）
	3.閏四月，江蘇布政使方昂卒，為撰〈江蘇布政使司布政使坳堂方公墓志銘〉
	4.八月，《閱微草堂筆記》五種二十四卷，編定刊行，門人北平盛時彥作序。
	5.九月，雲南迤南兵備道龔敬身卒，龔敬身與昀同校四庫書，最相契，應敬身之子麗正所請，為撰〈雲南迤南兵備道匏伯龔公墓銘〉。
	6.為朝鮮醫學著作《濟眾新編》作序，舉編纂《四庫全書》時，於子部14家，獨以農家居四，而其五為醫家之例，特申重視實用之學之意。
	7.汪德鉞就屬吏見長官不長揖而半跪的問題上書紀昀，紀昀准其議，此後禮部遂廢半跪而復長揖之禮。（〈上大宗伯紀曉嵐師書〉）
	8.應甲戌同年姜炳璋之孫之請，為姜著《詩序補義》作序，篇中對《詩經》研究史的源流派別，條分縷析，辨非論是。通過此序，可概知《四庫全書》之《詩類》的發凡起例與紀昀對漢宋學之爭的學術觀點。（〈詩序補義序〉）
53.嘉慶六年辛酉（1801，78歲）	1.夏，王昶以詩詠懷紀昀。（〈長夏懷人絕句·河間紀宗伯曉嵐〉）
	2.十一月八日，充會典館副總裁官。（《仁宗實錄》卷90）
	3.侍郎童鶴街卒于學使任，昀為其詩稿作序，序中言及自身的創作經歷與心境。（〈鶴街詩稿序〉）
	4.長至前六日、八月三十日、十月，凡四次題硯，

	有兩題〈宋太史硯銘〉、〈挈瓶硯銘〉、〈琴硯銘〉。
54.嘉慶七年壬戌 （1802，79歲）	1.三月，充會試正考官，撰〈壬戌會試錄序〉、〈嘉慶壬戌會試策問五道〉。序中對於以經義（即八股文）取士的源流正變和發展演變的歷史做了概述，對於了解科舉制度史，有參考的價值。 2.因上年直隸遭災，分別蠲緩各項應征租賦倉穀，紀昀有謝恩摺子〈恭謝恩撫直隸災區分別蠲緩各項應征租賦倉穀摺子〉，後又有〈恭謝恩減秋獮木蘭經過地方額賦摺子〉。 3.紀昀的門人、朋友、惠州知府伊秉綬，因粵東天地會起事，以失察參成軍台。（《東華續錄》嘉慶16） 4.二月朔日、三月三日、四日、長至日、七月二十八日，有〈仿西漢五鳳磚硯銘〉、〈龍尾石硯銘〉等硯銘。 5.有〈大學士六部尚書奉旨議奏安南國長阮福映請賜名南越摺子〉。
55.嘉慶八年癸亥 （1803，80歲）	1.鐵保以淄石硯見寄，紀以〈治亭巡撫山東寄余淄石硯戲答以詩〉答之。 2.二月，門人蔣士銓乞為趙渭川《四百三十二峰草堂詩鈔》作序，昀於序中分析詩義流派的一段議論，為紀昀詩論的重要資料。後又為趙渭川新修《安陽縣志》作序，對於修志體例的意見，也頗有參考的價值。 3.四月初二日，上諭，以高宗御制詩文，及續辦《方略》、《紀略》等書，應續繕於《四庫全書》內，命紀昀辦理之。（《仁宗實錄》卷111） 4.六月十五日，八十生辰。嘉慶帝特命上駟院卿常貴頒賜珍品，紀昀有謝恩摺子。門人汪德鉞的壽序，別開生面，描述了紀昀不為常人所知的形象。尤其稱「平生講學，不空持心性之談，人以為異於宋儒，不知其牖民於善，防民於淫，拳拳救世之心，實導源洙泗。……此與濂洛關閩拯人心沉溺者，意旨不若合符節歟？」頗有參考之價值。（〈紀曉嵐師八十序〉） 5.六月，命署兵部尚書並教習庶吉士。（〈命署兵部尚書並教習庶吉士謝恩摺子〉） 6.七月，以孝淑皇后奉安事宜，辦事王大臣具奏儀

	摺措詞不當，遭受牽連處分。十月，以孝淑皇后奉安禮成，寬免處分。（《仁宗實錄》卷116） 7.山東巡撫議以肥城邱氏爲左丘明後，疏請增設左丘明世襲五經博士。禮部議時，紀昀採納汪德鉞所提出「三不可信」的意見（〈請立肥城邱氏爲左氏博士私議〉），竟罷其請。（〈禮部議奏山東巡撫疏請增設左丘明世襲五經博士摺子〉） 8.爲劉墉臨王右軍帖書後，明言自己不善書法。（〈書劉石庵相國臨王右軍帖後〉） 9.上〈請敕下大學士九卿科道詳議旌表例案摺子〉，爲烈婦「猝遭強暴，力不能支，捆縛捺抑，竟被姦汙者」「例不旌表」不近人情的規定翻案，議奏報可。 10.跋《平定三省紀略》，直言白蓮教亂事，由於民志之怨誹，而民志之怨誹，由於官役之侵蝕，是其故在官不在民也。（〈御制平定三省紀略恭跋〉） 11.疾作，上命軍機章京富綿率醫官王詔恩視之。（〈傳略〉） 12.是年正月、二月三日、六月望日、六月、七月中秋前二日題〈井欄硯銘〉、〈紅絲硯銘〉、〈墨注硯銘〉、〈淄水石硯銘〉等硯銘。 13.有〈六月十五日八十生辰特命署上駟院卿常貴頒賜珍品謝恩摺子〉、〈御製辛酉工賑紀事序恭跋〉。
56.嘉慶九年甲子 （1804，81歲）	1.二月，作〈雲龍硯銘〉曰「文無定法，是即法在」。 2.五月十日，在劉墉贈硯上鑴道「余與石庵（劉墉）皆好蓄硯，每互相贈送，亦互相攘奪，雖至愛不能割，然彼此均恬不爲意也。太平卿相，不以聲色貨利相矜，而惟以此事爲笑樂」。 3.十二月庚辰，劉墉卒，諡文清。（《東華續錄》嘉慶18） 4.子汝傳擢滇南知州，孫樹馨升任刑部陝西司郎中。有謝恩摺子。（〈孫樹馨推升刑部陝西司郎中謝恩摺子〉） 5.山東巡撫鐵保申辯前疏，並另請設漢儒鄭玄世襲五經博士，昀有〈禮部議奏山東巡撫申辨前疏並另請增設漢儒鄭元世襲五經博士摺子〉，考證其紕繆處凡十條以駁之。 6.是年正月、二月二日、三月六日、三月十一日、

	四月、五月十日、長至前四日、六月、七月、八月、重九、九月望日、九月、十月、冬至前三日，有〈竹節硯銘〉、〈卷阿硯銘〉、〈青花硯銘〉、〈荔枝硯銘〉、〈圭硯銘〉、〈雲龍硯銘〉、〈風字硯銘〉、〈水田硯銘〉、〈桃硯銘〉、〈月到天心硯銘〉、〈下巖石硯銘〉、〈金水附日硯銘〉、〈月堤硯銘〉等硯銘。 7.作〈端本導源論〉。
57.嘉慶十年乙丑 （1805，82歲）	1.正月二十六日，命以禮部尚書、協辦大學士，加太子少保，管國子監事。（〈命以禮部尚書協辦大學士加太子少保銜並管國子監事謝恩摺子〉） 2.正月乙未，大學士王傑卒，諡文端。（《閱微草堂硯銘》） 3.正月凡兩次銘硯，有〈壺盧硯銘〉、〈竹節硯銘〉。 4.二月四日，與朱珪連騎入內閣，同上翰林院中堂任。（〈墓志銘〉） 5.二月十日，病。十三日，朱珪過門視疾。二月十四日酉時卒。諡文達。上遣散秩大臣德通帶領侍衛十員，往奠茶酒，賞銀五百兩治喪，諡文達。（《清史稿》本傳） 6.仁宗撰〈御賜碑文〉、〈御祭文〉；朱珪作〈太子少保協辦大學士禮部尚書管國子監事諡文達公墓志銘〉；劉權之、阮元的〈遺集序〉；江藩《漢學師承記》皆有紀昀生平之敘述。

附錄之文刊登於《東海大學圖書館館訊》新 109-112 期